Jet

Biblioteca de

Alberto
Vázquez-Figueroa

PLAZA & JANES

Alberto Vázquez-Figueroa

Tierra virgen

PLAZA & JANES EDITORES, S. A.

Diseño de la portada: Método, S. L.
Fotografía de la portada: Index

Decimoséptima edición en esta colección: abril, 1997
(Segunda con esta portada)

© 1976, Alberto Vázquez-Figueroa
Editado por Plaza & Janés Editores, S. A.
Enric Granados, 86-88. 08008 Barcelona

Printed in Spain – Impreso en España

ISBN: 84-01-49069-3 (col. Jet)
ISBN: 84-01-46952-X (vol. 69/2)
Depósito legal: B. 16.928 - 1997

Impreso en Litografía Rosés, S. A.
Progrés, 54-60. Gavà (Barcelona)

L 46952 A

Le despertaron las loras de siempre, discutiendo en el árbol de siempre.

Contempló el cielo y el bosque a través del enrejado de cañas, y a intervalos pudo distinguir dos mariposas que se perseguían. Le bastó una ojeada para saber que no interesaban; nadie daría por ellas más de diez pesos.

Decidió levantarse, y apenas puso los pies en el suelo comprendió que habían estado allí aquella noche.

Un ligero estremecimiento le recorrió la espalda. Probablemente se habrían acuclillado junto al camastro, contemplándole durante horas, quietos como estatuas, con los malignos ojillos fijos en su rostro, observando incansables cómo respiraba una y otra vez, acompasadamente, preguntándose —si es que eran capaces de preguntarse algo— dónde estaría la mente del hombre que dormía.

¿Cómo podrían imaginar sus sueños?

¡Debían estar tan lejos de su entendimiento...!

De niño, cuando *Tom-Tom* gruñía y se agitaba durmiendo, le había preguntado a su padre qué soñaban los perros.

—No lo sé —le respondió—. Tal vez persigan gatos, cacen liebres o corran tras el cartero... Tal vez tengan un mundo propio que no conocemos.

Entonces se quedaba muy quieto, contemplando a *Tom-Tom* durante horas, intentando penetrar en el misterio de su mente y aquel mundo canino que los hombres ignoraban.

Y ahora él estaba en el puesto de *Tom-Tom,* y ellos venían a estudiarle mientras dormía.

¡Dios, qué horror experimentarían si pudieran penetrar en sus sueños! Sus oídos jamás habrían sentido —ni con el más brutal trueno de la más fiera tormenta— fragor semejante al de una bomba de napalm que estalla; y sus ojos no habrían visto —ni en el más rugiente de los volcanes— infierno parecido.

¡Pobres salvajes, que nada sabían del auténtico salvajismo!

Salió de la cabaña, y al pasar por la tosca mesa, recogió un pedazo de casabe y una pata del mono que le sirvió de cena la noche antes. Alguien se había comido parte, y los huesos, mondos hasta lo increíble, aparecían cuidadosamente amontonados en un rincón, junto al camastro.

Un sol brillante comenzaba a trepar por las copas de los árboles, allá a lo lejos, al otro lado de la ancha laguna, quieta y luminosa. Una garza cruzó volando bajo, casi rozando el agua con las puntas de las alas, y un pececillo saltó sobre la superficie, tal vez persiguiendo a una mosca; tal vez perseguido por otro pez mayor.

Consultó las huellas en el barro. Habían sido cuatro, y entre ellos estaba el que conocía por Kano, dueño de la más larga cerbatana del territorio. Su forma de caminar resultaba inconfundible; su deforme huella no tenía semejanza a ninguna otra.

¿Por qué ese misterio? ¿Por qué llegar de noche, sentarse a mirarle comer algo y marcharse sin aguardar el día?

Era, quizás, una forma de imponerle su condición de huésped. Vivía en la laguna, porque ellos así lo querían. En cualquier momento podían expulsarle. Podían incluso quitarle la vida, sin dar cuenta a nadie. Con frecuencia venían a recordárselo, y él lo aceptaba. Era el tributo que debía pagar por la paz de aquellas tierras.

Aspiró profundo. El olor a bosque, a tierra húmeda, a hojas putrefactas, a flores de perfume demasiado denso, le caló muy hondo.

Era el olor de la selva en la mañana, tan distinto al aire de la noche, e incluso al pesado y silencioso calor del mediodía.

En la Amazonia, los olores cambiaban con el día, como cambiaba la intensidad de la luz, o las mil tonalidades de los más altos árboles.

Nunca hubiera creído que alguna vez sabría la hora en que vivía por el canto de los pájaros, la densidad del aroma de las flores, o la luminosidad de las copas de los árboles.

¡Había tantas cosas que nunca imaginó de sí mismo, y que llevaba años descubriendo...!

Se acercó a la orilla, rebuscó en el fango y sacó un gusano gordo y blanco, que ensartó sin pena en el anzuelo. Lanzó el sedal al agua, ató el extremo a una rama y volvió a la penumbra de la cabaña.

Estudió el dibujo. Era un buen trabajo que compensaba su dedicación de una semana... ¿Había sido una semana...? A medida que ganaba la noción de las horas, perdía la noción de los días, las semanas y los meses. Y es que allí el tiempo carecía de valor, y tan sólo importaba cuál era el momento mejor para la pesca, la hora oportuna para cazar monos, o el instante de acechar mariposas.

El día, no importaba.

Ni el mes... ¿Qué mes sería?

Probablemente enero, pero eran todos tan iguales...

Un pez chapoteó en el agua.

Con el segundo salto comprendió que intentaba liberarse del anzuelo. Corrió a la orilla y haló el sedal, despacio. Era un hermoso bagre de casi diez kilos, que presentó pelea largo rato.

Le entusiasmó la lucha: el tira y afloja sin darle nunca suficiente liña como para buscar refugio en el manglar, pero sin arriesgarse, tampoco, a partir uno de los escasos sedales que le quedaban sanos.

Cuando, al fin, el bagre se dejó arrastrar mansamente por entre los nenúfares de la orilla, se introdujo en el agua y, de un solo manotazo, rápido y certero, lo enganchó por las agallas y lo lanzó a tierra.

Lo observó mientras coleaba al pie del árbol, con los ojos cada vez más saltones y la boca muy abierta, buscando el oxígeno que no lograba extraer del aire.

«Demasiado grande —pensó—. No podré comérmelo...»

Se volvió hacia el pantano, a la orilla lejana, donde nacía la trocha que serpenteaba hacia el último campamento yubani.

—Tal vez aún estén allí... Si han venido esta noche, es que andan cerca...

Buscó un mazo, y de un solo golpe reventó la cabeza al bagre. Desprendió el anzuelo, enrolló cuidadosamente el sedal, y lo colgó de un clavo en la choza. Luego, sin prisas, cargó su presa en el frágil cayuco y comenzó a remar mansamente sorteando nenúfares y cañaverales.

A mitad del pantano se detuvo. Alzó el canalete, y el gotear del agua que escurría era cuanto podía escucharse en la quieta mañana. La embarcación perdió su impulso y se detuvo. Las loras apenas eran ya más que un rumor lejano; la brisa, muy suave, traía un perfume verdeoscuro, de selva virgen, pero ni un solo ruido, ni voz humana, ni estruendo de máquinas, ni cantos, ni risas...

Nada.

El mundo estaba en calma y en silencio.

En completo silencio.

Y eso era lo que siempre había deseado...

Un mundo quieto y en paz consigo mismo; un mundo en el que ni un sonido, ni un color, habían cambiado en miles de años; quizá desde el día en que fue creado.

Se recostó en el cayuco, apoyó la nuca en la borda y dejó que el sol de la mañana curtiera su piel, ya curtida en cien mañanas semejantes.

El bagre golpeó la madera con el postrer coletazo de su despedida al mundo de los vivos, y tan quieta estaba el agua, que creó una ligera onda que se perdió a lo lejos.

Luego llegó, silenciosa, una libélula, que detuvo su vuelo y buscó descanso sobre el pie desnudo.

La contempló largo rato, sintiendo el cosquilleo de sus patas, sin hacer un solo movimiento para espantarla.

—Buen lugar elegiste —susurró—. ¿Muy cansado ese volar constante... de un lado a otro...? ¿Cómo diablos puedes mover las alas tan aprisa...?

Una suave somnolencia comenzó a invadirle.

9

Estuvo tentado de cerrar los ojos y quedarse allí, cara al cielo, pero el zumbido de un moscón le hizo recordar que el pez estaba al sol.

Acomodó su posición y hundió en el agua el canalete, enfilando hacia la entrada de la trocha. Al saltar a tierra, lanzó el bagre al agua, y allí mismo, en la orilla, lo abrió en canal, arrojando al pantano las entrañas. Aún chorreando, lo colgó de una rama alta, a la sombra, bien visible para quien recorriera aquella pica salpicada de huellas frescas.

Entre tanta huella, descubrió fácilmente las de Kano, el de los pies deformes, dueño de la más larga cerbatana del territorio.

Subió al cayuco y emprendió el viaje de regreso.

Al entrar en su cabaña encontró, colgando de una viga, un pequeño mono despellejado y recién muerto.

Alguien le devolvía el obsequio.

Lenta, muy lenta, avanzaba la tarde.

Sentado en la rama, estudiaba el claro. Conocía de memoria cada flor, cada hoja, cada tallo, y aun los troncos de los árboles vecinos; sus copas, sus lianas, la sombra que daban en cada momento del día, su olor e, incluso, su voz cuando los agitaba el viento.

Conocía aquel claro como los rasgos de un ser amado; los ojos de su madre, la boca de Lola, el morro de *Tom-Tom*.

Lentas, muy lentas, avanzaban las tardes.

Había perdido la cuenta de cuántas dejó pasar sentado en la rama, con la red en la mano, esperando la aparición de las mariposas.

Descubrió aquel claro al mes de llegado, y desde ese día, rara era la ocasión que no le ofrecía una nueva presa. A veces creía que todas las mariposas de la Amazonia tenían, pronto o tarde, alguna cita en el quieto rincón cuajado de flores.

Y allí fueron cayendo, una tras otra; de la más vulgar a la más valiosa, auténtica mina del más exigente coleccionista.

Se recostó en la rama y miró hacia arriba. A veces bajaban desde los ochenta metros de las más altas copas, águilas diminutas que se abatieran de pronto sobre una flor brillante. Otras, nacían de las sombras del bosque, indecisas con su volar titubeante, dudosas en la elección de la flor de su gusto. Las más, surgían de improviso, como nacidas del suelo, libando allí donde un instante antes no había nada.

Tenía que estar atento, porque a menudo sus colores se confundían con los colores de cuanto las rodeaba, y sus formas no se distinguían de las formas de las hojas, las flores o las ramas. Su mimetismo podía ser tan asombroso, que resultaba imposible descubrir —sobre un metro cuadrado de terreno— el punto exacto en que una de ellas se había posado. Y, súbitamente, lo que parecía un pedazo de madera podrida o una hoja seca, alzaba el vuelo y se perdía de vista en la distancia, dejando al cazador con la red en el aire y el gesto embobado.

Su mirada vagó hacia lo alto, hasta quedar aprisionada en una orquídea nacida en equilibrio sobre el abismo, justamente en el ángulo de unión de una rama y su tronco.

Lila y blanca, había elegido el lugar que habría elegido un «viet» para tender una emboscada.

Los recordaba allí trepados, amarrados al árbol, dispuestos a no bajar hasta que los bajaran a balazos, y aun muertos continuaban pegados a la rama y al tronco, pudriéndose; sirviendo de comida a moscas y gusanos.

¿Quién podría luchar contra quienes no temían a la muerte, ni al hambre, ni a pasar cincuenta horas colgando a veinte metros de altura? ¿Quién los vencería, si de igual modo se escondían más tarde bajo tierra, y allí permanecían por semanas; topos humanos que jamás necesitaban la luz ni el aire?

¡Lucha inútil, en la que había perdido tanto tiempo, tantas fuerzas y tantos amigos...!

Sonrió para sus adentros: había cambiado el fusil por la red, y los «viet» por mariposas...

Cambió la guerra por la paz, la ciudad por la selva; la multitud por la soledad... El humo por el aire; el estruendo por el silencio; el miedo por la calma... Las fábricas por los árboles; el auto por el cayuco; el uniforme por la desnudez... Las órdenes por la libertad; la muerte por la vida; lo feo por lo hermoso... La «civilización» por la Naturaleza...

Atrás habían quedado Chicago y el Vietnam, el frío y la muerte, la contaminación y el napalm, la hediondez y la intransigencia...

Y Clarence...

Respiró profundamente como si quisiera llenarse los pulmones de aquel aire denso y perfumado, expulsando viejos recuerdos. Pensó en cien mil personas saliendo del trabajo, enfundadas en abrigos grises, cabizbajas y presurosas, entumecidas por el frío, asfixiadas por el humo, apretujadas frente a las entradas de los suburbanos y los autobuses; maldiciendo cada monótono y mil veces repetido gesto de su vida, y contempló, agradecido, la pequeña nube blanca que cruzaba despacio un cielo muy azul y muy limpio, más allá de las copas de los mil millones de majestuosos árboles de la Amazonia.

Escuchó el canto del primer «pájaro-bombardero» de la tarde, y el silbido amoroso de una gallinaza de plumaje pardo. Una coral venenosa se deslizó a tres metros de distancia, y se perdió de vista entre las cañas bajas que crecían a la orilla del charco, buscando, quizás, un sapo desprevenido.

A estas horas, en este mes..., ¿qué mes sería?, ya estaría cayendo la oscuridad sobre Chicago; ya se encenderían las luces; ya los drogadictos, los homosexuales y las putas comenzarían a adueñarse de las calles.

Un hombre caería sobre la mojada acera, vencido por el estruendo, el humo y la suciedad de la ciudad sin alma, y cientos de personas cruzarían a su lado, sin mirarle, sin detenerse, sin más preocupación que no pisarle en su rápida marcha, atentos tan sólo a evitar un problema más entre tantos millones de problemas.

El amanecer y la caída de la tarde fueron siempre los peores momentos en la ciudad. Al amanecer, camino del trabajo, con el frío y el sueño, y a la caída de la tarde, de regreso a casa con el cansancio y la tristeza.

Pero en la selva, aquéllas eran las mejores horas.

El suave amanecer, lleno de perfumes y de luz tan limpia, y la puesta de sol, con el cielo teñido de un rojo intenso, las loras despidiendo al día, y las garzas cruzando hacia el oriente en procura del sueño.

Parpadeó asombrado: Kano, el de los pies deformes; el de la increíble cerbatana, había surgido en el centro del claro y le miraba rectamente a los ojos.

Saltó de la rama y marchó a su encuentro. Se detuvo frente a él, y el yubani extendió el brazo, abriendo la mano, en la que aparecía una mariposa amarilla, destrozada, y con las alas rotas.

—¿Te gusta...?

Tomó con exquisita deferencia el inútil cadáver y agitó repetidamente la cabeza en gesto afirmativo:

—Me gusta...

Luego rebuscó en el único bolsillo de su pantalón, extrajo un sedal de unos dos metros y un anzuelo clavado en un corcho y se lo tendió al salvaje.

—¿Te gusta...? —inquirió.

Kano tomó el anzuelo y se acuclilló, sin abandonar por ello su larga cerbatana. Estudió con detenimiento el anzuelo y probó la resistencia del sedal.

—Me gusta —afirmó. Luego, observó largamente al hombre blanco, que le había imitado, acuclillándose frente a él. Meditó unos instantes y, al fin, se decidió—: Yo, hermana, vendo... —señaló el afilado machete que pendía del cinturón—. Tres como ése —concluyó.

Trató de imaginarse el aspecto de aquella hermana, pero prefirió desechar la idea. Agitó la cabeza negativamente, y señaló la larga cerbatana.

—No quiero mujer... Quiero cerbatana... —se tocó el machete—. Dos como éste...

El salvaje le miró al fondo de los ojos. Por último, hizo un gesto afirmativo:

—Kano traerá...

El indio se puso en pie, dio media vuelta y se alejó rápidamente para perderse de vista —como una sombra— entre los primeros árboles.

Permaneció largo rato inmóvil en el mismo lugar, con el cadáver de la mariposa entre los dedos, mirando sin ver el punto por el que el yubani había desaparecido. Al volver a la realidad, comprendió que se estaba haciendo tarde y era tiempo de emprender el regreso a la cabaña, antes de que la «plaga» —el ataque de millones de mosquitos— convirtiera su camino en un infierno.

Apresuró el paso y llegó al pantano cuando el sol comenzaba a esconderse tras las copas de los árboles a espaldas de la cabaña.

El cielo se teñía de carmín, y las blancas nubes

parecían ahora algodones empapados en sangre. Las loras y paujiles buscaban refugio donde pasar la noche, y una familia de araguatos aullaba, allá a lo lejos, entre las ceibas grandes.

Bordeó la laguna con paso apresurado y maldijo los primeros mosquitos que se lanzaron al asalto. Los últimos metros los recorrió a la carrera, y no paró hasta sentirse seguro bajo la protección del mosquitero. Allí se quedó, leyendo a la luz de una vela mientras pasaba la peor hora —la «avanzada»— y una brisa suave y el humo de la hoguera que había prendido ante la puerta comenzaron a dispersar a los insectos sedientos de sangre.

Cenó frugalmente, se lavó en la laguna, ajustó con cuidado la cortina de cañas que dejaba pasar el aire pero protegía de los murciélagos-vampiros, y tras cinco minutos de lectura, apagó la luz y se quedó dormido.

Fuera, las ranas habían iniciado una monótona sinfonía, rota tan sólo por el canto de los «bombarderos», la llamada de amor de una vieja pava, y el gruñido, lejano, de un joven jaguar.

En el aire flotaba el olor del miedo.

No lo traía la brisa, que no soplaba en la quieta mañana. Estaba allí, denso, inconfundible y penetrante, serpenteando a ras del suelo, aferrándose a los troncos de los árboles, las lianas y los zarzales.

Era una pestilencia agria, ofensiva, inconfundible, mezcla de hedor a macho cabrío y hediondez de pocilga.

Era el olor del miedo en la selva, que hacia huir incluso al jaguar y a la anaconda, que lanzaba al agua al cocodrilo y subía a los árboles a hombres y monos.

Eran los cerdos salvajes, «huanganas» o pécaris, que avanzaban en masa, hociqueando ansiosos, devorando cuanto encontraban a su paso, ejército indomable que se protegía a sí mismo con increíble furia, capaz de hacer frente, destrozar y devorar en un instante a cualquier enemigo.

Nadie se atrevía contra el más apetitoso bocado de la selva, e incluso el jaguar y el hombre —sus más temibles depredadores— se lo pensaban mucho antes de iniciar la lucha.

En las márgenes del Pastaza contaban la historia de un cazador que atacó una manada de «huanganas», y buscó luego refugio en la copa de un árbol, esperando paciente a que se fueran. Las bestias cercaron el árbol, montaron guardia y permanecieron allí, hora tras hora, de día y de noche, hasta que, a la semana, el hombre se desplomó, agotado, y lo devoraron vivo.

Era el olor del miedo el que flotaba en el aire, y, sin embargo, hacía tanto tiempo ya que no cazaba una danta, ni un capibara, ni un venado, que los jamones de un pécari bien ahumados, colgando del techo de la cabaña, resultaban una tentación demasiado grande.

Avanzó despacio, siguiendo el rastro por el olfato y con el oído atento, hasta que le llegaron —nítidos— los roncos gruñidos de la piara. Trepó a un árbol bajo, y aguzó la vista hacia el claro que se adivinaba, más que verse, unos metros delante. Allí estaban: grises y negros, sucios y ásperos, luciendo sus espantables colmillos amarillentos.

Pastaban junto al río, desenterrando raíces o buscando frutos en la orilla fangosa y cuando uno abrevaba, otro vigilaba el agua, atento a la traidora acción del caimán, o la anaconda que, surgiendo de improviso de las aguas, tratase de arrastrar hacia el fondo al que bebía.

Se bastaban dos pécaris para contener un primer ataque, y a sus chillidos acudiría la manada, que con furor ciego acabaría con quien osase molestar a uno de sus miembros.

No, no era fácil cazar un «huangana». No bastaba siquiera con matarlo y escapar. Tarea inútil, porque sus hermanos de raza lo devoraban de inmediato, y a su regreso el cazador no encontraba más que un charco de sangre y despojos.

Había que matarlo y llevárselo, pero eso —él lo sabía— no resultaba sencillo.

Meditó largo rato. Luego bajó del árbol y regresó al pantano. Tomó de la choza una gruesa lanza con punta de hierro atada a una larga cuerda —su arma de cazar caimanes— y trepó al frágil cayuco.

Bordeando los manglares penetró por la ancha boca del manso río sin apenas corriente. Remó largo rato, pausadamente y en silencio, hasta que le asaltó de nuevo el agrio olor. Avanzó aún más despacio, y al doblar el recodo, pudo verlos, casi en el mismo punto en que los había dejado, gruñendo y pastando, porque aquélla era su vida.

Se tumbó boca abajo en el fondo de la embarcación, aprestó la lanza junto a su costado y, asomando apenas los ojos y un brazo, remó con la mano, dejando que el cayuco se aproximara a la orilla con la inocencia de un tronco a la deriva.

Un pécari alzó la cabeza y le observó fijamente con sus ojillos amarillentos. Olfateó el aire y se alejó tierra adentro, a continuar hociqueando a la sombra de un gomero. Su vigilante compañero le siguió, y la margen del río quedó momentáneamente desierta.

Aguardó paciente en la quietud del río, tan inmóvil, que quien le viera podría creerle muerto. Miró el alto cielo sin una nube, a las copas de los árboles que se inclinaban sobre la corriente, y recordó el día en que pasara diez horas en una zanja, también mirando al cielo, escuchando aterrado las voces de los «viets» que le buscaban en la espesura.

No entendía sus palabras, pero le constaba que hablaban de su muerte con la naturalidad con que días antes él mismo hablaba de la muerte de un guerrillero sorprendido en emboscada.

Al fin, cansados de buscar, se sentaron a comer a no más de veinte metros de la zanja, en el único claro de la selva. Luego se tumbaron a dormir, y podía escuchar un ronquido acompasado y los largos pasos del centinela.

Se durmió a su vez, y a menudo se preguntó, más tarde, por qué lo hizo. ¿Tan poco le importaba la vida, o era que prefería no ver llegar la muerte? ¡Dios santo! Nadie le había dicho nunca si roncaba.

Había sido el suyo un sueño feliz. Un sueño en el que hacía el amor con Clarence sobre la mesa de la cocina, entre la harina de los pasteles, con el oído atento a los posibles pasos de la vieja, mordiéndose los labios para no gritar.

Despertó como despertaba siempre de esos sueños: con una extraña mezcla de felicidad, decepción y asco.

Y al despertar, ya se habían ido.

No había «viets» en la jungla. No se escuchaban sus voces.

Y al despertar, ya se habían ido.

No había «huanganas» en la selva. No se sentía su olor.

Emprendió el camino de regreso. Al llegar a un recodo del río, en una quieta playa, saltó del cayuco. El agua estaba tibia, pero al rato llegaba a sentirse incluso frío. Con la cabeza sobre un tronco caído y el cuerpo extendido, dejó vagar sus ojos y su mente. Su mirada recorrió una y otra vez la familiar silueta de los altos árboles, tan iguales todos pero tan personal cada uno de ellos cuando se llegaba a conocerlos. Eran millones y millones, ¡infinitos!, pero, como cada ser humano en la multitud, cada árbol de la Amazonia tenía su propia personalidad, su vida, incluso sus amantes.

Con el amanecer, los pájaros que habitaban cada árbol iban —a veces muy lejos— en busca de amor o de comida, pero con la caída de la tarde, regresaban a casa; al árbol que eran capaces de distinguir y preferir a cualquier otro.

Existían árboles de tucanes; árboles de paujiles; árboles de loras; árboles de monos..., y le gustaba imaginar que no los elegían por sus frutos, sino porque realmente los amaban, como el hombre ama la ciudad donde nace; la calle donde crece; la casa donde vive...

¿Era él, quizás, un caso aparte? Nunca había podido amar su ciudad, ni su calle, ni su casa... Pero, en realidad... ¿Quién podía amarlos? Frío, miseria y suciedad. Aire contaminado, cielos grises y aguas hediondas... Todos sus recuerdos de infancia olían a podredumbre; sabían a hambre; sonaban a gritos y llantos...

¡Chicago...!

¿Cuántas veces alzó la cabeza hasta quebrarse el cuello para no alcanzar a ver más que ventanas y ventanas de pardos edificios? ¿Cuántas veces cruzó corriendo las calles en busca del tímido sol que intentaba calentar la esquina opuesta? ¿Cuántas veces caminó hasta el parque para tumbarse sobre la mustia hierba, a contemplar las copas de los árboles, molestado por los gritos de los niños, los gemidos de las parejas que hacían el amor, o los silbatos de los policías que intentaban prohibírselo...?

Fue en Chicago donde aprendió a amar a la Naturaleza, porque no la había. Fue en sus calles donde comenzó a soñar con los espacios abiertos, el sol en la mano, y el verde en los ojos. Fue en sus autobuses donde imaginó la soledad, el silencio y el rumor del viento. Fue en Chicago donde leyó aquel libro que hablaba de los seis mil kilómetros de aguas y árboles del Gran Amazonas, el Padre de los Ríos, la Selva Madre de todas las selvas... Tenía doce años..., tal vez trece, y ya esa noche quiso escapar de aquel infierno de frío y sombras, y andar hasta llegar al paraíso de la luz y el calor.

Como los pájaros en invierno volaban hacia el

Sur, también él se marcharía, a pie o a rastras, y en tres o cuatro días —tal vez una semana— llegaría al Padre de los Ríos; a la Selva Madre de las selvas...

¡Su viaje duró veintiocho años...!

Pero allí estaba: bañándose en un arroyuelo del Padre de los Ríos; descansando a la sombra de la Madre de las selvas.

Respiró profundo y hundió el rostro en el agua. Se entretuvo soltando muy despacio las burbujas, escuchando su gorgoteo bajo el agua, sintiendo su cosquilleo en la nariz. Luego clavó las manos en el fondo y las alzó dejando que la arena corriera libremente entre sus dedos. Era una arena tibia y gruesa, áspera y brillante, cuajada de reflejos que estallaban bajo los rayos del sol que acertaban a colarse entre las tupidas ramas.

Continuó jugando distraídamente mientras su mente vagaba sin rumbo, hasta que en su mano quedó una piedra del tamaño de un garbanzo del que el sol sacaba una explosión de reflejos.

Estudió el diamante con cuidado. No era el primero que encontraba, pero sí el más grande. Estaban allí, en el río, e incluso en el pantano, bajo su cabaña, donde los vio al clavar los pilotes. Eran buenos diamantes; de los que lucían las estrellas de cine y atraían al corazón de la selva a garimpeiros y aventureros de todo el mundo.

Eran diamantes que convertían la selva en un infierno de odios y egoísmos; que provocaban peleas y muertes, que llamaban con su fulgor a todas las prostitutas del Amazonas; de Iquitos a Belén: de Manaos a Porto Velho.

«Un buen diamante —pensó—. De los que abren muchas puertas y muchas piernas; de los que atraerían a este pantano miles de aventureros que convertirían mi paraíso en un infierno...»

Lo dejó nuevamente sobre la arena, y lo empujó con el dedo, despacio, hasta que desapareció por completo.

Diez años atrás, aquel diamante habría solucionado sus problemas y encauzado su vida. Ahora podía estropear su vida y traerle un millón de problemas... Ni por un instante sintió pena al enterrarlo. Por el contrario; le invadió una curiosa sensación de placer, al comprender que acababa de darse un lujo que ningún otro hombre podía permitirse en este mundo: desechar sin una duda, sin pestañear siquiera, un diamante de casi diez quilates.

Andaba semidesnudo y descalzo; había noches en las que pasaba frío, y muchos días —durante las grandes lluvias— se creía a punto de morir de hambre. Toda su fortuna eran unos cuantos cuchillos, un puñado de dólares, dos hachas y una curiara que a menudo hacía agua; pero en aquel instante, con aquel gesto, podía equipararse al hombre más rico de la Tierra.

Sonrió a sus pensamientos y contempló su «imperio». Con el permiso de los guerreros yubani, era dueño de un pedazo de selva del tamaño de Idaho, y Señor de un pantano sin fondo, cincuenta riachuelos, un millón de árboles y toda una corte de monos, aves, serpientes, arañas, jaguares, murciélagos-vampiros, dantas, pécaris, venados, pirañas, anacondas, caimanes...

¡Y cien mil millones de mosquitos...!

Era dueño de su persona veinticuatro horas de cada día del año; dueño de las lluvias y de los cielos claros; dueño de los vientos, las calmas y las tempestades; dueño del sol y las nubes; dueño del día y la noche.

Era dueño absoluto de sí mismo.

Era libre.

Dejó el libro que hablaba de hombres que, quinientos años atrás, habían dominado las cumbres de los Andes y extendido su poder y su lengua casi hasta el punto en que se encontraba.

Era un viejo libro sobre el esplendor y la caída del Imperio incaico, y debía ser ya la quinta vez que lo leía. Conocía cada pasaje, cada párrafo, incluso cada palabra, como conocía todos y cada uno de los libros que guardaba en un enorme cajón de la choza.

Arrancó dos bananos de la piña que colgaba de una viga, comenzó a pelar uno y, de regreso al chinchorro, sus ojos se detuvieron en un punto que se movía allá lejos, al fondo del pantano.

Limpió sus lentes con un raído pañuelo, se dio un corto masaje en los ojos y miró de nuevo. No cabía duda: el punto se movía sobre el agua: un hombre remaba rítmicamente a popa de una gran curiara.

Sonrió cuando pudo reconocer el velludo pecho desnudo y la boina del padre Carlos.

«Han pasado tres meses —se dijo—. Tres meses sin cruzar más que dos frases con un indio salvaje. Y, sin embargo, no me ha parecido largo el tiempo.»

Levantó la mano en un gesto amistoso, que el otro devolvió al instante, para continuar remando sin acelerar la marcha. Llegó, al fin, al pie de la cabaña, y varó su curiara junto al cayuco.

—Buenos días, padre... Me alegra verle... —saludó.

—Buenos días, hijo... También me alegra... Cada viaje temo no encontrar más que tus huesos... —sonrió—. Veo que los yubani aún esperan que engordes... Como estás ahora, no sirves de merienda...

Le ayudó a saltar a tierra y estrechó su mano con afecto:

—Me llevo bien con ellos... —replicó—. ¿Trajo café? Se acabó hace tiempo y no puedo ofrecerle ni las raspas...

—Ahí, en el saco de lona... El primero...

Tomó el saco y lo arrastró hacia la cabaña. El cura entró tras él y se dejó caer en el camastro, estirando las piernas con un suspiro de satisfacción.

—¿Pesado el viaje...?

—Como siempre... El primer día me sorprendió un chaparrón por las bocas del Yari... Pensé que podría agarrarme una crecida, pero ni ayer, ni hoy, se repitió... Creo que aún tardarán las lluvias...

Preparó café sobre el fogón eternamente prendido.

—Aún no estoy listo para la lluvia —señaló.

—Traje lo que pediste y algo más... Pagaron bien las mariposas negras del triángulo rojo. Lo invertí todo en víveres. ¿Supongo que hice bien?

—Naturalmente, padre... ¿Encontró libros...?

—Algunos... Resulta difícil conseguirlos en inglés... Si leyeras español, sería más fácil... En la Misión tenemos muchos... He traído una gramática castellana por si te animas...

—Lo haré... —sonrió—. En su próximo viaje podré leer el Quijote... ¿Se acordó de la gramática jíbara?

—Yo me acuerdo de todo... —rió—. Para algo lo apunto... Pero no te servirá para entenderte con los yubani... Su lengua tiene más raíces quechuas, que jíbaras... El quechua se hablaba casi hasta la unión con el Amazonas... «Cofanes», «yumbos», «alamas», «aucas», «zaparos», «muras», incluso los «jíbaros», tienen un entroncamiento quechua...

—Hay un yubani que habla castellano... Un tal Kano...

—Muchos lo hablan... Era el idioma de sus abuelos...

—¿Quién se lo enseñó?

—Los misioneros... En el siglo pasado los yubani eran la tribu más pacífica del Alto Amazonas... Pero llegó la fiebre del caucho y comenzaron a cazarlos para convertirlos en «siringueiros». Los esclavizaron, como esclavizaron a docenas de otras tribus... Un día se alzaron en armas y huyeron a estos pantanos...

—¿Realmente son caníbales...?

El cura se encogió de hombros:

—¿Quién puede saberlo...? Cada vez que los visito tengo la sensación de que no van a dejar de mí más que la boina...

—Kano parece amistoso... Me trajo una mariposa y me ofreció a su hermana... —hizo una pausa—. Como esposa, claro...

—¿Cuánto pide?

—Tres machetes...

—No es cara... ¿Por qué no aceptas...?

Bebió su café lentamente, con infinito placer.

—¿Habla en serio?

—Naturalmente... Emparentar con ellos ga-

26

rantizaría tu vida... Serás su amigo, protector, y protegido... Incluso serviría de puente a nuestra labor civilizadora.

—No quiero que nadie civilice a los yubani. Me gustan así...

El misionero removió suavemente el café y lo apuró de un sorbo:

—De todos modos —insistió—, aunque sólo fuera por tu seguridad, podrías casarte... Un hombre necesita esposa.

—¿Usted la necesita?

—Mi caso es distinto... Hice un voto...

Apuró también su café, tomó las tazas y comenzó a enjuagarlas en el pequeño fregadero de la tosca cocina. Cuando habló, lo hizo de espaldas:

—No puedo casarme —indicó—. Ya lo estoy...

—Nunca me lo habías dicho... ¿Dónde está...?

—¿Quién puede saberlo...? Regresé del Vietnam con un mes de permiso y encontré la casa vacía...

—Lo siento...

Se volvió. Sonreía:

—¡Oh, no! Gracias a ella estoy aquí, y no matando gente en el Vietnam... Marcharse fue lo más grande que hizo nunca por mí, y jamás se lo agradeceré bastante... Desde ese día fui libre: por primera vez en mi vida fui completamente libre, y pude mandar al infierno a la «civilización», la «humanidad», los Estados Unidos, el Ejército, los «viets», y al hijo de la gran puta del coronel Harwood... Es el único buen recuerdo que me dejó Clarence... Todo lo que quedó de ocho años de matrimonio... —comenzó a desempaquetar cuanto había en el saco—. ¿Qué pasa por el mundo de allá afuera? ¿Buenas noticias...?

—Nunca hay buenas noticias... Al menos, a

mí no me llegan... Malas, sí .. Dicen que van a construir una carretera a través del Territorio...

—Pero no pueden hacerlo... Existe un Tratado con los yubani... Se les garantizó que esta tierra es suya... ¿O no?

—Sí, existe...—admitió el misionero—. Pero el Gobierno no parece dispuesto a continuar respetándolo... Descubrieron cobre en la Sierra de los Loros... Lo sacarán por esa carretera...

—A los yubani no va a gustarles...

—Lo imagino...

—¿Y si deciden impedirlo...?

—¡Cualquiera sabe...!

Estudió con detenimiento una lata de conservas.

—¡Espárragos...! Hace más de dos años que no los pruebo... Eran mi plato favorito...

—¿No lo echas de menos...? No los espárragos... Todo eso... ¿La comida, el café, los licores...? ¿Un buen cigarrillo...?

—A veces... Pero puedo pasar sin ellos... Lo único que me apetece, de tanto en tanto, es un buen habano... Estoy intentando cultivar tabaco allá dentro, en un claro...

—Veo que estás decidido a quedarte.

—¡Por supuesto...! Mientras los yubani me lo permitan, no pienso moverme...

—¿Y no sientes nostalgia...?

—¿Nostalgia...? —rió, divertido—. ¿De qué? ¿O de quién? Usted no conoce Chicago, padre. Ni estuvo nunca en Vietnam. Si supiera lo que es aquello, no preguntaría si siento nostalgia...

—¿Y tu familia...? ¿No la recuerdas nunca...?

—¡Afortunadamente...! ¡Vamos, padre...! Dejemos eso... Ayúdeme a abrir estas latas, y cenemos... Dos años sin probar espárragos... ¿Se imagina...? ¡Dos años...!

Cerró su breviario, concluyó sus oraciones y contempló largamente al hombre que, a no más de veinte metros, leía a la sombra de una alta ceiba mientras mantenía el sedal en la otra mano.

La estampa hubiera sido idílica sin el calor de cuarenta grados y sin la posibilidad de que una anaconda o un caimán surgiesen de improviso de lo más profundo del pantano.

La Amazonia era una tierra inhóspita para quien no supiera comprenderla. Miles de hombres habían muerto de hambre o miedo en aquel laberinto de ríos, riachuelos e igarapés, pero allí estaba aquél, con su calva incipiente, sus lentes resbalando por la nariz y su aspecto de intelectual distraído, sobreviviendo, feliz, a las mil asechanzas de la jungla, como si disfrutara de un tranquilo fin de semana en un Parque Nacional.

El padre Carlos admitió que el hombre le sorprendía, aunque no estuviera muy dispuesto a dejarse sorprender tras catorce años de intentar extender la fe de Cristo por la Alta Amazonia.

Había conocido a muchos aventureros; a muchos locos y muchos misántropos, pero aquel que jamás había querido dar su nombre y se esforzaba por que nadie le otorgase denominación alguna, los eclipsaba a todos.

Y debía reconocer que los eclipsaba por su propia sencillez: aparentemente, no había nada en él que le diferenciase de millones de seres humanos que deambulan por todas las calles de este mundo, trabajan en todas las oficinas, se sientan en todos los bares y circulan en todos los autobuses.

Nunca trataba de decir nada brillante; jamás reclamaba atención sobre su peculiar forma de vivir; no buscaba el halago, ni la admiración, ni aun la amistad de nadie. Nada, fuera de su selva y su libertad, le importaba un ápice.

Cuando venía a visitarle solía pasarse una semana o dos como huésped, y el cura aún no podría decir si en verdad deseaba que se quedara o se fuera.

Estaba allí, eso era lo que contaba. Estaba, y se mostraba amable, simpático, incluso buen conversador. Cuando el padre Carlos se levantaba una mañana y decidía: «Tengo que irme», no hacía un solo gesto, no cambiaba su expresión, no pronunciaba ni siquiera una frase cortés que le estimulase a quedarse.

—¡Adiós!

—¡Adiós!

Y eso era todo...

El misionero tenía la impresión de que en cuanto su curiara se perdía de vista entre los manglares, desaparecía por completo de la vida y el pensamiento del hombre que continuaba pescando y leyendo, inmutable, hasta que le veía regresar tres meses más tarde.

Aun así, eran amigos...

¿Lo eran...?

Le observó largamente mientras tiraba sin prisas del sedal, cebaba el anzuelo con un gusano que sacó del fango y lanzaba de nuevo el aparejo

30

al agua para continuar enfrascado en su lectura.

¿Eran amigos...?

No se hubiera atrevido a asegurarlo. Su relación, y aun sus conversaciones, eran de amigos, pero nunca podía saberse...

Había que aceptarlo como era, u olvidarlo.

Un pez había picado. No era muy grande, y dio poca lucha, pero bastaba como almuerzo para dos.

Lo alzó sobre su cabeza:

—¡Vamos a comer! —gritó, y se encaminó a la cabaña.

El padre Carlos lo contempló mientras se alejaba a largas zancadas, con el libro en una mano y el pez en la otra. Vio cómo el humo se animaba en la chimenea y le oyó silbar una vieja melodía cubana. Aún permaneció unos instantes contemplando la quietud de la laguna y se entretuvo en estudiar los esfuerzos de una hormiga *Isula* que buscaba la forma de cruzar un reguerillo de agua. Al fin el insecto trepó a una fina hierba que la brisa inclinaba sobre la diminuta corriente, y se dejó caer al otro lado. Continuó su camino: su incansable exploración en busca de alimento.

—¿Y al regreso...? —le preguntó en voz baja—. ¿Cómo vas a arreglártelas si el viento no te ayuda a doblar la hierba...? ¿O te figuras que lo lograste tú sola...? ¡Ilusa! ¡Pedante...!

La selva se inundó con un aroma de pescado al horno que le alzó del suelo y le hizo alargar el paso...

...«Bendice, Señor, los alimentos que por tu infinita bondad vamos a recibir...» ...«Gracias te sean dadas, ¡oh Señor!, que hasta en el último rincón del planeta te ocupas de tus siervos...» ...¡Dios, qué hambre...!

Entró como un rayo y se sentó a la mesa.

—Lávese las manos, padre...

—¡No me da la gana...!

—Estuvo echado junto a una mata de ortigas rojas... Basta con que las haya rozado... Si traga eso, andará tres días con diarreas...

—¿Pretendes enseñarme a vivir en el Amazonas...? ¿A mí, que llevo catorce años...?

—Nunca se acaba de aprender a vivir aquí... Cada planta que crece; cada insecto que vuela; cada pez que se pesca, puede ser mortal... Lo desconocemos prácticamente todo sobre este mundo... ¿Es que no lo recuerda...? Usted me lo dijo...

El sacerdote se puso en pie y fue a lavarse las manos en la pileta como niño cogido en falta:

—Sí, me acuerdo... Pero si pensara constantemente en ello, me volvería loco...

El otro no respondió. Se limitó a sonreír, y comenzó a servir el pescado en grandes y toscos platos de madera que había lavado a mano. Añadió unos pedazos de yuca y comenzaron a comer en silencio.

Al concluir, el cura comentó satisfecho:

—Estaba exquisito... ¿Qué pescado es éste...?

Se encogió de hombros:

—No lo sé... Nunca lo había visto antes...

Sintió deseos de insultarle; de recordarle cuanto acababa de decirle, pero la burlona sonrisa le desarmó. Se limitó a apartar su plato:

—Bien... Si nos envenenamos, lo haremos juntos...

Durmieron la siesta. Luego pasearon despacio, llegando hasta el claro de las mariposas, donde se sentaron en la rama, a contemplar las flores:

—Ésta es mi vida —comentó—, y no la cambiaré por ninguna otra... No necesito siquiera más mariposas ni más peces, ni más monos, o bananos... Únicamente, quizá, más libros... Se me agotan antes de tiempo y debo releerlos una y otra vez... —Hizo una pausa—. En el fondo, quizá me haya servido para aprender a leer... Antes consumía libros como si fueran leña que alimentara un fuego demasiado violento... Ahora comprendo que cuando un libro es bueno, es mejor la segunda vez, e incluso la tercera... Ya no voy buscando la sorpresa; no me mueve la curiosidad, y puedo calar profundamente en lo que el autor quiso decir... Hay muchas más cosas ocultas en un libro de las que suelen descubrirse en una primera lectura... Muchas más... —repitió para sí.

—¿Nunca has pensado en escribir un libro...?

—No creo que tenga nada que contar...

—Puedes contar esto...: tu vida aquí; tu forma de desenvolverte en este mundo.

—Es fácil resumirlo: amo la selva, y por ello me es fácil desenvolverme en ella... A la selva se la ama o se la teme, y quien sienta miedo, tiene perdida la batalla.

—Hay otras cosas que podrías contar... Nadie ha escrito nunca un buen libro sobre esto... Es todo un mundo por sí solo... Hay más especies de plantas y animales en un solo kilómetro cuadrado a tu alrededor, que en toda la extensión de Europa... Ése sería un buen título...: *Un kilómetro cuadrado de Amazonas.*

—No creo que ningún escritor pudiera expresar lo que significa, ni ningún lector comprenderlo... Yo me enamoré de la selva a través de un libro, pero cuando la descubrí realmente, advertí que era muy distinta a lo que había imaginado. Tuve que «reenamorarme», pero esta vez ateniéndome a la realidad...

Una gran mariposa con un ala azul cielo y la otra de tintes violetas cruzó ante ellos, revoloteó como queriendo hacerse admirar, y fue a posarse sobre una flor.

El cura la señaló con un gesto:

—¿Te interesa...?

El hombre negó:

—No especialmente... Es un «emperador»... *Morpho aega*... No la pagan mal, pero ya tengo muchas... En esta remesa van más de cuarenta...

—Tal vez un día encontrarás una que valga una fortuna...

—La dejaré marchar... No quiero que los coleccionistas descubran que aquí las hay...

—Harías cualquier cosa por preservar tu territorio, ¿no es cierto?

—Cualquier cosa... Incluso renunciar a una fortuna. No deseo ver a nadie...

—¿Ni a mí...?

—Usted no molesta... Lo sabe, aunque nunca se lo haya dicho. En realidad, no sé cómo me las arreglaría sin su ayuda...

—Muy fácil... Tendrías que subir a la Misión a hacer tus cambios... O más arriba: a Santa Marta...

—No quiero volver a Santa Marta... Aborrezco ese lugar... Está en la Amazonia, pero se diría que los que viven allí la odian... Luchan por escapar a ella; por fingir que se encuentran lejos... Intentan olvidar la selva que los rodea, y por eso mismo la selva se los come...

—Ahora comienza a cobrar importancia... Los petroleros americanos van allá los fines de semana... Pronto llegarán también —según dicen— los técnicos de la carretera... Ya hay tres bares, un hotel con restaurante, e incluso dos casas de putas... El obispo pretende que no les permitan recibir indios, pero no creo que le escuchen...

—Un indio tiene el mismo derecho que un blanco a ir de putas... ¿O no...?

—¿Derecho...? Sí, desde luego... Derecho, sí tiene... Pero, ¿sabes lo que ocurrirá...? El primer indio que agarre una enfermedad venérea, una simple «gonorrea» que un blanco se cura en un mes, la propagará a toda su gente... Y cualquiera de esas enfermedades puede acabar con una tribu... Las venéreas, como la tuberculosis, como el simple catarro —una «gripe» común— son para estos indígenas lo que para nosotros el cólera, o la más terrible de las pestes... —agitó la cabeza con pesar—. Sería el fin de los indios de la Amazonia... Durante la gran fiebre del caucho, las enfermedades diezmaron la población nativa... Cuando el blanco llegó al Amazonas, encontró millones de indígenas... Si se les enferma nuevamente, desaparecerán por completo.

—¿Y cree que van a evitarlo impidiéndoles ir de putas...?

—No. No lo creo... Es sólo cuestión de tiempo, pero nuestro deber es procurar que ese tiempc se dilate...

—No parece muy optimista...

—No, desde luego...

—Aun así, continúa aquí, sacrificándose... ¿Nunca tiene dudas sobre la utilidad de su obra...? ¿No se desespera cuando se detiene a pensar en que, a la larga, está condenada al fracaso...?

El padre Carlos buscó en su bolsillo, extrajo su sobada cachimba y la encendió mientras seguía con la mirada el vuelo de la *Morpho aega* que se alejaba brincando en el aire, hacia el profundo bosque. Pareció meditar su respuesta. Dio una chupada y lanzó una bocanada de humo que ensució el aire denso y caliente.

—Desde luego... —admitió con lentitud—. Tengo dudas sobre la obra que llevamos a cabo... Pero únicamente en lo que respecta a su fin más próximo... Del otro, del último, nunca dudo: debo llevar a Dios hasta los indios, y los indios hasta Dios. Y esa tarea conseguiré cumplirla, aunque me resulte lenta y ardua. En su gran mayoría, los indígenas responden a la llamada de Cristo, y la semilla prende en ellos, porque en sí mismos está la necesidad de Creer en un Ser Bondadoso que los proteja de los innumerables peligros que les acechan... —volvió a chupar de la pipa y a ensuciar de humo la quietud de la selva—. Sin embargo —continuó—, cuando se trata de adaptarlos a nuestro mundo —al Siglo en que vivimos—, todo se vuelve mucho más complejo. Tanto, que llega a desconcertarme... Nuestra fe —que se remonta a dos mil años— puede adaptarse a seres de los que nos separan cuatro mil, ya que los conceptos de Amor Supremo, Perdón, Fraternidad, etc., caben en sus mentes... Pero, ¿qué cabida pueden tener los millones de conceptos absurdos de nuestra vida de «civilizados»? En todos estos años, me he dado cuenta de las miles de «necesidades innecesarias» que el hombre se ha creado, y no conducen más que a la infelicidad... Me pregunto entonces...: ¿Hasta qué punto tengo derecho a traerles ese tipo de infelicidad?

—¿No cree que puedan adaptarse...? ¿Entrar a formar parte de nuestro mundo sin sufrir en el cambio?

—Nunca lo harán. El negro imita y se adapta... El amarillo absorbe y mejora, pero el indio no: el indio rebota contra la civilización blanca, y por años que pasen, ésta apenas logra rozarle. Del mismo modo que no hemos logrado «europeizar» al indio andino, descendiente de los incas, tampoco lo conseguiremos con los indios de selva... Podremos destruirlos; nunca asimilarlos.

—¿Por qué no deja entonces la lucha?

—Llevo a los indios lo que creo que deben recibir de mí: ayuda en la enfermedad, consuelo en la desgracia, pan en el hambre, y la Fe de Cristo... Ésa es, siempre, una batalla ganada... Pequeña o grande, está ganada; y lo que significa para ti tu soledad, es para mí mi labor: mi única forma de vida.

Agitó la cabeza y sonrió:

—Extraña pareja, ¿verdad...? Esta selva debe arrojar el mayor tanto por ciento de locos por habitantes que existe en el mundo... Dos habitantes; dos tipos de loco...

—¿Lo somos realmente...? ¿O lo son ellos; los que están al otro lado...?

Tardó en responder. Contempló los altos árboles que inclinaban sus ramas como protegiendo el claro y ofreciendo su sombra a las flores y las mariposas; siguió con la mirada el vuelo tranquilo de una garza; sintió en el rostro la brisa demasiado cálida; escuchó el grito de las pavas en celo; aspiró el denso y fatigante perfume de la selva; observó el cielo que comenzaba a teñirse de rojo por poniente y agitó la cabeza convencido:

—No —aseguró con firmeza—. No soy yo el loco. De eso estoy seguro.

Avanzaban muy despacio, atentos a la menor señal de peligro. La selva aparecía cada vez más densa, más pesada, más calurosa.

El último barrizal que cruzaron les cubrió de lodo, y ese lodo, ahora seco, se había convertido en una costra.

—¡Mierda de lugar...!

—¡Silencio!

Continuó la marcha a golpes de machete, abriéndose camino uno a uno, desgarrándose manos y rostro con los zarzales y las ortigas.

Un maloliente pantano de nipa. Luego otro. Y un tercero, y ni un río en que refrescarse y despojarse de las costras.

Una hora. Y luego otra. Y una tercera, y ni un claro en el que poder descansar sin peligro.

—¡Mierda de país!

—¡Silencio!

Sonaron, claros y lejanos, los primeros disparos. Después, nada. Luego, el tabletear de las ametralladoras.

Consultaron la brújula y el mapa. Era hacia el Noroeste.

—¿Quién anda por ahí, sargento?

—La compañía «Charlie», mi teniente.

—Diría que tiene problemas... Vamos a echarles una mano...

Avivaron el paso, olvidados del calor y las costras. Un nuevo pantano, y otra hora, y casi una tercera. Al fin, el cabo que iba en cabeza alzó el brazo y se detuvo. Apartó la hojarasca y señaló la ancha llanura, los cultivados campos, los lejanos arrozales y los techos de paja.

Ni un alma. Ni señal de vida humana. Tan sólo buitres que ya volaban bajo.

No sonaban disparos hacía rato. Todo parecía en calma.

Desplegaron nuevamente el mapa.

—¿Cómo se llama esa aldea, sargento?

—My-Lai.

—¿Amiga o enemiga...?

El sargento se encogió de hombros. La pregunta era estúpida. ¿Quién podía saber dónde estaban los amigos y dónde los enemigos? Nadie lo había sabido nunca.

—Está bien... Despliegue a sus hombres... Y que no disparen si no es necesario...

Obedecieron su orden disciplinadamente. Los cincuenta soldados avanzaron en formación de combate, escurriéndose entre los arbustos y los maizales, saltando de roca en roca, buscando refugio en las primeras casas.

Iba delante, como siempre, y cuando concluyó la protección del sembrado, se lanzó hacia una ancha zanja que se abría a unos cuarenta metros de distancia.

Corrió como loco seguido del sargento y un soldado, listo para dar el salto y caer rodando en la zanja protectora, pero en el último instante un sexto sentido pareció avisarles y se detuvo con un pie en el aire.

Miró hacia abajo y vomitó cuanto había cenado la noche antes.

El soldado, a su izquierda, estalló en lamentos.

—¡Dios mío...! ¡Dios mío!

El sargento había quedado mudo, clavado en el suelo, contemplando con ojos dilatados el revoltijo de cuerpos desgarrados; un centenar de hombres, mujeres y niños empapados en sangre y destrozados por la metralla. Una nube de moscas zumbaba rabiosa; una docena de aves de rapiña iniciaba el festín.

—¡Santo cielo...! ¿Quién pudo hacer esto...? Son paisanos... ¡Gente indefensa...! Niños y ancianos...

—¡Dios mío, Dios mío...! —repetía el soldado—. Malditos... ¡Cerdos asesinos...!

—¡Pagarán por esto...! —exclamó—. Los perseguiré, aunque se escondan en el infierno... ¡Sargento...! Reúna a sus hombres... Vamos tras ellos.

El sargento se inclinó, recogió un puñado de casquillos de ametralladora y los mostró en la palma de su mano.

—Son nuestros...—murmuró.

Anochecía cuando abandonó la gran laguna, penetrando en el intrincado dédalo de canales invadidos por gigantescas bandejas verdes —las *Victoria regia*— y ejércitos de enredaderas que parecían apoyarse en la quieta superficie de las aguas, avanzando tanto, que desde la orilla resultaba imposible descubrir dónde comenzaba la tierra firme.

A trechos, los nenúfares menudeaban de tal modo, que ante la proa del cayuco no se extendía más que un gigantesco manto de apariencia compacta, que se abría mansamente ante el impulso rítmico y pausado del canalete que manejaba a popa.

Las puntas de las ramas que aspiraban a aflorar a la superficie rozaban el casco de la embarcación... ¿o sería el espinazo de los caimanes...?, y fantasmagóricos helechos y lianas colgaban de los inclinados árboles, intentando acariciar el rostro del hombre que, a su vez, se apoyaba en las lianas para favorecer su avance.

Las últimas garzas buscaban acomodo en las más altas copas del manglar, y una familia de monos capuchinos se acurrucaba en las horquillas de un gigantesco cedro, dispuesta a una nueva noche de terror, durmiendo con el ojo y el oído atento a la presencia de sus depredadores: las cien familias de serpientes, el jaguar, el ocelote y las nubes de «murciélagos-vampiros»...

La sinfonía nocturna comenzó a afinar sus instrumentos, concluido ya el concierto diurno de la jungla. Las ranas soltaron sus primeros eructos con el trasero en remojo y la cabeza en seco, mientras un lejano «pájaro-bombardero» madrugaba su silbido buscando compañía para pasar la noche. Un «trompetero» en celo avanzó por la orilla izquierda, alcanzó un claro junto al agua, se detuvo, inclinó la cabeza buscando una lombriz en tierra, alzó cuanto pudo el extremo opuesto de su cuerpo y dejó escapar un largo y armonioso pedo salpicado de tonalidades románticas, al que respondió un nuevo pedo, esta vez en tono agudo, surgido de lo más espeso del manglar.

La gris figura de ancho cuerpo y diminuta cabeza del «trompetero» se alejó pausadamente en aquella dirección, y pronto el dúo de ventosidades cobró caracteres de auténtica charla de amor.

Sonrió en su cayuco, quiso intervenir y dejó escapar a su vez un estampido que cobró fuerza al rebotar contra la curvada madera de la curiara, pero, aun así, resultó incapaz de acallar el apasionado desenfreno de la pareja.

Continuó remando sin prisas. Los canales comenzaron a ensancharse, las aguas se vieron más libres de nenúfares, y las márgenes se apartaron, de modo que las copas de los parature y los cedros dejaron de rozarse de orilla a orilla.

Nació ante la proa del cayuco el inmenso pantanal que venía buscando, vivero de caimanes, anacondas y tortugas gigantes; aguas tan quietas que parecían de piedra pulimentada. Región de muerte y espanto pese a su apariencia paradisíaca; espejo en el que se reflejaban a la caída del sol todas las especies de palmeras de la jungla: de la moriche al seje; del pijiguao a la manaca; del chiquichique al cumaré.

¿Por qué se habían dado cita allí, a través de los tiempos, caimanes y anacondas? ¿Por qué venían a desovar las tortugas a sus playas, prefiriendo sus aguas densas y poco profundas a los ríos vecinos, o a la laguna grande?

Hombres y animales evitaban el pantanal en el que acechaba la muerte, y aun garzas, garzones, cotúas, golondrinas y martín-pescadores, andaban con mil ojos, pues de pronto unas fauces hambrientas surgían restallantes del más oscuro fondo, o un tronco inmóvil cobraba vida y se convertía en «güio», la temible anaconda que paralizaba de terror con su mirada.

En las ramas de las sarrapias aullaban, lúgubres, los araguatos, y de tanto en tanto se percibía —como escapado de las mismas cuevas del terror— el ulular indescriptible de la «arañamona», el más horripilante saco de ponzoña que pudiera soñar la mente humana. Corales, caribitos y cuamacandelas se deslizaban también por la orilla buscando clavar sus colmillos rebosantes de veneno, y sobre tierra, bajo el agua y el aire —contando a los murciélagos-vampiros—, aquel rincón del Amazonas se convertía en uno de los lugares más horrendos del planeta.

Buscó el lugar más profundo, lejos de la nube de mosquitos, comprobó que lanza, cuerda y linterna, seguían en orden, comió un pedazo de papaya y dos bananos, y se tumbó a contemplar la noche que llegaba, escuchando a través de la madera de palma del cayuco la vida del fondo del pantano. Rumores de cuerpos que se deslizaban; jadeos que parecían respiraciones entrecortadas; roces viscosos que lo mismo podían ser de un pez asustado, que de una enorme anaconda. El paso rápido de una bandada que quizá fuera de pirañas doradas. El chapoteo lejano de unas tortugas haciendo el amor, un pez escapando, o un saurio que golpeaba el agua... Todo cada vez más denso, cada vez más oscuro, y a medida que sus ojos perdían visión, se agudizaban sus restantes sentidos. El mundo del pantano le invadía por el olfato, por el oído, a través de la piel, y aun en el sabor del aire, dulce y pastoso.

Advirtió el aletear de las primeras rapaces nocturnas: del rápido murciélago detector de insectos a la parsimoniosa lechuza gris, cazadora de serpientes y ratones.

Al igual que comenzara la sinfonía nocturna, se iniciaba la gran danza de la oscuridad, porque, en la selva, la mitad de la vida transcurría de día, pero la otra mitad aguardaba a las tinieblas.

El mono necesitaba luz para descubrir el fruto brillante, pero el jaguar prefería la oscuridad para acechar al mono dormido. El ave construía su nido bajo un cielo radiante, pero la serpiente devoraba sus huevos en la noche. El tucán estallaba de colores, pero el búho era tan gris como la sombra en que volaba...

Pasaron las horas. Se le diría dormido en su cayuco, que apenas se mecía en el quieto pantano, pero tenía los ojos muy abiertos, contemplando los millones de estrellas de un cielo sin nubes; siguiendo con la mirada el rápido paso de un satélite artificial que cruzaba de Oeste a Este.

Se preguntó para qué serviría. Probablemente se trataba de un satélite de comunicaciones. Alguien estaría utilizándolo para sus charlas telefónicas de continente a continente, o para mandar de un extremo a otro del mundo imágenes de una muchacha en bikini incitando a consumir bebidas refrescantes. Quizá se tratara de un «satélite-espía» que fotografiaba el mundo —pantano, cayuco y él incluidos— o un auxiliar meteorológico que distribuía el tráfico aéreo, pronosticaba lluvias y ponía sobre aviso a los barcos en las tormentas.

«El progreso —comentó para sí—. ¿Me espías o tratas de ayudarme...? ¿Llevas alguien dentro...?»

A veces, de día, veía pasar —muy altos— gigantescos aviones comerciales en ruta hacia el Sur. Imaginaba lo que pensarían sus pasajeros cuando vieran surgir de la inmensa monotonía de la selva amazónica el hilo de humo de la cabaña solitaria. Seis horas podía volar un reactor sin distinguir más que la inmensa alfombra verde, rota aquí y allá por ríos serpenteantes. Seis horas sin ver una montaña, una pradera, un camino o una casa, y de improviso, el humo alzándose hacia un cielo sin una sola mancha. ¡Indios! —exclamarían de inmediato—. «Algún salvaje cociendo a fuego lento a un explorador incauto...» «Tal vez un viajero perdido pidiendo auxilio...» «Quizás el bosque que arde solo...» Nunca le imaginarían sentado en su cabaña, leyendo a Huxley, tratando de escapar del «Mundo feliz» que éste había descrito.

Él sería «El Salvaje», y su cabaña en la selva, el faro abandonado entre Putterham y Elstead. Allí vendrían a entrevistarle los periodistas, tomando fotos y grabando su imagen en televisión, para que las gentes de Londres, Nueva York o Chicago pudieran asombrarse con la vida absurda de un civilizado que prefería escapar al progreso. Tan estúpido e incomprensible sería a los ojos del mundo actual, como «El Salvaje» a los Alfa-Más, Delta-Menos o Epsilones, de Huxley.

¿Cómo puede alguien preferir el calor y los mosquitos al aire acondicionado y los insecticidas? ¿A quién se le ocurre vivir al borde de un pantano infestado de caimanes y pirañas? ¿Cómo es posible pasar días y semanas contemplando los mismos árboles y parecidas flores, sin ver un solo programa de televisión, disfrutar del último comercial de polvos para lavar, o reírse con el chiste, mil veces renovado, de Bob Hope...?

¡Absurdo! Tan absurdo como el salvaje que se flagelaba, leía *Otelo*, huía del *soma* y se enamoraba platónicamente de un pedazo de carne de cama llamado Lenina.

¡Lenina...! ¿Existía realmente diferencia entre la Lenina del *Mundo feliz*, y la Clarence de los últimos años? ¿Qué importancia tenía para Clarence acostarse con alguien, emborracharse hasta caer bajo la mesa, o lanzarse a un «viaje» de marihuana cuando se le presentaba la oportunidad...?

—La vida es corta —decía—. Hay que aprovecharla... Vivirla aprisa.

Tan aprisa, que se consumía a sí misma vorazmente, como un cigarrillo del que se aspira con tanta fuerza, que no se le encuentra sabor. Recordó la primera noche que hicieron el amor en la trasera de su viejo «Ford 51». Ansiosa, desesperada, abrió las piernas y bajó las manos buscando que todo llegara cuanto antes, sin pensar que de ese modo todo acababa antes también.

—La vida es larga... Tanto más larga cuanto más lentamente se viva; más a fondo se disfrute.

La vida es larga tumbado en un cayuco cara al cielo, contemplando un satélite artificial que parece tener demasiada prisa, y un millón de estrellas que jamás se han movido de su sitio.

Calculó la hora... Pasaba de la medianoche, y

una brisa fresca intentaba empujar la curiara hacia los manglares. Las ranas habían remitido en sus cantos; los «bombarderos» silbaban más que nunca y el pantano continuaba muy quieto, acechando su presa.

—Empecemos —se dijo—. Es el momento.

Se arrodilló en el fondo de la embarcación; tanteó hasta encontrar el grueso mango del arpón y lanzó un corto chillido, golpeando con la mano abierta la superficie del agua.

Al grito —que podría tomarse por el de un mono que cayera al pantano desde un árbol— siguió un largo silencio, como si la selva entera prestara atención al incidente. Luego, las aguas se plagaron de susurros, comenzaron a agitarse casi imperceptiblemente, y de los cuatro puntos cardinales se deslizaron hacia la curiara extrañas sombras sin forma definida.

Con los sentidos alerta, luchaba por dominar el ligero temblor que intentaba apoderarse de su brazo, esforzándose por alejar de su mente la imager de la gran anaconda que —alzándose sobre la borda— pudiera lanzarse al ataque, golpearle el pecho y derribarle al agua, donde resultaría fácil presa para los mil depredadores del manglar.

Esperaba al caimán, no a la anaconda, y si ésta llegaba, tan sólo un milagro y un afortunado golpe de machete le salvaría. El «güio» era el terror silencioso de la selva, que espantaba incluso a los más valientes guerreros indígenas, y él mismo había aprendido a temerla.

Escuchaba. Miraba. Olfateaba el aire... La anaconda a veces sisea levemente. La anaconda agita el agua en ondulaciones diferentes a las del caimán. La anaconda hiede a carroña.

Algo se movió a un metro de la proa. Con la

mano izquierda buscó la vieja linterna, y mentalmente rogó que funcionara una vez más, aunque su luz resultara tan mortecina y balbuceante como siempre. Calculó la distancia, enfocó al movimiento, y apretó el interruptor. El destello no superó el brillo de un fósforo, pero bastó para alumbrar los ojos del caimán: dos fuegos de carbón, destacando como periscopios sobre la línea del agua. La mirada era ávida y cruel, y de las abiertas ventanillas del hocico surgía un ligero vaho que les confería un extraño aspecto de dragón.

Intentó medir la distancia entre ambos ojos. Si pasaba de una cuarta, era un animal grande; una presa capaz de ofrecer una piel de más de cien pesos. Si superaba los treinta centímetros, la bestia era inmensa, y de intentar herirla, acabaría, acompañado de arpón y curiara, en el fondo de la laguna.

La linterna titiló dos veces y agonizó mansamente. Resultaba inútil intentar reanimarla; no cabía más que esperar, acostumbrarse de nuevo a la oscuridad y confiar en que el animal no se marchara.

La noche estaba más oscura que nunca. Cerró los ojos y trató de recordar la distancia entre los ojos del caimán. No había tenido tiempo de calcularla, pero, aun así, decidió que la presa valía la pena, tanto, que si se había equivocado en mucho, sería él quien pasara a convertirse en presa.

Poco a poco comenzó a percibir de nuevo el perfil de la borda del cayuco, luego el agua, y, al fin, la silueta inmóvil. Muy despacio alzó el brazo, afirmó fuertemente las rodillas, e inclinando el cuerpo con sumo cuidado para evitar que la embarcación voltease, arrojó el arma con todas sus fuerzas.

El cayuco se balanceó, y tuvo que aferrarse a las bordas para no precipitarse a un agua agitada por los desesperados coletazos del caimán, que había dado un salto de más de un metro para desaparecer en las profundidades. El arpón se fue tras él, y detrás la larga cuerda, que se desenrollaba en proa a tal velocidad, que resultaba imposible seguirla con la vista.

Procurando hacer contrapeso, extrajo su afilado machete, listo a cortar la soga al menor síntoma de peligro, pero no fue necesario, y a los pocos momentos todo se tranquilizó. El gran caimán descansaba en el fondo, agonizante, y dejaba de agitarse, limitándose, quizás, a esperar la muerte.

Comenzó a halar del cabo lentamente, de forma que no atraía hacia sí la bestia, sino que —por el contrario— era la embarcación la que se deslizaba hasta buscar la verticalidad sobre el animal herido. Una vez allí, mantuvo con suavidad la cuerda, sin tensarla, tratando de adivinar, con ligeros tirones, cuándo cesaba toda resistencia, síntoma de que el saurio estaba muerto.

Transcurrió un largo rato. No se arriesgaba a subir un animal aún vivo, que enviaría la embarcación al aire de un solo coletazo, pero tampoco podía permitirse el lujo de que permaneciera demasiado tiempo muerto. Sus congéneres o bandadas de pirañas, atraídas por la sangre, darían cuenta de él en cuestión de minutos.

Lanzó una corta exclamación, como si hubiese sentido en la mano un último estertor de agonía y comenzó a izar el cabo firmemente. Apareció en la superficie el mango del arpón y luego la cabeza del caimán definitivamente muerto. Sujetó a popa, muy corto, el extremo de la soga, y remó pausadamente hacia la orilla, que se adivinaba, más que verse, en la distancia.

Varó el cayuco en un claro entre dos arbustos, haló la pieza y, con un supremo esfuerzo, logró arrastrarla un par de metros tierra adentro. Luego, jadeante, se tumbó a su lado a recobrar aliento.

Dejó pasar media hora y regresó al pantano.

Con la primera claridad que comenzó a teñir de gris el cielo, cuatro caimanes, el mayor de casi tres metros, descansaban para siempre en tierra.

Inició entonces la pesada tarea de despellejar los animales, y en ello se le fue la mañana. Cuando regresó a la cabaña, el sol estaba muy alto, y le dolía hasta el último hueso. Tiró las pieles en un rincón, comió algo, se tumbó en el camastro y durmió lo que quedaba de día y la noche siguiente.

Al despertar, olfateó el aire. Flotaba en el ambiente un olor acre; olor a grasa animal, sudor humano y semilla de achiote; olor a yubani que no se había bañado en mucho tiempo.

No había nadie en la choza. Acababan de irse, o estaban cerca. Buscó a los pies del camastro, pero no encontró huesos ni cáscaras de plátano. Todo estaba como lo dejó el día antes, y se diría que no habían entrado a contemplarle mientras dormía.

Apenas apartó la cortina de la entrada pudo verlos, acuclillados a la sombra del árbol, junto al chinchorro. Kano, el de los pies deformes, el de la inmensa cerbatana, le miraba de frente. Ella —casi una niña— inclinaba la cabeza contemplando el suelo. Ambos aparecían desnudos, tan desnudos como llegaron al mundo, salvo una cinta roja alrededor de la cintura; cinta que servía para mantener en alto el pene del hombre y como simple adorno en la mujer.

Cruzó bajo el fuerte sol de la mañana y se acuclilló a la sombra, frente a Kano, que señaló una cerbatana apoyada en el tronco del árbol.

—¿Hombre gustando? —inquirió.

Extendió el brazo y tomó la cerbatana. Era liviana y fuerte, recta y dura, labrada en madera de chonta y recubierta de una negra capa de cera endurecida. La estudió largo rato y atisbó a través de su alma. Aparecía tan lisa como cañón de escopeta, y su embocadura se ajustaba a los dientes. Era un arma fabricada a conciencia; la que venía deseando desde que llegó a la selva.

Kano extendió la mano, tomó la cerbatana, extrajo de su «carcaj» un fino dardo, que envolvió en algodón salvaje, y lo emboquilló con gesto rápido. Alzó la cerbatana, apuntó a la platanera más lejana y emitió un soplido corto y seco. A cincuenta metros de distancia, el dardo fue a clavarse en el corazón de la platanera.

Hizo un gesto de satisfacción:

—Hombre gustando... —admitió.

El indio señaló entonces hacia la muchacha, que permanecía inmóvil.

—Kano vende hermana... —insistió—. Bonita... Muy bonita... Joven... Muy joven... —tocó con la mano el machete del otro—. Tres, como ése...

Negó con firmeza:

—Hombre no quiere mujer —dijo.

El indio pareció armarse de paciencia.

—Dos machetes y tres anzuelos... —ofreció.

—¡No!

—¡Dos machetes...!

—¡No!

Kano se puso en pie y otorgó generoso:

—Ella se queda y tú probando... Luego, negocio tratamos...

No quiso mostrarse grosero. Temía herir la sensibilidad del indígena. Temía, también, hacerle abrigar la idea de que no sentía atracción por las mujeres, con lo que perdería el respeto de su tribu.

Entró en la cabaña y regresó con los machetes que había prometido como pago de la cerbatana. El indio los tomó, estudió su filo y su peso, los blandió en el aire y afirmó satisfecho:

—Kano gustando...

Dio media vuelta y se alejó por entre la maleza, perdiéndose de vista más allá de las primeras plataneras. Su hermana alzó entonces la cabeza y miró rectamente al hombre, esperando sus órdenes.

Era más joven de lo que supuso en un principio. Los pechos apenas apuntaban como botones a punto de madurar, y en todo su cuerpo no mostraba más vello que el de la cabeza. Su piel aparecía lisa y brillante, de color entre cobrizo y aceitunado, roto a trechos por bandas rojas de tintura de achiote. Su cara resultaba más bien ancha, de nariz chata y ojos almendrados, con el cabello muy largo, cayendo suelto hasta media espalda. Por su postura, acuclillada y con las piernas abiertas, su sexo destacaba como la parte más llamativa de su cuerpo, grande y rosado. Su carencia de vello le hacía parecer el de una niña, pero su tamaño y configuración eran ya de mujer.

Ella notó la fijeza de su mirada y bajó a su vez los ojos en busca de algo extraño en su apariencia, pero no pareció encontrarlo. Nunca había visto una mujer que no estuviera desnuda, y esa desnudez le resultaba natural. Más extraño era él, que se cubría el sexo con una tela inútil, al igual que había visto hacerlo al hombre blanco que, de tanto en tanto, acudía al poblado a llevar medicinas y hablar con los guerreros de cosas que las mujeres jamás compartían.

—¿Tienes hambre? —preguntó; y al advertir que no había movido un músculo de su rostro, se alarmó—: ¡Capaz eres de no hablar castellano...!

La muchacha se limitó a mirarle como podía haberle mirado un perro de caza.

—¡Estamos buenos...! —comentó en voz alta—. Ni siquiera hablar... —meditó unos instantes—. Quizá sea mejor así...

Se tumbó en el chinchorro, abrió un libro y comenzó a leer, pero a los pocos instantes contemplaba a la indígena nuevamente. Intentaba averiguar a quién le recordaba.

No era a Clarence, desde luego; ni a Zoraida, la negrita con quien viviera durante su estancia en la Escuela de Las Américas, de Panamá. Tampoco le recordaba a Lola, ni a Nicole, la francesita de Saigón; ni a Etuko, la japonesa de Okinawa.

Trató de pasar revista a cuantas mujeres había conocido en su vida, pero tuvo que acabar admitiendo que jamás, ninguna, se había sentado de aquel modo, se parecía en nada a ella o tenía unos pechos semejantes.

Aunque Kano asegurase que se trataba de una mujer, casi se negaba a considerarla un ser humano. Era como un extraño animal, lejano y estático; una bestezuela apenas más evolucionada que un araguato, con la que se sentía incapaz de tener contacto.

Hacer el amor con ella, tocarla siquiera, sería como mantener relaciones con una de aquellas grandes monas que en los zoológicos se complacían en mostrar al público sus enrojecidos traseros.

53

Procuró concentrarse en el libro que tenía en la mano, pero le resultó imposible y se esforzó por recordar cuanto el padre Carlos le había contado sobre las mujeres yubani:

—En la tribu se las considera como a perros —le explicó el cura—. No tienen derechos de ninguna clase, y en cambio son muchas sus obligaciones...: Engendrar hijos, cuidarlos, atender al marido, cultivar los campos cuando los tienen, traer agua y leña, construir las cabañas, cargar la impedimenta... Los hombres no realizan más que las tareas nobles: pescar, cazar y charlar durante horas... También hacen la guerra; guerra que les sirve, principalmente, para conseguir nuevas mujeres. Cada guerrero tiene tantas como puede comprar o robar de las tribus rivales, aunque las extrañas no son realmente sus esposas. Sólo son esclavas... «Kapanoparas» —las llaman— y su destino es aún peor que el de la mujer yubani, porque ésta tiene derecho de propiedad sobre ella... Entre los yubani, las mujeres no deben hablar, ni aun con sus esposos, cuando haya otros hombres delante... Y para hacerlo entre ellas, tienen que estar solas o alejarse del poblado... Tampoco pueden comer más que las sobras, cuando ya los guerreros y los niños se sienten satisfechos...

Lo que tenía delante no era considerado humano ni aun por su propia gente. Los indios se negaban a admitir que las mujeres pudieran tener alma, hablar con los espíritus de la selva o captar la idea de un Dios Todopoderoso. Si el Dios acudía alguna vez, lo haría tan sólo por salvar a los guerreros... Ningún Dios que se preciara de serlo, se preocuparía por el destino de seres tan absolutamente inferiores como las mujeres.

¡Marión!

—¡Eso era...! ¡Marión...! Le recordaba a su prima Marión...

Un día los bañaron juntos... Él apenas tendría ocho años... Ella, uno menos, y fue la primera vez que advirtió la diferencia entre sus sexos. Marión se sentaba en cuclillas en el baño, como lo hacía ahora la muchacha yubani, y en eso estribaba el parecido entre ambas...: Las piernas abiertas y aquella parte de su cuerpo, limpia, rosada, sin rastro de vello.

La siguiente mujer que vio desnuda ya en nada se parecía a la muchacha que tenía delante.

Ésta también era adulta, pero la diferencia estaba en la raza... Una raza de piel demasiado brillante; demasiado tersa... Una piel casi viscosa, de un tono indefinido, extraño, indescriptible.

Se sorprendió ante el descubrimiento de que se sentía racista. Blancas, negras, pelirrojas, chinas... vietnamitas, japonesas... Con todas se había acostado y jamás experimentó la menor repulsión; jamás le pasó por la cabeza el pensamiento de que fueran distintas...

Su país estaba lleno de racistas... Él mismo lo era en cuanto se refería a relaciones entre blancas y negros, pero nunca lo fue con respecto a blancos y cualquier otra raza... Una cama es una cama, y todo lo que caiga dentro está bien, no importa el tinte de su piel.

¡Pero ahora! ¿Cómo explicarle a Kano que su hermana le recordaba un mandril de zoológico?

Era su huésped, no debía olvidarlo... Huésped de los yubani, que podían echarle de su territorio o asesinarle... Un capitán del puesto militar de Santa Marta se lo había advertido claramente:

—Si se adentra en tierra yubani lo hace bajo su entera responsabilidad... Pase lo que pase, no moveremos un dedo en su favor... Tenemos un

Tratado con ellos...: son dueños de todo cuanto existe entre los ríos Yubani y San Pedro. No hay más ley que la suya.

¿Se ofendería Kano si despreciaba a su hermana...?

¿Quién podía adivinar lo que pasaba por la mente de un yubani?

¿Qué sabía él de los yubani?

En aquellos años se había preocupado por cada detalle de la selva que le rodeaba, adaptándose a sus fieras, sus serpientes, sus insectos y su complejísima flora, pero en todo ese tiempo no había aprendido absolutamente nada de sus hombres: los «salvajes» que se movían entre sus sombras.

Podía luchar con jaguares y anacondas. Podía cazar los mayores caimanes y esquivar a las más ponzoñosas serpientes, pero nunca lograría vencer a los yubani, si los yubani decidían dejar de considerarlo un huésped, bueno sólo para intercambios.

Las escasas charlas que mantuviera con el misionero sobre sus costumbres no bastaban para conocerlos, y la aceptación o repudio de una mujer de su tribu le representaba ahora un grave problema.

Allí seguía, inmóvil desde no sabía cuánto tiempo ya, con la vista clavada en el suelo, esperando algo, no sabía qué. Era como una de esas estatuas de piedra, mohosa y húmeda, que se encuentran en los más escondidos rincones de los parques públicos, tan clavada al suelo y tan estática, que únicamente le faltaba el chorrito de agua.

La observó nuevamente.

¿Sería virgen?

Nada sabía de las costumbres sexuales de los yubani.

Tampoco sabía mucho de virginidad. Jamás se había tropezado con una mujer virgen. Tiempo atrás le había preocupado el problema. ¿Dónde y cuándo se iniciaban? Llegó incluso a pensar que la virginidad era un mito: leyendas de otras épocas, como las sirenas, las brujas o las amazonas.

No pudo evitar una sonrisa... ¿Encontraría allí, en el corazón de la selva, lo que dejara de buscar tantos años atrás?

Intentó concentrarse nuevamente en el libro. Leyó casi una página sin captar lo que el autor quería decir, y le distrajo un rumor inconfundible. Alzó la vista sin dar crédito a sus oídos: aún inmóvil, exactamente en la misma posición en que permaneció desde el primer momento, la muchacha estaba orinando sin ningún recato y sin mover un músculo, como si vaciar el líquido que le sobraba delante de un desconocido fuera la cosa más natural y lógica del mundo.

Sintió que, por primera vez en muchos años, la sangre le afluía inconteniblemente al rostro y comprendió que se estaba ruborizando.

—¡Es absurdo! —comentó para sí—. Ridículo y absurdo...

El ruido cesó, pero la mujer seguía en idéntica posición.

«Puede pasarse así la vida —pensó—. Empieza a ponerme nervioso...»

—¿Quieres comer? —inquirió en alta voz, y cuando ella alzó los ojos y le miró, hizo exagerados gestos de llevarse algo a la boca—: ¿Comer?

Los negros ojos se movieron más allá de las estrechas rendijas de sus párpados y fueron a posarse en el platanal. Se quedaron allí muy fijos, y luego se volvieron lentamente, interrogantes.

Él agitó la mano.

—Ve y cómete unas bananas...

Respiró al ver que, ¡por fin!, se ponía en pie y echaba a andar hacia las plataneras. Su cuerpo era menudo, de carnes prietas y firmes, y su caminar, lento y aplomado, con el suave balanceo de las mujeres acostumbradas a cargar grandes pesos en la cabeza.

Se perdió de vista entre las plataneras, se escucharon golpes y jadeos, y a los pocos instantes regresó arrastrando un gran racimo de bananas. Su boca aparecía manchada de verde en las comisuras, y comprendió —asombrado— que a falta de machete, había separado el racimo del tallo a dentelladas.

—¡Qué bestia! —exclamó—. Bastaba con arrancar uno... ¿O es que piensas comértelos todos...?

La muchacha llegó con el racimo hasta el borde del chinchorro, lo alzó del suelo, apoyándoselo en la rodilla, y permaneció a la expectativa, aguardando a que se sirviera.

—Yo no quiero... Son para ti...

Arrancó un banano, le quitó la piel y se lo metió a ella en la boca.

—¡Para ti! Para ti... Anda, ve a comértelo a otra parte y déjame en paz...

La muchacha tardó largo rato en comprender, y permaneció inmóvil, con el plátano en la boca, sin hacer gesto alguno. Por último, regresó bajó el árbol, se acuclilló en la posición en que había permanecido toda la mañana y comenzó a devorar bananas.

Al rato eructó ruidosamente.

Dejó de leer y contempló asombrado el inmenso montón de cáscaras.

Agitó la cabeza, pesimista:

—¡Pues sí que he hecho un buen negocio...! —comentó en voz alta—. Esta bestia come por ocho...

No querían creerle:

—¿Se ha vuelto loco, teniente? ¿Se da cuenta de que está acusando a norteamericanos de asesinato en masa; de genocidio...?

—Sí. Me doy cuenta...

—Es una acusación demasiado grave... Tal vez fueran los «viets».

—Eran armas nuestras...

—Los «viets» tienen armas nuestras... Las roban con frecuencia.

—No había «viets» en las proximidades.. Únicamente la compañía «Charlie».

—Bien... Preguntaremos a la compañía «Charlie». —El coronel hizo una pausa y continuó con voz cortante—: Si esta historia es falsa, se va a buscar problemas...

—Mis hombres fueron testigos... Y tengo fotos...

—¿Fotos...? —El coronel dio un salto en su asiento—. ¿Quién demonios le autorizó a tomar fotos...?

—Nadie me ha prohibido nunca tomar fotos. Y no soy el único. Muchos de mis hombres llevaban sus cámaras.

—Tráigame esas fotos... Todas. Y las de sus soldados... Y busque los negativos... Quiero ese material aquí, hoy mismo...

Tardó en responder. Midió sus palabras:

—Lo siento... No tengo los negativos. Temí perderlos, y los envié a casa... A Chicago...

El coronel le observó largamente. Pareció estudiarle, como queriendo leer en el fondo de su corazón. Al fin, agitó la cabeza con gesto de pesar.

—Teniente... —comentó—. Me preocupa usted... Creo que se va a meter en el lío más grande de su vida... Nos va a meter a todos... Y déjeme decirle que, a la larga, resultará el primer perjudicado...

De acuerdo, señor... Pero, ¿qué hay de My-Lai...?

—Déjelo en mis manos... Usted vuelva a su puesto.

Y volvió.

Pero ya no era igual. Ya no le quedaba espíritu de lucha, y se sentía tan desmoralizado que no era capaz ni de dar órdenes. Cundió la indisciplina; toda la compañía, que había sido testigo de la matanza, se encontraba presa de idéntica sensación de hastío. Los destrozados rostros de los muertos; el hedor de los cadáveres; los lamentos de los moribundos les asaltaban de noche. Dejaron de sentirse soldados.

Una mañana, en una aldehuela perdida, coincidieron con la compañía «Charlie» y estuvieron a punto de enfrentarse a tiros. Al día siguiente se le concedió una licencia de un mes en Japón.

¡Bendita licencia, que le había permitido escapar del infierno!

Y allí estaba ahora, contemplando en la portada de una vieja revista la enorme fotografía de un barbilampiño tenientito.

«Asesinato en MY-LAI.»

Bien. Tal vez se hiciera justicia. Aunque algo tarde, quizás el tenientito pagara con el cuello.

¿Pero bastaría con eso? ¿Era justo cien vidas por una, si es que llegaban a quitársela...? ¿Compensaban los ahorcados en Nuremberg los millones de muertos de los nazis...?

No, no compensaba, y lo sabía. Nada justificaba la sangre derramada. Lo había aprendido en propia carne, aunque quizá lo aprendió demasiado tarde. Por eso era oficial desertor, y no un simple prófugo reacio a incorporarse a filas.

Si hubiera sabido a tiempo la verdad de la guerra, se habría limitado a romper su cartilla y escapar mucho antes al Amazonas.

¡Se hubiera evitado tantas cosas...!

En cierta ocasión se le ocurrió que si algún día llegaba a Presidente, impondría una asignatura obligatoria en todas las escuelas: «GUERRA».

Enseñarían la guerra desde el primer momento, desde la parvularia, e inculcaría en el espíritu de los niños la convicción de que la guerra no es una aventura romántica protagonizada por apuestos héroes y bellas enfermeras, sino una auténtica antesala del infierno, satánico aquelarre en el que la especie humana se hunde hasta lo más profundo de su degradación.

Traumatizaría de tal forma las mentes de los niños, que cuando se convirtieran en hombres, la guerra sería para ellos un «tabú» semejante al del incesto.

¿De qué profundos abismos de irracionalidad viene la repugnancia al incesto, en una especie que no siente repugnancia ante el crimen? Debió de ser ésa una costumbre que idearon las madres temerosas de que sus hijas, más jóvenes, les robaran los esposos y respaldada por los padres espantados también ante la idea de que el nuevo macho los despojara de sus privilegios de rey de la manada.

Cada hombre desea a su madre; cada mujer a su padre. Está dentro de la naturaleza humana pero, aun así, se ha convertido en la «GRAN PROHIBICIÓN» de la especie.

Matar y morir por incomprensibles ideales no está en esa naturaleza y, sin embargo, generación tras generación se mata y se muere porque así lo quieren los jefes de tribu, los mismos que en los albores del tiempo idearon el tabú del incesto.

La historia del hombre es la historia del enfrentamiento a su propia naturaleza. Intenta dominar sus instintos, y únicamente logra desarrollar una bestialidad mucho más refinada.

¿Qué instinto animal podría cristalizar en las torturas de la Inquisición, los campos de concentración nazis o la matanza de MY-LAI...?

Allí, a su alrededor, sentía palpitar la más cruel de las selvas, pero, aun así, en dos años no había asistido a una sola escena que pudiera compararse al espanto de un bombardeo de napalm, la repugnancia de un suburbio de Saigón o la degradación de los borrachos del Bówery.

No habitaba en el Paraíso, y lo sabía. La muerte acechaba tras cada árbol; y la enfermedad volaba en cada mosquito, pero, por primera vez, experimentaba la sensación de no estar enfrentándose a su propia naturaleza, sino, únicamente, a la Naturaleza.

Y era libre; lo bastante libre como para no tener que amar a su patria, fingir valentía o verse obligado a realizar alardes de virilidad.

Su libertad iba más allá de levantarse a la hora que le diera la gana, pasarse el día tumbado en una hamaca y comer cuando le apetecía. Su libertad no era haberse despojado de una chaqueta y una corbata, sino —sobre todo— haberse despojado de una máscara.

Libertad de no hablar; libertad de no sonreír; libertad incluso de no pensar si no lo deseaba. La civilización, la cultura, el progreso, no conducían más que a la pérdida de la libertad. La unión con otros hombres, cualquier clase de asociación, traía aparejados compromisos.

Tras toda una vida soportando las ventajas de la civilización del Siglo Veinte, había llegado a la conclusión de que nada en ella compensaba por la pérdida de la libertad. Ni las comodidades de la más lujosa mansión, ni las exquisiteces del más sofisticado restaurante, ni el placer del más soberbio yate, valían el precio que la sociedad obligaba a pagar en libertad.

Ése era un punto en el que estaba de acuerdo con los yubani y con las docenas de tribus salvajes que preferían ocultarse en lo más profundo de la selva amazónica, a aceptar un solo beneficio que exigiera cualquier retribución a cambio.

El padre Carlos le había señalado que la peculiar idiosincrasia del indio hacía imposible cualquier clase de comercio regular con ellos. El misionero acudía con presentes a la tribu, ofrecía sus regalos y esperaba que, a cambio, el indio le concediese su atención cuando le hablara de Dios y del alma.

El indio aceptaba los regalos, pero no escuchaba sermones si en ese momento no le apetecía escucharlos. El misionero era libre de hacer resgalos; él era libre de tomarlos, pero no admitía que, por ellos, ya no fuera libre de irse a dormir si prefería dormir en ese momento.

Por eso también, los indios despreciaban el trabajo. El trabajo envilece al hombre desde el momento que coarta su libertad. Podían pasar horas construyendo una casa o talando un árbol, pero lo harían siempre y cuando fuera por su gusto. En el mismo instante en que eligiesen pescar o tumbarse a la sombra, dejarían a medias la casa o el árbol, sin detenerse a considerar que habían adquirido una responsabilidad.

«Responsabilidad» era un concepto inexistente para el indio. Responsabilidad significaba sujeción, y sujeción significaba freno a su libertad. El indio amazónico no admitía ser responsable de nada. Ni como padre, ni como esposo —ni aun como miembro de una comunidad— contraía obligaciones, ni se las exigía a nadie.

Los niños venían al mundo y se los cuidaba por amor, no por obligación. Si un día no se sentía amor por ellos, se los abandonaba a su suerte, y en paz. Igual ocurría con la esposa. El matrimonio no presuponía cuidado o protección. Tan sólo apareamiento. En la comunidad indígena nadie tenía obligación para con nadie. No había jefes ni súbditos, y los curacas o sumos sacerdotes estaban considerados más como consejeros que como auténticos caudillos. Cuando había que tomar una decisión, el curaca emitía su opinión sobre lo que convenía a la tribu, pero jamás trataba de imponer su criterio. Cada cual hacía luego lo que le venía en gana, y a nadie se le ocurría discutir la decisión de su vecino.

En un principio fue como el zumbido de un mosquito. Luego recordó el rugido ahogado de un avión volando bajo, pero, poco a poco, el «puf-puf» se fue haciendo más y más monótono, cobrando intensidad, volviéndose más claro.

Alzó el rostro.

A la entrada del riachuelo, garzas y loras elevaban el vuelo, asustadas por el extraño estrépito que invadía la selva, y un centenar de monos «marimonda» escapó de rama en rama, chillando, histéricos.

Los minutos, los segundos, se hicieron infinitamente largos a medida que el «puf-puf» se aproximaba, y casi se podía adivinar su itinerario por el revuelo que provocaba entre los habitantes de la espesura.

Junto al agua, donde lavaba los cacharros del almuerzo, la muchacha quedó inmóvil, como petrificada, con el oído atento y el gesto asombrado, intentando averiguar el significado de aquel ruido que jamás había sentido antes.

Abandonó su chinchorro, cerró el libro y avanzó hacia la orilla, muy despacio.

Miró hacia la boca del riachuelo.

Primero apareció la larga y afilada proa, luego un negro semidesnudo esgrimiendo un rifle, detrás, grandes bultos cubiertos con sucias lonas y, al fin dos hombres, el último de los cuales manejaba con pericia un herrumbroso motor «fuera-borda».

Enfilaron directamente hacia la diminuta playa que servía de embarcadero a la cabaña y se escucharon claramente sus broncas voces y la aguda carcajada del negro.

El timonel detuvo el motor, permitió que el impulso llevara la proa de la embarcación hasta la orilla y dio un corto grito al del rifle para que saltara a tierra.

El negro obedeció, con un grueso cabo sujetó la curiara a un tronco caído y, sin abandonar su arma, se volvió.

—¡Buenos días...! —saludó.

—Buenos días...

Sus compañeros contemplaron detenidamente a la india, que continuaba gimiendo:

—¿Qué le ocurre? —quiso saber el timonel.

—Nunca había visto un motor...

—¡Salvaje...! —extendió una mano sucia de grasa—. Me llamo Cristo, y éstos son Lucas y Rafalo... ¿Cómo es su gracia...?

—¿Perdón...?

—Su gracia... Su nombre...

—No tengo nombre.

El llamado Cristo le miró sorprendido; sonrió irónico, y se volvió a sus compañeros:

—¡No tiene nombre...! —exclamó—. ¿Han oído...? El «señor» no se rebaja a dar su nombre... —se volvió bruscamente—. ¿Qué le hemos hecho...? ¿Quién cree que somos para negarse...? —Se interrumpió como si hubiese recordado algo—. ¡El Gringo! —rió—. Usted debe ser el gringo loco que vivía en territorio yubani... El que jamás dio su nombre... —Giró la vista a su alrededor—. ¿Le obligaron a irse los yubani...?

—Esto es territorio yubani —replicó sin inmutarse—. Tienen su campamento allí, al otro lado de la laguna... En el pantano.

Los recién llegados dieron un respingo, alarmados. El negro del rifle aferró con fuerza la culata de su arma.

—¿Está bromeando...? —inquirió, y al advertir su expresión pareció convencerse—. ¡Maldita sea tu alma...! —exclamó—. Te dije que andábamos perdidos, y jurabas que estábamos llegando a las cabeceras del Napuari...

—El Napuari quedó al Oeste —señaló—; deben regresar por el caño y desviarse cuando encuentren dos isletas gemelas. Tomen por la boca de la izquierda...

—¡Una semana perdida...! —se lamentó el negro; el llamado Rafalo—. ¡Una semana! Y las lluvias están ahí, a la vuelta de la esquina...

Cristo, el timonel, contempló la laguna con ojo crítico.

—No te quejes... —rezongó—. Tal vez sea mejor así... Éste parece un buen sitio para quedarse... —le miró fijamente—. ¿No hay diamantes en estos ríos...?

—¿Diamantes...?

—Sí. Diamantes... No se haga el loco... Toda ésta es tierra de oro y diamantes... Tal vez tenga aquí su propio yacimiento. Sabe que es ley de garimpeiro compartir una «bomba»...

—No soy garimpeiro... Aquí no hay diamantes...

—¿Cómo sabe que no hay diamantes, si no es garimpeiro...? Hay que buscar para encontrar...

El tercer desconocido, el llamado Lucas, se aproximó lentamente a la muchacha y la contempló muy de cerca.

—No es mala la india... —comentó—. ¿Cuánto costó...?

—Nada. No es mía...

—Se la compro.

—Le he dicho que no es mía...

—Dos latas de café, tres kilos de harina y unas botas...

—Le repito que no puedo venderla. Es la hermana de Kano, un guerrero yubani...

Lucas apartó la mano que ya había extendido hacia los diminutos pechos.

—¿Yubani...? ¿Una mujer yubani...?

Sus compañeros se aproximaron y, juntos, estudiaron, interesados, a la indígena, como si fuera un extraño animal nunca visto.

—¡Diablos...! —comentó Cristo, el timonel—. Una auténtica yubani...

—No parece peligrosa...

—Las mujeres no son peligrosas, imbécil... Sólo los guerreros...

—Pues este gringo vive aquí, y aún no se lo han comido... Tal vez todo sean leyendas... Tal vez resulten unos indios cagones.

—Apuesta tu cabeza a eso, y te la reducirán a un puño... —señaló Rafalo—. Más de cien garimpeiros penetraron en territorio yubani, y ninguno regresó jamás... Yo vi en Santa Marta la cabeza de uno de ellos... Se la habían dejado de este tamaño...

—¿Y por qué a él no le han hecho nada...? ¿Qué tiene que no tengamos nosotros...?

El tal Rafalo se encogió de hombros:

—No lo sé... ¡Señor...! Mi amigo quiere saber, por qué no le han matado los yubani...

—Mejor se lo pregunta a los yubani...

—¡Buena respuesta...! —rió Rafalo—. Muy buena respuesta... ¿Oíste, Lucas...? Toma la curiara, cruza la laguna, encuentra el campamento y pregunta a los yubani por qué no han matado al gringo, y cuánto tardarían en liquidarnos a nosotros...

—¡Vete al coño...! —se volvió a él—. Se la alquilo un rato... Le doy un kilo de café...

—No.

—Kilo y medio...

—Le digo que no... No se vende y tampoco se alquila...

—¡Pero, oiga...! —el tal Lucas se aproximó parsimonioso—. Eso no es justo... Si fuera una mujer..., una blanca, lo entendería... Pero tan sólo es una india. Y, para colmo, una «salvaje», una yubani reductora de cabezas.

—Su hermano me la confió, y nadie va a tocarla...

—Ésa no es la costumbre... Entre garimpeiros las mujeres indias se prestan... Es lo correcto... Lo educado...

Tenía una idea de lo que los garimpeiros consideraban «correcto» y «educado».

Los buscadores de diamantes, o garimpeiros —como ellos mismos se denominaban, aceptando para toda la cuenca amazónica una denominación puramente brasileña—, constituían la peor ralea de indeseables que podía encontrarse, no ya en el Continente, sino en el mundo entero. Nazis perseguidos y camuflados; desertores de todos los ejércitos; evadidos de todas las prisiones, aventureros de todas las nacionalidades, pululaban por las selvas de Brasil, Venezuela, Colombia, Ecuador, Perú y Bolivia, siempre tras el rastro del yacimiento libre, del diamante dormido en el fondo de los ríos o arrastrado en aluvión desde lejanos depósitos que nadie lograba encontrar jamás.

El Caroní en Venezuela, el Japurá, el Purué y el Río das Mortes en Brasil, el Napo, en Ecuador, famosos por su oro o sus diamantes, sufrían con frecuencia las consecuencias de una avalancha de garimpeiros cuando se corría la voz de que había sido descubierta una nueva «bomba».

«Ciudades fantasmas» surgían de la noche a la mañana, como San Salvador de Paul, Diamantina, Porvenir, Cristálida... Y donde antes no había más que selva y salvajes, aparecían de pronto los cafetines, los prostíbulos, los cabarets, las salas de juego; incluso los cinematógrafos.

En un mes, un campamento podía pasar de la nada absoluta a los quince mil habitantes, para desaparecer de igual modo al mes siguiente, convertirse otra vez en nada, cuando la «bomba» se agotaba.

Los quince mil buscadores se diluían entonces, tragados por la espesura, aventados a los cuatro puntos cardinales, y así andaban, como perros de caza tras la presa, hasta que de nuevo se corría la voz de un yacimiento.

Los garimpeiros no admitían más ley que las de su propio código; un código no escrito, pero que todos conocían. Sus principios estipulaban que el yacimiento pequeño es inviolable, pero la «Gran Bomba» debe ser compartida. Se pueden robar dinero o diamantes, pero jamás el rifle o la curiara. Se deben respetar los límites —diez metros cuadrados— de quienes llegaron antes; se exige respeto a la esposa legítima —si es blanca—, pero existe la obligación de prestar o alquilar a las indias y negras. Se deben compartir las medicinas y enterrar a los muertos, aunque se los odiara cuando vivían.

Ahora Lucas alegaba un derecho: alquilar una

india como se alquila una cama o una bestia de carga.

Negó una vez más con la cabeza, y su voz no tenía inflexión alguna al responder:

—Yo no soy garimpeiro...

Lucas se había aproximado en exceso. Su rostro casi le rozaba. Y hablaba lentamente, pero su tono era frío.

—Eso es algo de lo que no estoy seguro... —señaló—. No creo que sea un loco... Es posible que en esta laguna y estos riachuelos se esconda una fortuna en diamantes...

—Le he dicho que aquí no hay diamantes... Puede registrar la cabaña... Vivo de la pesca, de algunas pieles, y de cazar mariposas...

—¿Cazar mariposas...? —se extrañó Cristo—. ¿Es uno de esos chalados que andan por el mundo con una red persiguiendo mariposas...?

—Si se sabe reconocerlas, producen más dinero que los diamantes...

—¡Explíqueme eso...!

—¡Oh! ¡Déjate de mariposas...! —protestó Lucas—. Ahora lo que importa es la india... —alzó levemente la voz—. No querrá tener problemas por culpa de una yubani, ¿verdad...? No vamos a romper una amistad por «eso»...

Se volvió a señalar con el dedo a la india, pero la orilla de la laguna aparecía desierta. Permaneció con el brazo en alto, sorprendido, y buscó a su alrededor...

—¿Dónde se ha metido...?—inquirió.

Hizo un gesto hacia una sombra que corría por la maleza, bordeando la laguna.

—Allá... Consiguió asustarla, y huye al campamento yubani... Su hermano es un gran jefe —mintió—. Pronto estará aquí con sus guerreros...

71

Lucas cambió de color, su voz se quebró y tartamudeó al exclamar:

—¡Dios del Cielo...! ¡No es posible...! Deténgala... Dígale que no vamos a hacerle nada... Todo era una broma, «señor»... ¿No se dio cuenta de que era una broma...? ¡Por Dios!, no permita que avise a los yubani...

Rafalo, el negro del rifle, había amartillado su arma y se la clavó a Lucas en la mejilla. Sus ojos despedían chispas.

—¡Mereces que te salte los sesos...! —barbotó—. Menudo par de hijos de puta me he buscado de compañeros... Uno equivoca el rumbo al Napuari y el otro se mete en líos con los yubani... ¿Qué vamos a hacer ahora...? ¡Dime, gran «coño e madre»...! ¿Qué vamos a hacer ahora?

—Yo... Yo lo siento, Rafalo... Lo siento de veras... ¡Te lo juro! Todo era una broma... Era una broma, «señor», le doy mi palabra... No pensaba tocar a esa chiquilla... Por la salud de mi madre que no pensaba tocarla... Era una broma, Rafalo...

El otro empujó el rifle, y con el punto de mira le rasgó la cara de abajo arriba. La sangre comenzó a manar del tajo, pero Lucas no hizo gesto alguno; se limitó a quedarse muy quieto.

—Creo que nunca vas a volver a tierra de cristianos, Lucas... —amenazó Rafalo—. Creo que si no te arreglas, éste va a ser tu último «garimpo»... No me gusta viajar con idiotas... ¿Me oyes? Ándate con ojo, o te dejo en tierra y regresas a pata.

—Sí, Rafalo... Lo que tú digas, Rafalo... Perdona... Perdona, por favor...

Rafalo hizo un gesto de hastío y señaló con la cabeza hacia la curiara:

—Ponla en marcha, Cristo... Más vale que nos

larguemos... ¡Lástima...! Podíamos haber descansado un par de días en casa de este buen señor... —se volvió a él—. Lamento lo ocurrido... Si vienen los yubani, procure calmarlos... Estamos bien armados, pero no quiero líos... ¿Está claro...?

—Muy claro... Si se van, no habrá problemas... Calmaré a los yubani...

—Más le vale...

Cristo había puesto el motor en marcha a la tercera intentona, y Lucas se limpiaba la sangre con un pañuelo, acurrucado en su puesto de la curiara como perro apaleado. Rafalo aflojó el cabo, empujó la embarcación y saltó dentro:

—¡Hasta la vista! —gritó, elevando la voz sobre el estruendo de las explosiones—. Procure conservar la cabeza a ese tamaño...

No respondió. La curiara había comenzado a girar lentamente, y el timonel aceleró al máximo, enfilando la entrada del riachuelo por el que habían llegado.

Las loras y las garzas alzaron el vuelo. Las familias de monos que habían vuelto se alejaron de nuevo chillando furiosas. El limpio aire de la laguna se llenó de un humo denso y pestilente.

Los vio alejarse, y su mirada se detuvo, con desagrado, en la mancha de grasa que había quedado sobre la superficie del agua, junto a la orilla.

—¡Mierda! —masculló.

Regresó despacio a su chinchorro, se tumbó en él y abrió el libro por la página que había marcado.

A media tarde regresó la muchacha.

Su hermano la acompañó hasta el caño grande, se cercioró de que los extraños se habían ido y reemprendió el camino a su poblado.

Ella, por su parte, llegó hasta la cabaña, recogió los platos que había abandonado en la orilla, los dejó escurrir apoyados contra un árbol y se sentó en su rincón de siempre, a devorar bananas.

«Bananas» era todo lo que había aprendido a decir, y en aquel tiempo no había sido más que una sombra que permanecía acuclillada o se movía sin ruido, lavando cacharros, limpiando la cabaña, desbrozando el platanal, buscando en el bosque bayas y frutos.

Se había tejido un chinchorro de moriche, que colgó en la parte posterior de la choza, y apenas caía el sol, con la puntualidad de una gallina, se metía en él, cerraba los ojos y no volvía a abrirlos hasta que la primera claridad inundaba la laguna.

Comenzaba entonces su callado trajín y podría decirse que su afán se limitaba a cumplir la función que había visto realizar a todas las hembras de su tribu: liberar al varón de la mayor cantidad posible de molestias.

Ciertamente, sus costumbres no resultaban en absoluto refinadas; eructaba constantemente y se orinaba allá donde le venía en gana.

Una mañana, a los cuatro días de la visita de los garimpeiros, la muchacha miró hacia el cielo, olfateó el aire como perro de caza, se armó de un afilado machete y se aplicó a trabajar cortando leña seca y amontonándola en los rincones de la cabaña.

Colgó luego del techo las piñas de plátanos aún verdes, almacenó nueces del Brasil, cocos, bayas y corazón de palma, reforzó con enormes hojas de nipa el techo de la choza, comprobó que los pilotes de la vivienda que se clavaban en el suelo se mantenían bien firmes y se sentó a esperar.

Al día siguiente llegaron las lluvias.

Había asistido, silencioso, a tal derroche de actividad; contempló largamente el mar que el cielo lanzaba sobre la tierra, y suspiró. Nada en este mundo era perfecto, y la imperfección de la selva amazónica comenzaba con la llegada de las lluvias.

Lo mismo podía durar un mes que cuatro, y eso nadie parecía capaz de predecirlo. Los indios y algunos garimpeiros anunciaban de antemano cuánto faltaba para esas lluvias, pero ni unos ni otros se atrevían nunca a pronosticar si las aguas serían, o no, tan largas, que ahogaran a los peces...

Lluvia, lluvia, lluvia.

Lluvia de día, y lluvia de noche.

Agua que bajaba del cielo, y un vaho denso, de sauna finlandesa, que ascendía de la tierra. Una humedad del ciento por ciento, porque el mundo había dejado de componerse de cuatro elementos, y se diría que no existía la tierra empantanada, ni el aire ahogado por la lluvia, ni el fuego que se negaba a arder en la leña empapada.

La selva había perdido su apariencia y sus colores, y no había más ruido que un furioso goteo, ni más olor que el de tierra mojada.

Los monos tiritaban en sus ramas, las loras guardaban silencio, entristecidas, y tan sólo patos y garzas daban señal de vida entre los habitantes de la jungla.

A veces, a la caída de la tarde, la mansa lluvia se transformaba en tormenta, y el mundo parecía volverse loco, con centellas que surcaban el horizonte como furias brillantes, relámpagos que iluminaban el bosque y truenos que estremecían la cabaña, del techo a los cimientos.

Un rayo cayó sobre un «angelim» de ochenta metros, lo rajó en dos como a tarta de crema, lanzó una mitad a la laguna y dejó que la otra ardiera unos minutos, hasta que la lluvia, furiosa, lo convirtió en carbón endurecido.

Una mañana, un sol violento libró dura batalla por imponerse; sacó destellos a la laguna; pintó de color la selva; transformó en mil diversos verdes el monótono gris del horizonte y comenzó a secar la tierra de los claros, pero su empeño fue inútil: perdió la batalla, y de nuevo la lluvia fue dueña absoluta por días y días, por semanas, por meses, sin que nada ni nadie volviera a discutir su omnipotencia.

La muchacha, tendida en su chinchorro, devoraba bananas o dormitaba aletargada. Él, echado en su camastro, leía y leía durante horas, días y semanas.

La temporada de lluvias imponía un paréntesis a la vida amazónica —como el invierno en los países nórdicos—, y en ese tiempo no podía pensarse más que permanecer encerrado en sí mismo, leyendo y meditando, permitiendo, paciente, que el agua cayera, el viento soplara y las tormentas restallasen en los atardeceres.

Eran días de nostalgia y recuerdos; de sentir con más fuerza «la llamada de la civilización», de notar más que nunca la falta de tantas cosas...

Cosas pequeñas; cosas que hacían fácil la vida; cosas en que apenas había reparado antes...

Papel de baño, pasta de dientes, alcohol con que desinfectar una herida y esparadrapo con que cubrirla; alicates con los que enderezar un anzuelo; tijeras pequeñas para cortarse las uñas de los pies...

Al oscurecer le volvía a la memoria aquel bar tibio y en penumbra, callado y solitario, en el que entraba a tomar una copa, de regreso a casa. La música era suave y romántica, y en la chimenea brillaba un hermoso fuego. Allí conoció a Lola, oscura y puertorriqueña, su primer contacto con gente de otro color y casi de otra raza, ardiente en apariencia, lejana y fría en la realidad.

Su voz era grave, profunda y rasgada, tan provocativa como su mismo aspecto, pero tan carente también de sentimientos.

La amó durante meses, luchando por despertar en ella al menos un orgasmo y desesperándose noche tras noche ante la inutilidad de sus esfuerzos.

En lo más íntimo de su ser comenzó a sospechar que, tal vez, Lola no era más que una lesbiana que se negaba a serlo.

¡Tantas cosas había en su carácter; tantos detalles que surgían de su inconsciente...!

Pero mostraba tanto empeño, también, por parecer femenina; por llenar de alegría la vida de un hombre...

¡Pobre Lola...! Qué dura batalla debió librar consigo misma...

Una noche, algo se rompió dentro, su batalla hizo crisis y le miró como si bajara de otro planeta.

—¿Quién es usted? —preguntó con voz más profunda que nunca—. ¿Quién es usted...?

Jamás volvió a reconocer a nadie que hubiera

conocido antes. Jamás volvió a tener un gesto femenino.

Se transformó en un hombre. Un hombre que odiaba su cuerpo; que quería cortarse los pechos; que repelía la presencia de otros hombres.

A veces, durmiendo, volvía a ser la Lola de siempre.

Pero despierta, era un macho que intentaba manosear a las enfermeras y utilizaba tan sólo lo más soez de su vocabulario.

Los médicos le pidieron que dejara de verla. Su presencia le provocaba accesos de ira en los que intentaba matarse por la sola idea de que él la había poseído.

Luego se convirtió en una sombra triste, única ocupante de una minúscula celda en el Manicomio estatal; fantasma de piel y huesos, que vagamente recordaba a la Lola que fue en un tiempo.

El varón aniquiló a la mujer que le había dominado durante veintidós años; el macho destruyó a la hembra, y se destruyó a sí mismo.

¡Dios Santo! ¿Por qué recordaba de pronto todo aquello...?

¡Le había causado tanto daño...!

Pasaron meses antes de que pudiera tocar nuevamente a una mujer, y el día que lo hizo, tenía tanto miedo a un nuevo fracaso, que apenas consiguió su objetivo.

Entonces llegó Clarence...

Y Clarence se mostró capaz de tener un orgasmo mientras freía tocineta con su madre en el cuarto vecino; entre dos comerciales de la televisión, o durante el avance de la próxima película de un autocine.

—¡Cásese con ella!—le recomendó su psiquiatra—. Cásese con ella y olvidará a Lola...

¡Cuánto más le hubiera valido continuar recordando a Lola!

Era una hermosa muchacha.

La más hermosa, quizá, que hubiera visto nunca, con su largo cabello flotando al viento y su blanca túnica translúcida que destacaba el rosado botón de sus pezones, la suave curva de su vientre y el negro vello de su sexo.

Era una visión que inquietaba el espíritu, y pese a que se esforzó por volver la página, regresó a ella una y otra vez, soñando con la imposible fantasía de correr también por aquella playa, sentir el olor a mar y el calor del sol, alcanzar a la muchacha y derribarla sobre la blanca arena para revolcarse en ella y experimentar de nuevo el olvidado placer de besar una boca, morder unos pechos, hundir la cara en un vello suave, negro y perfumado.

Dejó la revista en el suelo, junto al catre, y contempló, a través de la ventana, la lluvia mansa y constante. El cielo era una mancha gris, y gris era la selva, y gris el mundo bajo el diluvio amazónico.

¡Maldita lluvia que hacía nacer la nostalgia, que avivaba sus recuerdos, que dejaba tiempo para pensar en muchachas corriendo por la playa de Malibú...!

Malditos también los que se complacían en publicar fotos semejantes; fotos que recordaban a la inmensa mayoría de los hombres que había un mundo fuera de su alcance: un mundo de mujeres de ensueño, de playas lejanas y yates de lujo... Un mundo irreal y mítico, jamás hallado en parte alguna, pero que el talento de un buen fotógrafo y un experto publicista podían hacer pasar por auténtico.

No existían mujeres como aquélla que corrieran con semejante túnica cuando el sol se ocultaba en Malibú, ofreciendo una helada cerveza espumeante que traía de un yate anclado en la distancia. Y él lo sabía.

«Todos» los hombres lo sabían, y, sin embargo, todos los hombres se habían detenido alguna vez ante una foto parecida, dejándose convencer de que aquél era el sueño de sus vidas.

Sueño de un segundo: el instante que tardara la muchacha en caer de su salto; el tiempo que empleara el sol en ocultarse y la cerveza en dejar de parecer helada. Sueño de estrella fugaz que tantos perseguían, porque un día, muchos años atrás, en una revista o una valla de carretera, su atención se detuvo sobre una deslumbrante creación de publicistas.

Extraño mundo, que para vender más cerveza, cigarrillos, whisky, autos, motos o paños higiénicos, necesita crear otro mundo paralelo; mundo de instantes congelados, porque ha descubierto que la belleza no puede durar más que un segundo. Luego, el viento cesa de agitar el cabello, la mujer jadea y su cuerpo transpira, la sonrisa da paso a un gesto de hastío, y llega la realidad de una chica cansada de posar, hambrienta y deseosa de cobrar su trabajo, enfundarse en unos sucios pantalones y largarse con su novio a un oscuro y pestilente club de marihuana.

Pero, ¡Dios!, aquel instante era perfecto...

Bajó la vista al suelo, en busca de la foto, y

se encontró frente al ceñudo rostro de la india acuclillada, que contemplaba la revista como jamás había contemplado cosa alguna que no fuera una banana y parecía querer averiguar, a través de la foto, qué era lo que el hombre encontraba en los libros.

Se miraron.

Luego ella regresó a su chinchorro, y el hombre, avergonzado, escondió bajo el camastro la revista y buscó, en *La Perla*, de Steinbeck, consuelo a sus pesares.

La sintió revolver inquieta los cajones y agitarse más que nunca preparando el almuerzo, y tras un largo silencio advirtió que se encontraba en pie, a su lado. Alzó el rostro y tuvo que hacer un increíble esfuerzo para no estallar en carcajadas.

Era como un fantasma cubriéndose del cuello a los pies con una vieja sábana a la que había cortado un agujero para sacar la cabeza; auténtico espantajo lleno de lamparones y remiendos, patética caricatura de la chica del anuncio.

Se esforzó por contenerse, y consiguió evitar la risa. Sintió lástima y hasta un cierto cariño. Sintió lo que sentía por *Tom-Tom* cuando se arrastraba a sus pies, lloriqueando una caricia y pedía perdón por haberse ensuciado en la cocina.

Sonrió levemente, y agitó la cabeza en señal de asentimiento. La muchacha pareció conformarse y se alejó hacia el fogón sobre el que estuvo a punto de caer al pisar un extremo de su extraño vestido. Se apoyó en la mesa, compuso la figura y continuó su marcha, feliz y orgullosa.

El hombre agitó la cabeza y volvió a su lectura.

Había algo en Kino, Juana y Coyotito —que huían con su perla perseguidos por el mundo—, que le recordó a la india.

Y a sí mismo.

No fueron largas las lluvias.

Tres meses.

Luego, una mañana, el cielo se presentó sin una nube, azul turquesa, y la selva, tan lavada, renació más verde que nunca.

En una semana las aguas bajaron a su cauce, la tierra comenzó a secarse y los mil habitantes de la jungla volvieron a la vida tras su largo silencio.

Nuevamente se podía colgar el chinchorro a la sombra, delante de la cabaña; nuevamente se pescaba en paz en la laguna; nuevamente había mariposas en el claro.

La Amazonia salió de su letargo, del sueño invernal de cada año, rebosante de fuerza, incontenible, y el bosque bajo creció buscando el cielo, mientras las lianas se lanzaban hacia abajo en procura de la tierra, y así tejían entre todos una densa cortina que debía rasgar con su machete si quería conservar los senderos de siempre.

Volvieron los mosquitos, más furiosos que antes, y las niguas atacaron, introduciéndose bajo la piel para depositar allí sus huevos; huevos que se transformarían en larvas y más tarde en gusanos; gusanos que se alimentarían de la carne viva cubriendo el cuerpo de llagas hediondas.

Eran días de lucha inacabable, cuando con una hojilla de afeitar, una aguja y paciencia, había que ir abriendo allí donde se sentía la primera picazón, rebuscar, con cuidado, romper la bolsa de los huevos, dejarlos escapar con su líquido aceitoso, perseguir la nigua hasta aplastarla, y desinfectar luego la herida con alcohol, yodo o jugo de tabaco.

Todo el cuerpo —en especial piernas y brazos— se convertían entonces en un mapa de heridas supurantes de dolor sordo y escozor permanente, objetivo predilecto de moscas y mosquitos.

Las niguas eran la peor maldición de la espesura, uno de los precios más altos que obligaba a pagar la Naturaleza a quienes deseaban habitar en la selva. Niguas, calor húmedo y mosquitos; los tres grandes impuestos de la selva.

Pero pagaba a gusto ahora que las lluvias se habían ido. Botó al agua el cayuco y remó muy despacio hasta detenerse en el centro de la laguna, donde todo era silencio, el agua aparecía muy quieta y el mundo estaba en paz consigo mismo.

Se tumbó en el fondo de la embarcación, cara al cielo, y dejó que el sol volviera a curtir su cuerpo.

Así transcurrieron las horas, y los días, sin pensar en nada, sin pedir nada tampoco, permitiendo que la vida avanzara en calma y en silencio, sin prisas, sin angustias, sin sueños imposibles.

Parecía haber alcanzado el perfecto equilibrio entre su existencia y el mundo; entre su espíritu y la Naturaleza.

Antes de llegar a la Amazonia tan sólo una vez había experimentado una sensación semejante. Fue una mañana, en una carretera de California, cuando un desvío imprevisto le obligó a adentrarse por un viejo camino de tierra, y se perdió. De pronto se encontró solo en el bosque, junto a una vieja fuente, en la que se detuvo. Se sentó en el brocal, encendió un cigarrillo, pensó en las mil cosas que debía hacer ese día y no haría por culpa del desvío, y se sintió feliz como no lo fue nunca.

Advirtió cuántas cosas urgentes podían esperar al día siguiente, o al otro, o no hacerse, y que ninguna de ellas le proporcionaría, jamás, un placer semejante al de aquellos momentos. Y tuvo de pronto la impresión de que su pecho se ensanchaba, sus pulmones captaban más aire y una extraña opresión, que siempre le atenazaba la garganta, desaparecía de improviso.

Fue sólo un instante, pero su recuerdo le persiguió durante años.

Y ahora allí, tumbado en su cayuco, cara al cielo, experimentaba lo mismo, pero llevado al infinito. Podía disfrutar aquel placer cuanto tiempo quisiera, abandonarlo y volver a recogerlo como si se tratara de un gigantesco orgasmo que le permitiera prolongar a su gusto.

Y luego, al volver a la choza, allí estaba la india, con la comida lista; lejana y callada; sombra que nunca molestaba; sirviente que no había de pagar; mujer que no necesitaba explicaciones.

Y los libros.

Y el chinchorro.

Y una absoluta, rotunda, infinita, sensación de libertad.

Luego, una mañana, surgió de improviso, como siempre, nacido de la misma tierra bajo el árbol, con sus pies deformes y su larga cerbatana.

Señaló vagamente hacia el nordeste:

—Llegó el hombre blanco —dijo.

Se sentó frente a él, en cuclillas, como siempre.

—¿Muchos?

—Muchos... Pregunta a los blancos por qué han venido... No queremos blancos en tierra yubani.

—Yo soy blanco...

—No piensas como blanco... No trabajas, no destruyes...

Iniciaron la larga caminata por intrincados senderos que tan sólo los yubani conocían, atravesando igarapés, pantanos de nipa y riachuelos, huyendo siempre de los grandes ríos, de las aguas profundas, de las lagunas que no pudieran vadearse con el agua a la cintura.

Para los yubani, las aguas profundas eran morada de los «Taré», los espíritus del mal, que buscaban, en el frío y la oscuridad, refugio contra los poderes del sol, aliado de los espíritus del bien —los «Intié», con los que se encontraban en guerra perpetua.

Los «Taré» eran dueños de la noche y de las lagunas profundas, y por ello los yubani se acostaban en cuanto oscurecía, y no se arriesgaban por los grandes ríos. Cuando acudían por las noches a la cabaña del hombre blanco, lo hacían para cerciorarse de que también dormía y no vagaba en la oscuridad como aliado de los espíritus del mal. Para tales correrías nocturnas, los guerreros necesitaban prepararse todo un día, tomar sol durante horas, e impregnarse de su poder benéfico; poder que los protegería luego contra los «Taré».

Con el tiempo, aprendería que en los días sin sol no había forma de hacer salir de noche a un yubani.

Pero aquel día el sol estaba alto, los «Intié» eran dueños del mundo, y Kano, el de los pies deformes, marchaba con paso seguro por entre la espesura, siempre hacia el Noroeste, sin ayuda de brújula, guiado por un secreto instinto que le conducía rectamente a su objetivo, aun en aquel infinito laberinto de árboles idénticos a otros árboles.

Con la caída de la tarde, el indio se detuvo en un claro, buscó ramas de chonta y hojas de plátano y comenzó a preparar un pequeño refugio. Encendió fuego con ayuda de dos palos y hojas secas, compartió con él una frugal cena de mandioca y bananas, y con las primeras sombras se adentró en su refugio, cerró los ojos y se durmió al instante.

Fuera, junto a la hoguera, se recostó en el tronco de un liso gomero y dejó que el humo le rodeara, alejando los mosquitos. Miró hacia el cielo, a las estrellas que asomaban tímidamente entre las copas de los árboles del minúsculo claro, y se preguntó qué estaba haciendo allí, tan lejos de todo.

Lejos de su mundo, lejos de Chicago, lejos incluso de la tosca cabaña que había convertido en su hogar de la selva. Si Kano le dejaba, quizá no sabría regresar a su laguna, a sus libros, a sus anzuelos y sus tristes ahorros.

Unas viejas botas, un pantalón hecho jirones y un machete era cuanto cargaba encima...

Pero tenía algo que le compensaba. Tenía un profundo conocimiento y un infinito amor a la selva, y con ellos se consideraba capaz de sobrevivir sin más ayuda que su machete.

Se sentía «asimilado» al mundo que le rodeaba —tan hostil para el resto de los hombres blancos—, y en aquellos momentos le parecía más sencillo enfrentarse a la jungla que a su antiguo mundo de Chicago.

Nada podría hacerle volver a la lucha diaria,

al eterno trepar de la pirámide, a aquel inacabable arrastrarse hacia arriba, aferrándose con uñas y dientes porque el menor descuido le arrojaba de nuevo pendiente abajo, al abismo; moderno Sísifo, mito monstruoso que parecía haberse convertido en destino común de la Humanidad.

Cientos, miles, millones de seres iniciaban cada mañana la ascensión de la montaña de sus ambiciones, cargando a la espalda el pesado peñasco de su incapacidad, abriéndose camino, a empujones, por entre la marea humana que perseguía su misma meta, con la vista siempre fija en el camino, atentos a las pequeñas piedras y a los minúsculos obstáculos, imposibilitados de mirar a lo alto; aterrorizados al mirar hacia abajo.

Largo, larguísimo camino, y arriba, en la estrecha cumbre, unos pocos que trataban de defender sus privilegios contra quienes estaban a punto de alcanzarles.

Cuadro que tan sólo se atrevería a pintar Gerónimo del Bosco; pesadilla que cada noche asaltaba a millones de hombres y mujeres ansiosos por avanzar un centímetro más al día siguiente; angustiados ante la posibilidad de perderlo todo en un instante.

No, no se sentía con fuerzas. Ni creía tampoco que triunfar compensara por tantas amarguras. La montaña exigía demasiado, y a cada metro había que ir dejando atrás lo mejor de sí mismo. Nada hay más triste que llegar a viejo y advertir que se es viejo hasta por dentro.

Nada más desolador que alcanzar la meta y descubrir que era una meta equivocada.

Nada más desesperante que mirar hacia atrás y comprender la inutilidad de toda una vida de trabajos.

Pero allí, sentado a los pies de un gomero y

contemplando el fuego que se consumía haciendo más negra la noche a su alrededor, se sentía a salvo. La selva amazónica, con sus jaguares, sus anacondas, sus mil especies de serpientes venenosas, sus arañas, pirañas, caimanes e indios salvajes, le protegían contra los trepadores de pirámides; contra la Humanidad entera.

Sí; en la oscuridad del bosque, se sentía a salvo. Apoyó la cabeza contra el liso tronco y se quedó dormido.

En la mañana del tercer día, llegaron a orillas del ancho San Pedro.

Kano se detuvo entre los árboles, y señaló, a unos trescientos metros, dos grandes chalanas varadas en la orilla yubani, junto a un campamento de tiendas de campaña —una docena— en el que medio centenar de hombres se afanaban cortando árboles, levantando cercas, descargando fardos, gritando a voz en cuello...

El indio hizo un amplio ademán que abarcaba el territorio que se extendía a espaldas del campamento, desde la margen del río.

—Tierra yubani —dijo—. Toda tierra yubani... Deben marcharse.

Se sentó entre los matojos, dando por concluida la conversación, y se dispuso a esperar. Comprendió que no tenía más que decir, y echó a andar hacia el campamento.

No había recorrido cien metros por las orillas del río cuando un sargento y dos soldados se aproximaron corriendo desde las primeras carpas. Se detuvieron jadeantes.

—¿Qué ocurre? —inquirió el sargento—. ¿De dónde sale usted...?

Señaló hacia atrás con la cabeza:

—Vivo allá; en territorio yubani... Ellos me envían... Quieren saber qué hacen aquí.

—¡Venga conmigo...! —ordenó el sargento, e inició una acelerada marcha hacia el campamento.

Le siguió bajo la curiosidad de trabajadores y soldados, que habían interrumpido sus labores, sorprendidos por la presencia del extraño semidesnudo, andrajoso y quemado por el sol, de gruesas gafas, largos cabellos y barba de una semana.

Su mirada quedó prendida en las latas de cerveza vacías que sembraban el campamento; los papeles que aparecían tirados aquí y allá; la ropa puesta a secar colgando de las ramas de los cedros y los bidones de basura junto a la tosca cocina de madera, listos para ser arrojados al río.

Sintió que algo se le revolvía muy dentro; que olvidados recuerdos le asaltaban de nuevo.

Llegaron a la mayor de las tiendas de campaña, ante la que dos hombres aguardaban. Uno lucía uniforme militar con estrellas de capitán, el otro vestía con cierta elegancia, pese al lugar en que se encontraban. El sargento se cuadró:

—A sus órdenes —saludó—. Este hombre dice venir de territorio yubani...

El capitán devolvió el saludo, e hizo un gesto para que se alejara.

—Gracias, sargento. Puede retirarse... Pase, por favor...

La carpa era grande, y se encontraba ocupada por una larga mesa repleta de papeles, varias sillas y una montaña de cajas y cajones.

El militar le tendió la mano:

—Capitán Salas de los «Rangers»... El ingeniero Planchart... Usted debe de ser el norteamericano que vive con los yubani... —Ante la muda afirmación, continuó—: No esperábamos encontrarle tan pronto... El padre Carlos asegura que vive lejos; hacia el sureste.

—Sí... Allí vivo.

—¿Cómo supo que habíamos llegado...?

—Los yubani me avisaron... Traigo un mensaje de su parte..

—¿Mantiene buenas relaciones con los yubani...?

—Muy pocas... ¿Le interesa el mensaje...?

El ingeniero intervino por primera vez. Sonrió suavemente:

—Suponemos qué clase de mensaje se trata... Estábamos esperándolo, pero no imaginábamos que lo trajera un hombre blanco.

Los observó largamente. Los otros aguardaban en silencio:

—¿Qué están haciendo aquí...? —preguntó al fin, aunque ya tenía prevista la respuesta

Planchart señaló los mapas y los documentos:

—Ya lo ve... —respondió con naturalidad—. Una carretera...

—Esto es territorio yubani...

—Lo sabemos...

—Existe un Tratado...

—El Gobierno ha decidido denunciar el Tratado... Deseábamos comunicárselo a la Nación Yubani, pero no hallamos forma de ponernos en contacto con ella... Se esconden muy bien esos yubani... Y tienen la costumbre de asesinar a quien intenta encontrarlos...

—Están en su derecho.. Su Tratado estipula, claramente, que no pueden salir de sus tierras, pero en ellas son dueños absolutos

El ingeniero respiró profundamente, como si tomara fuerzas para lanzarse a una larga y pesada explcación que había repetido mil veces y le aburría.

—Los tiempos cambian... —comenzó—. Cuando se firmó ese Tratado, en el mundo vivía menos de la mitad de la gente que ahora vive, y este territorio no era más que el último rincón del planeta. Nadie lo necesitaba, y se le podía dejar a los yubani.. —Hizo una dramática pausa—. Pero como le digo, los tiempos cambian... Millones de seres humanos se mueren de hambre, amontonados como latas en espacios agobiantes... Necesitan de éste, y de todos los territorios que puedan ponerse en explotación y producir más alimentos y más materias primas con que aliviar tanta necesidad... Es injusto que un puñado de salvajes disponga de tanto espacio... Entre el San Pedro y el Yubani podrían establecerse veinte mil colonos...

—Entre el San Pedro y el Yubani no subsistirían ni cien colonos, y usted lo sabe... —replicó—. Esta tierra no es buena más que para la selva... Si cortan los árboles y tratan de sembrar, a los cuatro años todo se habrá convertido en un erial sin recuperación posible... La primera cosecha sería magnífica; la segunda, regular, y la tercera, prácticamente no existiría... Cualquier estudiante de primer año de agronomía sabe eso...

—Es algo que está fuera de mi jurisdicción. No puedo ni quiero discutirlo... —le atajó el ingeniero—. Mis órdenes son construir una carretera hasta las fuentes del Yubani, y es lo que voy a hacer... —Hizo una pausa—. ¿Cuál era ese mensaje que tenía para nosotros...?

—Si no se marchan, habrá guerra...

—¿Guerra...? ¿Así...? ¿Sin más...?

—¿Qué otra cosa esperaba...? Rompen un Tratado; invaden sus tierras...

—Intentamos llegar a un acuerdo... Tenemos plenos poderes para iniciar conversaciones... Si la carretera molesta a los yubani, estamos autorizados para reubicarlos en la margen opuesta del San Pedro... Allí hay buena caza...

Miró fijamente al ingeniero, con asombro, como si creyera que estaba intentando burlarse de él.

—¿Reubicar a los yubani en territorio huanga...? Los huangas y los yubani son enemigos mortales desde que el mundo es mundo. Tan sólo el río San Pedro puede evitar que se destrocen... Y ahora los huangas tienen armas: fusiles que los blancos les han vendido... En menos de un mes, no quedaría un solo yubani... Lo que usted propone es aniquilar la tribu...

—¡Calma, calma...! —intervino el capitán—. Está interpretando mal las palabras del ingeniero... Yo represento al Gobierno, y todos sabemos que una de las grandes preocupaciones del Presidente Jaén ha sido siempre el problema indígena... Si los yubani llegaran a ser reubicados en territorio huanga, el Ejército garantizaría su vida y sus derechos...

—¿Cómo...? ¿Dónde estaba el Ejército cuando los garimpeiros invadieron a los «audanas» los aniquilaron porque había una «bomba» de diamantes en su territorio...? No creo que esa garantía convenza a los yubani... Están aislados, pero no son estúpidos... Saben que docenas de tribus han desaparecido porque consintieron en negociar con los blancos... Otras, como los huangas, se han convertido en pandillas de «medio-mendigos-medio-salteadores», que agonizan lentamente... Ya no les queda orgullo... ni libertad, ni espíritu de tribu. Los que no andan limosneando por los alrededores de las Misiones, han aca-

93

bado de ladronzuelos de los campamentos mineros, o merodeadores de las haciendas... —Agitó la cabeza convencido—. No. Los yubani nunca caerán en esa trampa...

—No se trata de ninguna trampa... Y no les queda otro remedio... Un puñado de guerreros armados con cerbatanas no pueden oponerse a la civilización...

—Se equivoca... Sí pueden... No se confíe por lo que está viendo... Los yubani aquí no valen nada, pero más adelante comienzan los igarapés, el pantanal y los manglares... Y allí son invencibles... Ni huangas, ni ustedes, ni todo el Ejército de los Estados Unidos podría con ellos...

—No se trata de llegar a las armas —terció, conciliador, el ingeniero Planchart—. Jamás se ha pensado en imponerse por la fuerza a los yubani... No es nuestro estilo, ni creo que sea el camino... Debe existir una fórmula mejor, y nos agradaría que usted nos ayudara a encontrarla... Mi Compañía estaría dispuesta a compensarle por las molestias... En realidad, necesitamos alguien que sirva de enlace con los yubani...

Escuchó en silencio. Se daba cuenta de que estaban intentando comprarle. Reconocía las fórmulas, las palabras; el modo de actuar... Lo había visto en su primera empresa, y en la segunda, y más tarde en el Ejército. Unos ofrecían un tanto por ciento sobre el monto total de las compras si las canalizaba a través de determinado proveedor; otros concedían participación en los beneficios si hacía la vista gorda; el coronel habló de un ascenso si olvidaba My-Lai.

—...tendría absoluta libertad para tratar el asunto según creyera conveniente... Lo dejaría en sus manos...

Estaban asustados. El ingeniero, y el capitán,

y todos en el campamento temblaban ante la mención de los yubani, porque su imaginación los había convertido en seres terroríficos, muy distintos a los auténticos salvajes que se ocultaban en lo más profundo de los igarapés.

—...Al fin y al cabo, si no quieren ser reubicados, no tienen por qué marcharse... Pueden seguir en su territorio... Nadie vendrá a molestarlos... La carretera pasará por aquí, pero seguirá de largo; apenas sentirán su presencia.

—¿Y los colonos...? ¿Y esos miles de campesinos que —según usted— pueden establecerse entre el San Pedro y el Yubani...?

El ingeniero le miró largamente; luego observó al capitán Salas, y de nuevo se volvió a él. Agitó la cabeza:

—Seamos sensatos —comenzó—. Usted tiene razón, y probablemente ningún colono vendrá a establecerse a estas tierras... Y si vienen, se marcharán en seguida; a los tres años... El verdadero destino de la carretera es la Sierra de los Loros, y su auténtico valor, el puramente extractivo... Más adelante, enlazará con la transamazónica brasileña, y los grandes camiones ni siquiera pasarán por aquí... Desde la Sierra de los Loros llevarán el mineral al Brasil... —Hizo una pausa—. Como ve, los yubani no tienen que preocuparse... Tan sólo deseamos que nos concedan el derecho de paso...

—Dicho así, parece razonable... Pero usted sabe que esos colonos, por pocos que sean, traerán enfermedades... ¡Imagine un niño con sarampión...! En una semana, estará otra vez dando saltos, pero en esa semana puede acabar con los yubani... En 1916, una epidemia de sarampión redujo de mil doscientos, a menos de cien, a la tribu de los «kaingang». También el sarampión mató al noventa por ciento de los «urubú» en 1950. ¿Pretende que los yubani se expongan a eso por permitirles el paso...? ¿Y qué ocurrirá con los garimpeiros, los buscadores de oro, los aventureros que recorren la Amazonia olfateando el hierro, la bauxita, el petróleo...? Ahora los detiene la selva y el miedo a los yubani, pero cuando la carretera pase por el centro de su territorio, nada los detendrá... Conozco a esa gente... Cuando se reúnen, son como lobos: han acabado con más de cincuenta tribus en Brasil...

—Los garimpeiros sólo van allá donde hay oro y diamantes... ¿Los hay en territorio yubani...?

—No, que yo sepa... Pero no es ése el problema... El problema se centra en que los yubani subsisten como tribu libre y sana, gracias a su aislamiento. Es su única defensa contra la «civilización». En cuanto el progreso los roce, están condenados a desaparecer.

—Quizá sea ése, realmente, el único futuro que les queda... Nadie puede detener el progreso...

—¿Por qué...? —Hablaba tranquilamente, sin excitarse, pero en su voz tenía una extraña fuerza; una pasión que pugnaba por aflorar aun sobre su calma aparente—. ¿Por qué nadie puede detener al progreso? ¿Hasta cuándo vamos a consentir que nos destruya? ¿En nombre de qué se debe admitir que toda esa porquería que traen con ustedes tenga el camino libre...? Mire hacia fuera...: Hace una semana, esto era un hermoso pedazo de selva, donde crecían árboles y flores y vivían docenas de animales... ¡Mírelo ahora! No es más que un inmenso basurero, porque su progreso no trae más que ambición y mierda... Alguien, en alguna parte, quiere ganar millones arrancándole a la Sierra de los Loros su cobre, y para ello no duda en emporcar toda esta selva;

acabar con sus indios y sus animales; destrozar el único paisaje hermoso que queda sobre la tierra... ¡A eso le llaman progreso...! ¿Quiere que le diga algo...? Pueden meterse su Progreso en el culo...

El ingeniero sonrió:

—En cierto sentido, estoy de acuerdo. —Su voz sonaba más conciliadora que nunca—. Pero, al fin y al cabo, ¿qué es lo que pretende...? ¿Vivir en paz? Bien... Nosotros no nos oponemos... Le gustan su selva, su soledad, sus árboles y su pesca... ¡Muy bien...! Siga con ellos... Hay espacio para todos... Mi Compañía puede garantizarle casi dos mil kilómetros cuadrados de bosque. Incluso puede poner parte de ese bosque a su nombre...

—¿Con qué derecho...? Es territorio yubani...

—Ayúdenos a lograr un acuerdo con los yubani, y tendremos ese derecho...

—¿Está tratando de comprarme...?

—Sí.

Por unos instantes pareció desconcertado por la sinceridad del ingeniero, y tardó en reaccionar. El otro lo aprovechó.

—Todos tenemos un precio, y no debemos avergonzarnos de ello... Es algo que va con nuestra naturaleza. Y su precio es ése...: Paz y soledad... Yo soy el único que puede garantizársela... Y recuerde... Usted aquí no es más que un extranjero... No tiene derecho a vivir en el país si el Gobierno no lo consiente...

—Creo que me está sobreestimando... Habla como si creyera que realmente tengo algún poder sobre los yubani... No es así... El problema tendrán que resolverlo por su cuenta...

—Puede ayudarnos... Es el único blanco que mantiene contacto con ellos...

—El padre Carlos también...

—El padre Carlos no quiere intervenir...

—Yo tampoco...

El ingeniero se puso en pie, dando por terminada la conversación y le imitaron; junto a la entrada de la carpa se detuvieron. Planchart parecía preocupado:

—¿Qué va a decirles...?

—No lo sé... Aún no me ha dado su respuesta... ¿Piensan quedarse...?

—Desde luego... Y seguiremos adelante... La carretera se abrirá pese a quien pese...

—En ese caso, le aconsejo que se cuiden... Muchos van a morir.

—¿Se pondrá de su parte...?

—Aún no lo he pensado...

—Pues piénselo... y piénselo bien... A la larga, esa gente no tiene futuro...

Kano continuaba en el punto en que lo dejó. Se sentó frente a él y lo contempló largamente antes de decidirse a hablar.

—No quieren marchar —dijo al fin—. Construirán una carretera; un gran camino que atravesará territorio yubani.

—¿Y el Tratado...?

—Dicen que ya no hay Tratado. Que han pasado muchos años. Que los tiempos cambian...

El indio se puso en pie.

—No para los yubani... —afirmó, convencido.

No pronunció una sola palabra durante el viaje de regreso, hasta que, al tercer día, y a la vista ya de la laguna, le detuvo con un gesto cuando tomaba el sendero de su cabaña. Le señaló un desvío hacia el Sur:

—Yubani querrán hablar —dijo.

Le siguió en silencio. Al anochecer, alcanzaron las orillas de un igarapé, se adentraron por el laberinto de un espeso manglar y desembocaron de improviso ante las primeras chozas del poblado, poco más de una veintena de cabañas sin paredes, con techos de nipa que descendían casi hasta el suelo.

Brillaba un gran fuego en todas las viviendas, e incluso en las puertas y las esquinas, porque los yubani temían a los «Taré» de las sombras, y el fuego era el «epakué» de las sombras: «el contrario» de las sombras.

En el universo de los yubani, cada cosa tenía un contrario; un enemigo.

Frente al Taré de las sombras estaba su epakué del fuego...

Frente al Intié del fuego, su epakué de la lluvia...

Frente al Taré de las lluvias, su epakué del sol...

Frente al Intié del sol, su epakué de la luna...

Frente al Taré de la luna, su epakué de la tierra...

Frente al Intié de la tierra, su epakué de las aguas profundas...

Frente al Taré de las aguas profundas, su epakué de los árboles que flotan...

Frente al Intié de los árboles que flotan, su epakué de las lianas «matapalo» que se enroscan a los troncos y los asfixian hasta pudrirlos...

Frente al Taré del «matapalo», su epakué de la orquídea que crece en él...

Frente al Intié de la orquídea, su epakué de la avispa...

Y así hasta el infinito, porque del más humilde insecto a la inmensidad de la bóveda del cielo, todo aparecía clasificado por los yubani en el campo del bien o del mal... El fuego estaba desde siempre en el campo del bien, y por ello, en cuanto caía la noche, brillaba en todos los rincones.

Kano se dirigió rectamente a la mayor de las cabañas —una gigantesca construcción que ocupaba el centro del poblado—, le rogó que aguardara y penetró, dejando fuera su larga cerbatana.

Al no existir puertas ni paredes, tan sólo una

corta distancia separaba a quienes estaban dentro de los que quedaban en el exterior, pero advirtió que los indios que se agrupaban en la choza ni le miraban siquiera, como si verdaderamente una pared invisible aislara a los que se encontraban a uno u otro lado de la línea que corría entre los postes.

Supuestamente, cuando los guerreros se reunían en la cabaña, nadie podía verlos, ni escucharlos, y sus decisiones permanecían tan secretas como si hubieran descendido a la más profunda de las catacumbas. De igual modo, si un recién casado deseaba disfrutar a plena luz de su esposa, trazaba un amplio círculo mágico con su cerbatana alrededor de su cabaña sin paredes, y desde ese momento podía permitirse toda clase de excesos con el absoluto convencimiento de que nadie estaba viéndolo.

En el fondo, la extraña costumbre no era más que una forma simbólica de proclamar la libertad del yubani, tan libre, que podía incluso aislarse del resto de la Humanidad con un solo acto de su voluntad. Voluntad que los demás respetaban, porque ésa era también una forma de ser libres: libres de no mirar, desde el momento mismo en que nada impedía hacerlo.

Comprendió que acababa de entrar en un extraño mundo; el único mundo amazónico que no se había preocupado por conocer hasta el momento: el mundo del hombre de la selva.

«Vio» cómo Kano conferenciaba en su lengua con los guerreros; cómo éstos agitaban la cabeza preocupados, y cómo indicaban al de los pies deformes que hiciera entrar al extranjero.

Se acuclilló frente a ellos, junto a Kano, y dejó que le estudiaran con detenimiento, el mismo que ponía en estudiarlos a su vez.

Eran de pequeña estatura, pero fuerte complexión; piel clara, pero rasgos orientales, casi mongólicos; mirada cruel, pero sonrisa franca y risa espontánea.

Habría unos veinte reunidos, la mayoría ancianos, pero abundaban también los guerreros profusamente pintarrajeados, y no se podría decir quién era curaca, brujo o jefezuelo, pues ninguno aparentaba detentar autoridad sobre los restantes.

Todos aparecían desnudos, con excepción de la clásica cinta roja anudada al pene, y media docena lucían manojos de plumas en las orejas perforadas.

Murmuraban entre sí. Por fin, uno de más edad se dirigió a él:

—Quieren que te hable —comenzó— porque soy el que mejor conoce la lengua de los blancos... De pequeño anduve perdido, los misioneros me encontraron, y viví con ellos varios años. Me llamaban José Correcaminos, es decir: José, «El mensajero de Dios», porque durante años llevé cartas de una Misión a otra.. —Hizo una pausa como para darle tiempo a salir de su admiración, y luego continuó—: Kano dice que hablaste con los blancos que invadieron nuestras tierras... ¿Quiénes son? ¿Qué buscan?

—Son gente del Gobierno... Quieren construir una carretera...

—¿Nos perjudicará esa carretera...?

—Atravesará territorio yubani... Desde el río San Pedro, a las cabeceras del Yubani.

—¿Y el Tratado?

—Dicen que ya no hay Tratado...

—No pueden decir que ya no hay Tratado... El Tratado es un acuerdo entre los yubani y el Gobierno... Sólo puede romperse por un acuerdo entre los yubani y el Gobierno... ¿O no?

No supo qué responder. Se rascó la cabeza, y optó por encogerse de hombros.

—Así debería ser, pero ellos dicen otra cosa...

José Correcaminos pareció desconcertado. Se dirigió a su gente y comenzó a parlotear en su idioma. Al rato se volvió de nuevo:

—El Tratado dice que los yubani tienen derecho a matar a quienes invadan sus tierras... Nuestra ley es la ley... ¿Qué pasará si matamos a esos hombres...?

—Son hombres del Gobierno...

—Es el Gobierno quien nos autoriza...

—Pero ese Tratado ya no existe...

—¿Por qué? Los yubani siempre lo respetaron. Jamás cruzaron el río San Pedro, ni el Yubani... Si los yubani cumplen, ¿por qué no cumple el Gobierno...?

Comprendió que en la mentalidad de los indígenas aún no había penetrado la idea de que una ley que ha sido ley durante más de ochenta años, pudiera dejar de serlo de improviso. Habían nacido y se habían criado con esa ley, del mismo modo que se habían criado con el sol, la noche o las estrellas... Se les advertía tan sorprendidos como pudieran estarlo si una mañana el sol dejara de salir por oriente.

Trató de armarse de paciencia y explicar la situación lo mejor que Dios le diera a entender.

—Dicen que hay mucha gente por allá que necesita estas tierras...

—Hay poca caza en estas tierras... Y la yuca y la mandioca no crecen bien... Los conucos son pobres... Nosotros también necesitamos las tierras de allá, pero no vamos a buscarlas... Lo dice el Tratado.

¡Dios! ¿Cómo hacerles entender que ya no había Tratado...? ¡Eran tan estúpidos...! ¿O era tan sólo ingenuidad?

Lo intentó:

—Hay algo que los blancos quieren llevarse de la Sierra de los Loros... Por eso construyen la carretera.

—La Sierra de los Loros no está en nuestro territorio... No importa lo que se lleven, pero... ¿por qué tienen que pasar por aquí...?

—Es el camino más corto...

—A veces, para nosotros, el camino más corto atraviesa territorio huanga, pero nunca lo utilizamos... Lo dice el Tratado...

—¡Los blancos no son como los yubani...! Los blancos no cumplen sus promesas... Dicen una cosa y hacen otra...

—¿Tú eres blanco...?

—Sí, claro... Soy blanco, pero cumplo lo que digo.

El indio se enfrascó de nuevo en una larga charla con su gente. No parecían excesivamente preocupados, como si estuvieran convencidos de su fuerza y de que —en cuanto se lo propusieran— arrojarían a los blancos al río. Tan sólo se les advertía molestos y un poco desconcertados.

A la media hora, y tras laboriosas deliberaciones, Correcaminos —«El mensajero de Dios»— se dirigió de nuevo a él.

—Mi gente dice que si haces siempre lo que prometes, debes prometer que irás a la tierra de los blancos, donde está su Gobierno, y les recordarás que deben cumplir el Tratado.

—¿Yo? —se asombró—. Nadie me escuchará... No me harán caso... Soy un extranjero... ¿Por qué yo...?

—Porque los yubani confían en ti... Porque te permitieron vivir en su tierra cuando podían ha-

berte matado... Porque compraste a Piá, hermana de Kano, y por ello estás unido a la nación
yubani... —Hizo significativa pausa, y luego, con
una ligera sonrisa, concluyó—: Y porque si no lo
haces, los yubani no te considerarán su amigo, y
tendrás que buscar otra laguna, otra choza y otra
esposa...

Meditó sus palabras. Estuvo tentado de decirle que había un millón de lagunas en la Amazonia; que se podía construir cuantas chozas le viniera en gana, y que Piá —o como quiera que se
llamase— no era su esposa, ni lo sería nunca,
pero decidió callar. Observó uno por uno los rostros de los guerreros: se les diría pacíficos, pero
en sus negros ojillos almendrados brillaba siempre aquella luz maligna e inquietante.

Comprendió que no era el momento de oponerse a la tribu. En el fondo, tampoco estaba muy
seguro de querer oponerse. Durante todo el día
había meditado en la posibilidad de viajar a Santa Marta, e incluso a la capital, Santa Cruz, y
hablar con alguien más dispuesto al diálogo que
el capitán Salas o el ingeniero Planchart.

Eso le obligaría a salir de su selva, a volver a
la ciudad, a la gente, al tráfico, a los ruidos...

—¡Mierda! —exclamó en voz baja.

Después se volvió a Correcaminos:

—Mañana daré mi respuesta —prometió.

Le ofrecieron para cenar los cuartos traseros de un gran mono araguato, acompañado de enormes plátanos asados. Luego Kano lo acomodó en una choza apartada, en la que ya habían colgado un ancho chinchorro. Se dejó caer en él, agotado por la larga caminata, pero consciente de que le iba a costar trabajo dormir. Cerca del agua, y sin la protección de su mosquitero, la plaga se cebaría en él. Y suerte tendría si no había por allí murciélagos-vampiros.

Las voces del poblado cesaron para dar paso a murmullos inconfundibles que ya tenía olvidados, pero que parecían ser los mismos en todos los idiomas y todas las razas. En sus cabañas sin paredes, entre tenue claridad de hogueras que se consumían lentamente, los yubani se amaban como se han amado hombres y mujeres desde que el mundo es mundo.

Había risas, y suspiros, y jadeos, y lamentos...

Había parejas normales, y otras que adoptaban extrañas posiciones, e incluso algunas que entraban claramente en el terreno de lo que podría considerarse perversión. Y descubrió, un tanto sorprendido, que los «refinamientos» no eran, pese a lo que siempre había creído, fruto de los adelantos de una civilización decadente.

Una raza tan atrasada como la yubani, que no conocía el uso del metal, ni aun de la piedra pulimentada, y basaba toda su cultura en la madera, la caña y el veneno, había llegado a descubrir, no obstante, todo lo más rebuscado y «original» que pudiera darse entre un hombre y una mujer.

E incluso entre un hombre y otro hombre, porque no le pasaba inadvertido que en el poblado existían dos o tres guerreros cuya fiereza probablemente dejaba mucho que desear. Con el cabello suelto hasta los hombros, la figura cimbreante y el pene amarrado entre las nalgas, le habían dirigido lánguidas miradas a la hora de la cena.

Una mujer maulló a lo lejos. Fue un lamento largo y profundo, de placer infinito, y le vinieron a la memoria aquellas largas noches de angustia, cuando se esforzaba durante horas por extraer de Lola un quejido semejante, y de pronto llegaba del apartamento vecino el «maing-maing», desgarrado de una esquelética maestra, a la que su amante —otro esquelético maestro— parecía catapultar cada noche —por tres veces— al séptimo cielo.

¡Cristo, cómo los odiaba!

A menudo coincidía con ellos en el ascensor. Inclinaban entonces la cabeza y cuchicheaban entre sí, siempre sobre temas de física o matemáticas, como si no existiera otra cosa en este mundo, y podría pensarse que tan sólo se reunían para discutir de ecuaciones y pasar las noches en vela resolviendo problemas...

¡Hipócritas...! Ella era una gata en celo, y él un garañón pura sangre... más de una vez sintió deseos de golpear la pared y gritarle...: «¡Ven aquí, e inténtalo con ésta...!»

Llegó a obsesionarse de tal modo, que incluso

sintió deseos de probar a la maestra; de descubrir cómo demonios era capaz de excitar tanto a aquella otra especie de colilla humana.

Una sombra se detuvo ante su puerta. Contra el rescoldo de una hoguera distante, adivinó la curvilínea silueta de uno de los guerreros de cabellos demasiado largos. Se hizo el dormido, pero mantuvo la rendija de un ojo abierta. El «guerrero» le observaba, inmóvil y silencioso. Tuvo una inspiración y dejó escapar un sonoro pedo. La sombra desapareció al instante, y alguien rió en la choza vecina.

Luego se quedó dormido, y le despertó el aleteo de un gallo que realizaba inútiles esfuerzos para cantar. Le sorprendió advertir cómo una y otra vez se afanaba en cumplir con su obligación sin conseguirlo, y es que los yubani cortaban las cuerdas vocales a los gallos, para evitar así que, con su canto, descubrieran al enemigo la situación exacta del campamento.

En la selva —y esto ya lo había advertido— existían sonidos como el canto de los gallos o el ladrido de los perros, que se transmitían a muy largas distancias, con increíble claridad, mientras las voces humanas, por ejemplo, solían apagarse muy pronto.

Los yubani tomaban drásticas medidas con los gallos, pero no con los perros que abundaban en el poblado. Los acostumbraban desde muy pequeños a no ladrar, y al que no conseguían acostumbrarlo, se lo comían, y en paz.

Saltó del chinchorro, se desperezó ruidosamente y se encaminó a la orilla, a lavarse la cara. Un grupo de niños, acuclillados a la sombra de un hermoso caobo, escuchaban atentamente el monótono canturreo de un anciano, y lo repetían luego, palabra por palabra. Era un colegio de la selva; la Universidad de los yubani, donde el abuelo iba contando a los rapazuelos todo cuanto sabía sobre el mundo; saber que ellos necesitarían más tarde para desenvolverse en la vida.

La geografía era una parte muy importante de esa enseñanza, y los más famosos guerreros y exploradores explicaban una y otra vez cuáles eran los caminos, las trochas ocultas, los ríos, valles y quebradas de cada punto cardinal del territorio yubani. Así —repetidos hasta la saciedad— los muchachos podrían, más tarde, recorrer esos caminos casi a ciegas, sin necesidad de guía.

También el curaca o brujo les hablaba de los dioses y espíritus; de los «Taré» y los «Intié», obligándoles a aprender de memoria los infinitos «Kum-taré» o salmos de origen divino que combatían cada tipo de mal. Existían «Kum-taré» contra la mordida de la serpiente venenosa; el mal del estómago o cabeza; la indiferencia de la mujer amada; el hambre, la lluvia, el cansancio e incluso las almorranas...

Pero cada uno de esos «Kum-taré» venía acompañado, la mayoría de las veces, del uso de determinadas hierbas, raíces o frutos, porque la farmacología yubani estaba formada por más de un millar de remedios de eficacia comprobada, desde el más complejo anticonceptivo, al más simple de los purgantes.

Tenían su propia cultura, una cultura adaptada al mundo que les rodeaba, más lógica para subsistir en la jungla amazónica que la más avanzada tecnología moderna.

El «civilizado» que pretendiera sobrevivir en la selva, tendría que comenzar por destruirla. Necesitaba espacio para sembrar; espacio para sus vehículos; espacio para su ganado... Los árboles le molestaban, le agobiaban, le asfixiaban, y no encontraba otro recurso que abatirlos. El indio no; el indio convivía con la selva, se plegaba a ella y se adaptaba a la realidad innegable de que, en el fondo, la selva era siempre más fuerte. Para dominarla, había que matarla, arrasarla, quemarla hasta sus raíces, convirtiéndola en desierto.

El abono más perfecto creado por la química no sería capaz de fertilizar la tierra muerta; el tractor más potente no podría ararla y hacer que produjera; el hombre más sabio no obtendría de ella un solo fruto capaz de alimentarle.

La cultura del hombre blanco, con sus siglos de evolución, estaba condenada a fracasar allí donde la mísera subcultura yubani había triunfado por mil años.

Los yubani, como la mayoría de los indios amazónicos, habían aprendido, con el transcurso de los siglos, que si la tierra no está afirmada por árboles y plantas, acaba siendo arrastrada por el agua y el viento, y se vuelve estéril.

No resultaba muy difícil entender algo tan simple, pero el hombre blanco, el civilizado —capaz de ir a la Luna y hacer estallar bombas atómicas— no parecía haberlo descubierto aún. Día tras día, año tras año, siglo tras siglo, destruía y destruía sin medir las consecuencias.

Recordó aquel día en que estando de visita en Antigua Guatemala le pidió a su guía que le llevara a conocer el río Pensativo, del que había oído decir que llevaba ese nombre por lo suave de su corriente, lo limpio de sus aguas y lo hermoso de su paisaje...

—Ese río ya no existe, señor —le respondió el indígena—. Ya no es un río Pensativo, sino muerto... Corría en verdad por un hermoso paisaje de bosques umbríos, pero los bosques se talaron, y las aguas de los montes vecinos comenzaron a precipitarse sobre el río, convirtiéndolo en torrente. Luego, sin árboles, las fuentes se secaron, y hoy ya no hay río Pensativo... No hay nada...

Durante generaciones, los mayas convivieron en paz con su tranquilo río, que les dio agua limpia, regó sus campos de cultivo y ofreció sus peces. Era la vida del indio, y el indio lo respetaba, dejándolo de herencia a sus hijos, exactamente igual que sus padres se lo dejaron a él. Pero luego, un día, un blanco quiso enriquecerse aprisa, sin pensar en sus hijos, sin pensar en el río, sin pensar en nada más que en sí mismo, y taló los bosques, vendió la madera, rompió el paisaje, asesinó el río.

¿Quién era el «civilizado» y quién el «salvaje»? ¿Cuál de ambas culturas llevaba a la tierra y sus habitantes hacia un fin sin remedio...?

Abrirían aquella carretera y sacarían el cobre de la Sierra de los Loros, pero, al mismo tiempo, sacarían también de los bosques la madera fina. Primero, la caoba y la balsa; luego, los cedros; más tarde, las ceibas y los samanes..., y al fin no quedaría más que un desierto, del que habría desaparecido toda señal de vida.

—Hay que detenerlos —murmuró para sí, contemplando la selva espléndida al otro lado del igarapé—. Hay que evitar que conviertan el Amazonas en un nuevo río Pensativo... Alguien tiene que dar la batalla contra el progreso; contra la locura destructiva; contra la invasión de la mierda... ¿Por qué no aquí? ¿Por qué no ahora...? ¿Quién mejor que los yubani para empezar la lucha y enfrentarse a esa maldita civilización? Los yubani son puros, libres, inocentes... No construyen, pero tampoco destruyen... No quieren más que vivir en paz, sin molestar ni ser molestados, aspirando a morir dejando la tierra tal como la

111

encontraron... ¡Oh, Dios! Me gustaría crear con ellos un ejército.

Sonrió sus propios pensamientos; agitó la cabeza como queriendo desechar una idea loca, y lanzando una última mirada a los muchachos, que continuaban su canturreo monótono, regresó al poblado y se detuvo ante la cabaña grande, en la que se encontraban reunidos los guerreros.

Kano le hizo entrar y tomó asiento en el mismo lugar que la noche antes. José Correcaminos, «El Mensajero de Dios», se acuclilló frente a él, le miró fijamente y preguntó:

—¿Tienes ya tu respuesta...?

Asintió, lanzó una larga mirada al grupo y respondió lentamente:

—Haré lo que piden... Iré y hablaré en Santa Marta, y si no me escuchan, iré y hablaré en Santa Cruz. Y si no me escuchan iré y hablaré al mismísimo Presidente de la República.

Los indios, que habían comprendido sus palabras, agitaron la cabeza satisfechos y se apresuraron a traducir la respuesta a aquellos que no hablaban castellano. José Correcaminos sonrió, tranquilizándole:

—Irás y hablarás, y te escucharán, estoy seguro... Kano quiere la guerra ya, desde ahora, y algunos guerreros jóvenes y fogosos están de su parte, pero la mayoría del pueblo yubani cree que los blancos no son tan estúpidos como para venir a morir a nuestros pantanos e igarapés, y regresarán a sus tierras... La paz del Tratado durará cien años más...

Estuvo tentado de decirle que era un iluso, pero prefirió callar. La reunión podía darse por terminada, y era tiempo de marchar. Se puso en pie, pero Kano le detuvo con un gesto:

—¿Cuánto tardará la respuesta...?

Dudó:

—Un mes... Tal vez dos...

—¡Dos meses! —aceptó Kano—. Si en dos meses los blancos no se marchan, Kano empezará la guerra... Se volvió, desafiante, al grupo—. Kano empezará la guerra... —repitió.

Nadie respondió, porque todos parecían de acuerdo y porque un yubani era un hombre libre y estaba en su derecho de hacer la guerra si ésa era su voluntad.

La muchacha le esperaba en la puerta. Vestía su «sábana-túnica», de la que ya jamás se desprendía más que para dormir, sujeta a la cintura con la cinta roja que constituía antes su único adorno.

Al llegar a su lado, le dirigió una leve sonrisa, le golpeó suavemente el pecho con el dedo índice y dijo:

—Tú... Piá...

Pareció alegremente sorprendida.

Se señaló con el dedo y repitió...:

—Piá... —Luego le golpeó suavemente el pecho... y dijo—: Tú... Banana...

—¡Tu padre será Banana...! ¡«Banana»...! ¡Si te digo que soy banana, mañana me meriendas empezando por donde yo me sé...! —Negó firmemente con la cabeza—. ¡No Banana...! ¿Me entiendes...? Yo, no Banana...

Piá permaneció a la expectativa, confiando en que se golpeara el pecho y dijera su nombre, pero resultó inútil. Él recogió una pastilla de jabón y fue a bañarse a la laguna.

Mientras se enjabonaba, recordó lo que había leído una vez sobre los nombres:

«Para los primitivos, el nombre no es sólo lo que distingue a su portador... El nombre es el doble de su persona, y donde está su nombre también está la persona... El que conoce el nombre de una persona tiene poder sobre ella y dispone de ella a su arbitrio... De ahí que muchos seres primitivos —y muchos espíritus— oculten su nombre, o se nieguen a tenerlo...»

¿Era un primitivo o un espíritu...? ¿O era únicamente un «snob», que se negaba a tener nombre para diferenciarse del resto de los seres humanos...? Nunca se había detenido a pensar en ello; tampoco le importaba poco o mucho lo que los demás opinaran de él y de su «no-nombre».

El que tenía jamás le había gustado: era vulgar y estúpido, como vulgar y estúpida había sido su vida. Al cambiar esa vida, al marchar a la selva, al desertar del Ejército, estuvo a punto de cambiar de nombre, de inventarse otro cualquiera, pero luego consideró que eso sería como querer convertirse en otra persona; tratar de engañarse y engañar al mundo con una estúpida mentira. Mejor era no tener nombre, porque de ese modo rompía con su pasado, pero no trataba de buscar un futuro falso. Continuaba siendo el mismo; el mismo de siempre, pero sin nombre, sin cédula de identidad, sin huellas dactilares registradas, sin un número que le acompañara a todas partes como un segundo yo.

Odiaba los números. Aborrecía haber sido, durante años, el 10318775, que tenía que saberse de memoria, repetir una y otra vez, y colocar siempre bajo su firma en los cheques, los documentos y los recibos de tarjetas de crédito.

—¡Diantre de tarjetas...! —Sonrió mientras se enjabonaba los sobacos—. ¡Cuántos quebraderos de cabeza...! Cuántas noches sin pegar ojo porque acababa de llegar la cuenta de una tarjeta de crédito y le faltaban cien dólares para cubrir el monto!

¡Parecía en aquel tiempo un problema tan grave...!

¡Y resultaba tan fácil firmar una cuenta cuando no se tenía dinero...!

Luego, a partir del día siguiente, un minúsculo gusanillo comenzaba a nacer dentro, a preocupar con el recuerdo de que había que pagar a fin de mes, y a medida que los días transcurrían, el gusano crecía hasta convertirse en una gigantesca anaconda que asfixiaba; que quitaba el sueño y el apetito; que hacía perder el humor.

Allí estaba el hombre prisionero de su propia firma, de su sentido de la responsabilidad, de su necesidad de mantener la palabra empeñada. Las tarjetas de crédito no eran más que una versión actualizada de la «servidumbre por deuda».

El sistema aún perduraba en su forma más arcaica en la mayoría de los países Centro y Sudamericanos. El patrón adelantaba dinero o mercancías a su futuro peón, y desde ese momento se apoderaba de él, su vida y su voluntad. El peón comenzaba a trabajar entonces para pagar la deuda, pero como también necesitaba comer tenía que pedir un nuevo adelanto. Cuanto más trabajaba, más le debía a su amo.

En Ecuador, Guatemala, el Nordeste brasileño y algunas zonas del Perú, la «servidumbre por deuda» era la forma más conocida, y casi la única, de dependencia entre patrón y obrero.

En el mundo moderno se había pasado a la fórmula —mucho más sofisticada— de la tarjeta de crédito. Desde que se firmaba la primera cuenta, la rueda comenzaba a girar, a crecer y crecer, porque para pagar la factura se hacía necesario reservar el dinero líquido, lo cual obligaba a adquirir lo que se necesitaba urgentemente por medio de una nueva firma, y así la rueda se agigantaba mes tras mes, enganchaba a la víctima en sus engranajes y acababa por devorarla.

Y cuando todo concluía, la casa aparecía repleta de trastos inútiles, hijos ilegítimos de una firma y un momento de debilidad.

Lanzó la pastilla de jabón a la orilla y se sumergió por completo en la laguna... ¡Mueran las tarjetas.. ! ¡Muera el crédito...! ¡Mueran las deudas...! Él era libre. Completamente libre, porque no tenía mujer, porque no tenía dinero, porque no tenía nombre, porque no tenía tarjeta de crédito...

¡Completamente libre...!

Emergió, riéndose de sí mismo, y le sorprendió encontrarse frente a Piá, que había venido a bañarse y se enjabonaba cuidadosamente sin desprenderse por ello de su raída túnica. Al verle reír, la muchacha rió a su vez, feliz de la vida.

—¿De qué te ríes, tú...? —le preguntó—. ¿Eh? ¿Qué sabes de tarjetas de crédito...? No puedes saber nada... No se come... Y si no se come, no te interesa... ¿No es cierto...?

De pronto quedó en silencio. El agua había pegado la sábana al cuerpo de Piá, y dejaba entrever la punta de sus pezones, la línea de su cuerpo y el bulto de su sexo. El cabello le escurría por la espalda, negro y lacio, y su rostro, chorreante, había cobrado una súbita e indescriptible hermosura, con los ojos brillantes, los dientes muy blancos y la risa espontánea.

Ya no era la mona desnuda, bestia de zoológico, que orinaba en cuclillas. Ya no era una niña sin formas que mostraba inconsciente su sexo sin vello. Era una mujer... Muy joven, de otra raza, una «salvaje», pero mujer al fin y al cabo.

Seguía riendo, pero advirtió su expresión y enmudeció. Bajó la vista hacia su cuerpo cubierto, hacia sus pechos duros y firmes, hacia el hombre desnudo, con el agua a media pierna, y permaneció muy quieta, con un ligero temblor en la comisura de los labios, un imperceptible aleteo en las ventanillas de la nariz, y los ojos muy abiertos, sin pestañear siquiera, como el pájaro hipnotizado por la boa; deseando escapar, pero deseando, también, quedarse.

Permanecieron así durante unos instantes, contemplándose indecisos, hasta que él agitó la cabeza, se echó al agua y nadó con rapidez laguna adentro.

Se detuvo cuando un cuerpo viscoso le rozó la pierna. Miró a su alrededor y se alarmó al advertir cuánto se había alejado de la orilla. En la laguna había pirañas, y a veces la visitaban anacondas y caimanes del pantanal vecino. A unos treinta metros, un manglar se extendía como islilla solitaria, y nadó hacia él. Trepó como pudo al precario refugio y buscó acomodo en un rincón, con los pies en el agua. En la orilla lejana, junto a la cabaña, Piá continuaba inmóvil con su túnica blanca y su cabello empapado.

Intentó ordenar sus ideas. Se sentía confuso; tan desconcertado como no lo había estado desde que llegó a la selva dos años atrás, porque por primera vez se enfrentaba a algo que no había previsto.

Sexo, amor, deseo... Fuera lo que fuera, como quiera que se le llamase, era importante... Siempre lo había sido para él, porque nunca había querido reducirlo a un simple acto físico, un desahogo animal. Cuando joven, y luego, en el Ejército, se admiraba ante la naturalidad con que muchos de sus compañeros andaban a la busca de una mujer cualquiera, se acostaban con ella, quedaban satisfechos, le daban unos dólares y se alejaban sin volver a verla, sin recordar su nombre, sin dedicarle tan sólo un pensamiento.

Comprendía que era una necesidad, pero... ¿Qué clase de necesidad se puede sentir de alguien a quien no se conoce? Algo se le revolvía dentro ante la posibilidad de tocar siquiera a una prostituta, y tampoco fue nunca capaz de acostarse con una mujer por la que no sintiera nada en absoluto.

Fue fiel a Lola mientras la amó, y luego a Clarence, y jamás experimentó el ansia de otros hombres de comprobar su masculinidad en aventuras absurdas.

Sentía respeto por su cuerpo y prefería soportar burlas por negarse a dormir con una puta, que sentir asco por haberlo hecho. Nada le importaba tanto como vivir en paz consigo mismo, y ahora, al ver en el agua a Piá, al descubrir su cuerpo a través de la tela mojada y comprender de improviso que era una mujer deseable, la paz que tanto ansiaba se había ido.

¿Por qué era tan inocente la desnudez, que la tuvo a su lado durante meses sin que un solo deseo pasara por su mente?

¿Cuando Adán y Eva sintieron vergüenza de sí mismos se vistieron..., o sintieron vergüenza porque se habían vestido...?

Pero tampoco era vestida como Piá le había excitado... Era en aquel justo término medio en que su cuerpo aparecía oculto y presente al mismo tiempo; cubierto y desnudo; cercano y lejano; visible, pero protegido por una vieja sábana convertida en túnica de fotografía publicitaria.

Hacía mucho tiempo que no experimentaba un deseo tan fuerte como el de tomarla en brazos, sacarla del agua, y, aún chorreante, tumbarla en la hierba y hacerle el amor.

Pero ello significaría perder su libertad.

No la amaba. No podía amar a un animalito con el que ni siquiera había cruzado tres palabras, y mientras no la amara, no se acostaría con ella, aunque los fuegos de todos los infiernos le quemaran por dentro.

No había llegado tan lejos para comenzar a claudicar. No sería la selva la que ablandara su voluntad y destruyera unas convicciones que le habían acompañado desde que tenía uso de razón. No se lanzaría sobre ella, a poseerla y calmar sus ardores, para arrepentirse después durante años.

Volvió la vista a su alrededor, a lo que era su reino; selva y laguna, árboles y loras, monos y orquídeas. Si durante dos años le había bastado, le seguiría bastando, y no permitiría que nada viniera a turbar su paz; ni ninguna india, ni blanca, ni negra le inquietara sin más razón que unos pechos firmes, unas caderas prietas y una boca temblorosa.

No quería más Lolas en su vida; ni más Clarence; ni más Etukos...

Prefería seguir con su soledad, porque únicamente en esa soledad dejaba de luchar consigo mismo.

Piá vino a buscarle una hora más tarde en el cayuco, pese a que se la advertía horrorizada por haberse adentrado en las aguas profundas; en el reino de los «Taré», enemigos de su pueblo.

El yubani que muere de noche, lejos del fuego protector de la cabaña, o se ahoga, está condenado a vagar durante siglos por las frías regiones de la noche y las aguas, sin sentir nunca el calor del sol, la tibieza segura de la tierra, el prodigio de la luz y los colores.

Para una india que no sabía nadar y se sentía atemorizada por sus supersticiones, adentrarse en la laguna sobre la frágil curiara constituía la mayor aventura de su historia.

Cuando llegó al manglar, se aferró a las ramas y permaneció aterrorizada mientras él saltaba a bordo haciendo que con su peso el agua lamiera casi las bordas de la embarcación. Cerró luego los ojos, y ni respiró siquiera mientras él remaba lentamente hacia la orilla, sobresaltándose con cada balanceo, dejando escapar, de tanto en tanto, un leve lamento de cachorro asustado.

Al atracar en la orilla saltó a tierra, escapó corriendo hacia la cabaña y se refugió en el chinchorro, del que no volvió a salir hasta la mañana siguiente.

Él comió algo, leyó una hora y durmió inquieto, agitado por una extraña pesadilla en la que —una y otra vez— sombras confusas le acosaban, tratando de pincharle con largas lanzas para obligarle a bajar de la alta rama de un frondoso árbol en el que había buscado refugio. Le hostigaban para que saltara y ensartarlo en el aire con sus lanzas, como le habían contado que cazaban jaguares los indios y garimpeiros.

Se despertó gruñendo y malhumorado. Se dio un baño, comió pasta de guayaba, mandioca y plátanos asados, y comenzó a preparar su largo viaje a Santa Marta.

No era mucho, en verdad, lo que debía aprestar. Una piña de plátanos; cocos, guayabas y nueces del Brasil; algo de yuca y mandioca; su chinchorro y el mosquitero; la cerbatana, el machete, algunas pieles y mariposas, y dinero.

Fue hasta el árbol vecino, apartó la tierra junto a sus raíces, y de un hueco extrajo un frasco de cristal herméticamente cerrado. Dentro se encontraba toda su fortuna —poco más de mil dólares—, producto de la venta de los muebles y el auto, una vez descontado el pasaje de avión, los gastos de los primeros tiempos y lo que de tanto en tanto entregaba al padre Carlos para sus provisiones.

La india le observaba en silencio, con una sombra de inquietud en los ojos. Permanecía acuclillada bajo el árbol, siguiendo con la vista sus movimientos, y cuando regresó de la cabaña con el chinchorro y el mosquitero, se la encontró instalada a proa del cayuco, entre bananas y cocos, decidida, al parecer, a no moverse bajo ningún pretexto.

—¡Baja de ahí...! —le ordenó—. No puedes ir conmigo...

Ella no hizo gesto alguno, como si no hubiera oído.

—¡Baja te digo...! No me hagas perder tiempo... —Señaló imperativamente la orilla, a su lado—. ¡Ven aquí!

La india negó ahora con firmeza, y se aferró a la borda.

Impaciente, se adentró en el agua, la tomó por los brazos, la elevó en el aire como una pluma y pataleando la llevó a tierra. Aún tuvo que sujetarla, porque se debatía intentando regresar a la curiara.

—¿Cómo diablos te explico yo que vuelvo...? —masculló—. ¿O es que crees que me voy para siempre...?

Lo intentó varias veces, con exagerados gestos y aspavientos, pero se dio por vencido.

—...Espero que Kano te lo cuente...

La atrajo hacia sí, y le acarició el cabello tratando de calmarla como a un perrito asustado.

—¡Está bien...! Está bien...

La obligó a alzar la cabeza, y la besó en la frente:

—¡Pórtate bien...!

Empujó el cayuco, saltó dentro y comenzó a remar, muy despacio, hacia la entrada del riachuelo. Cuando estaba a punto de desaparecer entre la espesura, se volvió y agitó la mano en señal de despedida

Piá, muy quieta, con el agua a la rodilla, le veía marchar.

Remó despacio, por el caño casi inmóvil, a la sombra de los caobos y las ceibas, entre lianas y enredaderas.

Remó sin esfuerzo, por las anchas lagunas, bajo el sol de la mañana, buscando paso entre los espesos manglares, espantando bandadas de ibis rojos y garzones blancos.

Remó amodorrado en el calor del mediodía del pantano, esquivando los enormes nenúfares y los espinazos de los grandes caimanes.

Remó apurado en las horas de la tarde, por las chorreras y rápidos del primer afluente del San Pedro, que saltaba de roca en roca, sobre cantos rodados, desaguadero natural del pantano y la laguna.

Cenó en la playa de arena, donde descubrió la ancha huella de una tortuga que le condujo a un nido de huevos frescos, con los que se preparó la más pantagruélica tortilla de su vida.

Durmió colgando el chinchorro entre dos troncos de palmera, protegido por el leve y remendado mosquitero, sin más techo que un cielo sin una nube, ni más paredes que la selva a un lado y el río a otro.

Despertó con el rugido del jaguar merodeando en las proximidades, tal vez molesto por la presencia extraña del hombre, tal vez en celo, tal vez hambriento.

Soñó con selvas sin calor ni mosquitos, sin humedad ni murciélagos-vampiros, sin anacondas, serpientes ni caimanes, por las que corría, con el cabello al viento, tras la muchacha de la blanca túnica que anunciaba cerveza en la playa de Malibú.

Despertó con las primeras luces, con el escándalo de las loras y los monos «cara-negra», y se quedó en el chinchorro largo rato, contemplando a través del mosquitero el espeso ramaje de los samanes, la airosa copa de las palmeras moriche y el intenso colorido de las orquídeas.

Desayunó más huevos de tortuga, y yuca, y plátanos asados, y se bañó en el agua negra, limpia y rápida del río, que tonificó su cuerpo y le dio ánimos para la larga jornada.

Remó apurado por bajíos furiosos de espuma blanca, y por aguas tranquilas, y por chorreras, y aun por pequeñas caídas en las que el cayuco saltaba como piel de plátano, a punto de naufragar a cada instante.

Remó sin prisas, aguas abajo por el ancho afluente ya calmado, negro y limpio, en busca de las aguas blancas y sucias del San Pedro.

Descansó del calor del mediodía, con sus cuarenta grados a la sombra, en la desembocadura del arroyo, junto a un sendero de dantas, cerca de una familia de chiguires que jugaban inquietos en la orilla, listos a saltar al agua si por tierra llegaba el jaguar, listos para correr monte adentro, si por agua se acercaba el caimán.

Y remó, por último, en la tarde aguas arriba por el caudaloso San Pedro, al socaire siempre de la orilla, donde la corriente perdía su fuerza, metro a metro, con infinito esfuerzo, teniendo que buscar a menudo descanso en una rama y mantenerse aferrado a ella para no perder en minutos el trabajo de horas.

Con la primera oscuridad se dejó caer agotado en una islilla, y allí durmió sin chinchorro ni mosquitero, pues no había dónde colgar el primero, ni necesidad —por la brisa— del segundo.

Y así un día, y otro, y el tercero, hasta que con la última luz surgieron ante él las blancas paredes y los techos de paja de la Misión del Yari. Las campanas llamaban a los indios al oficio de la tarde, y de la cocina llegaba, cabalgando en el viento, un olvidado aroma de judías con chorizo.

—¡Dios! —masculló—. Esos curas tragan como lobos...

Sacó fuerzas de donde ya no le quedaban, bordeó la orilla izquierda eludiendo la corriente del Yari, que le tomaba de costado, sobrepasó cien metros la Misión, y giró sobre sí mismo, atravesando ahora el San Pedro oblicuamente, para atracar, con precisión matemática, en la gran balsa de troncos que servía de embarcadero.

El Oficio terminaba y el padre Carlos acudió sonriente a su encuentro:

—¡Extraño milagro...! —comentó—. El ermitaño fuera de su cueva. ¿A qué debemos el honor de tu visita...?

Se estrecharon la mano con fuerza; con aprecio.

—¡Me alegra verte, hijo...!

—También me alegra, padre... ¿Son judías con chorizo...?

—Se ve que la selva mantiene despiertos tus sentidos... Las mejores judías de Barco de Ávila, regalo de un padre que está de vacaciones en España, y chorizo casero, de nuestros propios cerdos... ¡Ven! Te presentaré a Monseñor y compartirás nuestro alimento.

Fue como si diez gatos se pelearan en sus tripas mientras aguardaba la hora de la cena, y luego fueron cien gatos, mientras los platos humeaban ya en la mesa y Monseñor rezaba la Acción de Gracias, y mil gatos, mientras soplaba ansioso, enfriando aquel líquido rojo y espeso, en el que flotaban infinidad de enormes judías gordas como su dedo pulgar, blancas como tetas de sueca, blandas como pan francés.

Se abrasó la lengua, la garganta, las tripas y hasta los dientes, y los curas rieron con su ansia, y el padre Ascanio, el jefe de cocina —diminuto y arrugado— se esponjó por los elogios que prodigó a sus judías.

—¡Divinas...! Divinas, con perdón de la expresión... Son cosas que se echan de menos allá dentro... los detalles... esa pizca de azafrán... el laurel... ¡y el chorizo, claro...! Magnífico chorizo...

—¿Otro poco...?

—Voy a reventar...

Pero aún pudo con un par de cucharones, y unas naranjas asadas, y un café negro y fuerte que teñía las tazas.

Y una copita de coñac que valía su peso en oro, y hasta un puro que Monseñor reservaba para las grandes ocasiones.

—Me están enviciando —admitió—. Están destrozando en una cena todos mis esfuerzos de años...

Continuó la charla intrascendente, como si huyeran del tema que importaba, que flotaba en el ambiente, que inquietaba los espíritus. La jerarquía contenía a los curas. Era Monseñor quien debía abordar el tema, y lo haría cuado juzgase conveniente. Se limitó a esperar, consciente de que, pronto o tarde, tendrían que hacerle la pregunta:

—¿Qué dicen de la carretera los yubani...?

Había llegado con la última chupada al habano, y los misioneros; del padre Carlos al último hermano; del jefe de cocina a Monseñor, se inclinaron levemente, deseosos de no perder una sola palabra.

—No habrá carretera. Al menos, mientras vivan los yubani... Aún no se han dado cuenta de lo que ocurre, porque confían en sí mismos; en su fuerza y en la debilidad del hombre blanco en la selva, donde sus armas de fuego les sirven de poco. El día en que vean el primer tractor derribando los árboles de su selva, escuchen el estruendo de las aplanadoras y asistan a la explosión de un barreno rompiendo rocas, el pánico los va a lanzar a la más espantosa guerra que haya visto jamás la Amazonia.

—¿Está José Correcaminos entre ellos? —quiso saber el jefe de cocina.

—Sí. Fue con él con quien hablé.

—Es listo ese muchacho. —Sonrió—. Bueno, ya no debe de ser tan muchacho... Muy listo. Estuvo en Santa Marta, y creo que incluso en la capital, Santa Cruz. Sabe lo que pueden esperar los yubani de los blancos, y no creo que esté de acuerdo.

—Sin embargo, no parecía inquieto.

—Hace casi veinte años que se fue con los suyos, y en ese tiempo nunca volvió. No puede imaginar cómo están las cosas, pero pronto se dará cuenta, estoy seguro... Era listo ese muchacho —repitió—. Muy listo...

—Una guerra significaría una catástrofe para esta parte del país —señaló Monseñor—. Se ha abusado mucho de los indígenas, y las tribus están descontentas. Lo están en todo el Amazonas... En Brasil, los atroaris, los «krenkores», los «cintas largas», e incluso creo que los «xavan-

128

tes», se encuentran en franca rebeldía. Los aucas de Ecuador continúan asesinando a todo el que encuentran, y lo mismo ocurre con ciertas familias jíbaras del río Santiago, en el Perú... Si la cosa se extiende, esta selva arderá de punta a punta; de las estribaciones de los Andes a las costas del Atlántico... —Se entretuvo unos instantes en arrancarse un largo pelo negro que sobresalía de las aletas de su afilada nariz. Lo consiguió al tercer intento, se limpió una diminuta lágrima de dolor que se le había saltado, y continuó—: Los yubani son una tribu temida y respetada... Quizá la más famosa de esta margen del Gran Río. Si se alzan en armas, otras tribus seguirán su ejemplo... —Agitó la cabeza, profundamente preocupado—. Y cuando una tribu se rebela no acostumbra a hacerlo contra el Ejército, los garimpeiros o los constructores de carreteras... Lo hace contra el hombre blanco en general: pacíficos colonos, pescadores, comerciantes, e incluso nosotros, los misioneros... Al final de siglo, y por culpa del caucho, las relaciones con los indios se deterioraron hasta un punto que jamás se había conocido desde el descubrimiento de América, y nuestra labor de apostolado sufrió un golpe del que tardó casi cincuenta años en recuperarse... —Buscó, nervioso, otro pelo de la nariz—. Esta fiebre de construir carreteras e intentar sacar a toda prisa cuanto de valor existe en estas selvas, desembocará en una situación semejante... Y nadie puede predecir el resultado de una guerra abierta entre indios y blancos... ¿Podría usted...?

—Si todos los indios fueran yubani, y toda la Amazonia sus pantanos e igarapés, ellos vencerían... Pero la mayoría de las tribus están degeneradas... Muchos ya ni siquiera saben usar la cerbatana o preparar curare.

—Pero causarían mucho daño. ¿Tiene una idea de cuántos colonos, pescadores o misioneros andan solos por estos ríos de Dios...?

—¿Está tratando de convencerme de que los yubani no deben ir a la guerra...? ¿Qué puedo yo hacer...? Dígaselo a los que construyen la carretera, Monseñor...

—Ya lo he hecho... Intenté convencer a los ingenieros y al presidente de la Compañía, e incluso al ministro de Transportes... Pero todo resultó inútil...

—¿Y el presidente...? ¿Qué piensa de esto el presidente Jaén?

—¿Cómo puedo saberlo...? Apenas le queda un año de mandato, y en Sudamérica los cambios de gobierno no son fáciles... La oposición lucha por volver al poder, y el Presidente desea, lógicamente, que su Partido continúe en el Gobierno. Por otro lado, comunistas y socialistas preparan una coalición como la que llevó a Allende al triunfo en Chile... Demasiados problemas para un hombre solo... No le queda mucho tiempo para ocuparse de los yubani...

—Pues si no lo hace, los yubani van a convertirse en un grave problema.

Monseñor se volvió al padre Carlos:

—¿Usted qué opina, padre...? ¿Irán a la guerra?

—Estoy seguro... Y si se lo proponen, esa carretera no avanzará un solo metro mientras quede un yubani vivo...

Monseñor agitó la cabeza, pesimista.

—Creo que la solución no está ya en Santa Marta, sino en la capital... —Hizo una pausa y pareció tomar una decisión—. Si está de acuerdo, el padre Carlos le acompañará. —Quizás a él se le abran puertas que para usted estén cerradas...

Muy de mañana emprendieron la marcha, río arriba, ahora en la gran curiara de la Misión, empujada por un motor fuera-borda y manejada por un indio «yuma», que conocía los raudales, bajíos y remolinos del San Pedro mejor que las vigas de su propia choza.

Estaba considerado el «chófer» oficial de los misioneros, y rara era la semana que no recorría —en uno u otro sentido— las tres jornadas que separaban la Misión de Santa Marta.

Delgado y cetrino, chupaba eternamente una vieja pipa, regalo de un padre que había decidido dejar de fumar, pipa que amaba sobre todas las cosas de este mundo, aunque jamás la hubiera encendido ni una sola vez, por miedo a estropearla.

¡Árboles y árboles! Horas y horas, días de no ver más que el mismo paisaje repetido, y se aguardaba con ansia la llegada del próximo recodo con la inútil esperanza de descubrir algún cambio.

Pero no lo había. Nunca lo habría, y lo sabían. Durante más de cinco mil kilómetros, ¡meses de navegación!, se podría recorrer el San Pedro aguas abajo y luego el Amazonas, sin que el paisaje cambiara en lo más mínimo. Sería más ancho el río, llegaría incluso a perderse de vista la orilla opuesta, pero esa orilla siempre sería idéntica a sí misma, ejército de altos árboles naciendo al borde del agua, dejando de tanto en tanto una diminuta playa de arena, fango o redondos cayados; mundo vegetal ciento por ciento, en el que ni el más estudioso de los botánicos sería capaz de reconocer y clasificar la cuarta parte de sus plantas.

¡Verde, verde, verde...!

Verde esmeralda, verde aceituna, verde trigo, verde azulado, verde-amarillento, verde-anaranjado, verde-verde... Oscuro y claro, caliente y frío, luminoso y apagado... ¡Verde...!

Un cielo azul pesado sin una nube, y agua marrón y sucia que arrastraba infinidad de troncos o arbustos verdes.

Y un calor de horno.

Calor al sol y calor a la sombra. Calor de día y calor de noche. Calor en los amaneceres y aun con la caída de la tarde, porque por el ancho San Pedro no corría ni un soplo de viento, y el sol castigaba sus aguas, que devolvían multiplicados sus destellos. No reinaba allí la quieta penumbra de los más espesos del bosque, sino que de la superficie del río ascendía, desde media mañana, un vaho denso, una humedad irritante que hacía sudar chorros, empapaba las ropas y empañaba los lentes.

Luego, de pronto, llegaba un viento cálido y denso, cargado de electricidad y miedo, y con él venía de inmediato un aguacero furioso que azotaba a los árboles y amenazaba con anegar la embarcación.

No se distinguía entonces cosa alguna a diez metros, y se veían obligados a recortar la marcha y aguzar la vista ante el peligro de topar con un tronco flotante o un bajío traidor.

Doce horas diarias de navegar en silencio, sin un descanso, sin estirar las piernas, sin apenas moverse. Luego, a las cinco y media de la tarde, media hora antes de que el sol se ocultara con puntualidad cronométrica y la noche cayera sobre la selva y el río, buscaban una islilla sin mosquitos o una playa tranquila, y allí montaban el campamento y consumían una cena frugal.

Poco más de cien kilómetros en línea recta separaban Santa Marta de la Misión, pero las infinitas vueltas y revueltas del San Pedro, su corriente, chorreras y bajíos, convertían el viaje en un martirio. En tres días se podía dar la vuelta al mundo en avión de línea o alcanzar la luna en un cohete. En tres días resucitaba Cristo, o la tierra desaparecía bajo el peso de diez mil bombas atómicas, pero en ese mismo tiempo, una curiara en el San Pedro, afluente del Gran Amazonas, no recorría más que cien kilómetros.

En la segunda noche sentados en torno al fuego, a la orilla izquierda del río, la luna llena se asomó sobre las copas de los árboles, allá a lo lejos, al otro lado de las aguas, en pleno corazón del territorio yubani.

—Gran noche —comentó el padre Carlos—. Hoy el «Taré» maligno de la noche se convierte en «Intié» benéfico. Cuando la luna llena aparece así, en un cielo sin nubes y sin lluvia, los yubani celebran la gran fiesta de «Nokué», la conversión del mal en bien... Bailan, comen hasta reventar, beben chicha hasta perder la noción del mundo y las doncellas tienen la obligación de aceptar a todos sus pretendientes... —Agitó la cabeza, apesadumbrado—. La cosa acaba en orgía... ¡Las esposas dan libertad a sus maridos, y los maridos, a sus esposas y a sus hijas...! Difícil resulta llevarles la fe de Cristo; tratar de inculcarles la moderación...

—En el fondo están más civilizados que nosotros —respondió—. Una vez al mes, con la luna llena y si las lluvias lo permiten, dan rienda suelta a todas sus tensiones y sus deseos más ocultos... Beben, comen, se emborrachan y se acuestan con quien anhelaban acostarse... Los psiquiatras más avanzados reconocen que, en el fondo, ésa es una magnífica terapia... Matrimonios perfectamente normales, que se aman y se respetan, acuden a esas orgías en las que cada cual deja escapar por un día todo cuanto lleva dentro. Luego no tienen ningún reproche que hacerse el uno al otro, y reanudan su vida en paz...

—El verdadero amor no necesita eso...

—¿Cómo puede saberlo, padre...? Lleva catorce años en estas selvas, lo que quiere decir que llegó siendo apenas un hombre... ¿Qué puede saber de amor, de necesidades, de deseos reprimidos...? Aquí, ahora, también yo veo el mundo como algo simple, pero son los años de selva, de vivir con la Naturaleza, los que dan esa capacidad de simplificar...

—Y así es como debe ser...

—Quizá... Pero no es así como la ven los que tienen que vivir en el mundo de allá fuera... La «civilización» es complicada, padre... ¡Muy complicada! El simple hecho de vivir, ¡de respirar...!, plantea infinitos problemas... Tienes que tener nombre, y número, y cédula de identidad, y certificado de nacimiento, y firma registrada, y domicilio reconocido, y ropa decente y zapatos limpios, y dinero en el bolsillo, y desodorante en el sobaco y sonrisa en los labios, y trabajo fijo. ¡Demasiadas cosas...! —Sonrió, irónico—. ¡Cosas! Ése es el gran problema... Hay que tener cosas para poder vivir... Docenas, centenares, millones de cosas, porque hemos creado la «Cultura de las Cosas»... ¡Casi todas inútiles! El día que decidí escapar al Amazonas y deshacerme de mi casa, me vi de pronto ahogado por una montaña de objetos inútiles que había ido acumulando a lo largo de toda una vida... Le juro que hasta aquel día se me habían antojado imprescindibles y no comprendía la existencia sin ellos. Pero en cuanto los regalé, advertí que no me hacían falta. Era un esclavo más de la «Tiranía de lo Superfluo» que nos encadenaba.

—Te entiendo —admitió el misionero—. Aunque, en realidad, no necesitabas ir tan lejos para llegar a semejante conclusión... Los religiosos aprendemos esa lección el día en que entramos en el Seminario... El Voto de pobreza no es, en el fondo, más que renunciar a lo superfluo... Pero se puede vivir en un mundo complicado, y continuar siendo espiritualmente puro.

No respondió. Se limitó a recostarse contra el árbol que tenía más cerca y contemplar la ancha cara de la luna, que ya se elevaba, esplendorosa, sobre la selva, inundando de luz las copas de los árboles y el río.

El misionero le imitó, pero, al poco, rió para sí, levemente, y luego pareció sentirse en la obligación de explicar esa risa.

—Una noche de luna llena, como ésta —dijo—, me senté a contemplarla desde el muro del puerto, en San Sebastián... La chica era linda, muy linda, y yo andaba por entonces medio enamoriscado... Me puse romántico, le hablé de las cosas más bellas, y de pronto, detrás de una nube, apareció una luna increíblemente redonda y blanca... «¿No es lo más hermoso que has visto en tu vida?», pregunté, acariciando su mano...

«Sí —me respondió—. Parece un queso...» ...Y luego me pidió que la llevara a la tasca que preparaba las mejores sardinas asadas de la ciudad...

—¿Ése fue el día en que decidió meterse a cura...?

—No, pero fue el día que comencé a comprender que el mundo y yo radiábamos en distinta longitud de onda... La que yo emitía la captaban muy pocos.

En el atardecer del tercer día avistaron Santa Marta, que se alzaba —sucia y caliente— en un recodo del río, sobre una ladera desde donde podía distinguirse ya, al Noroeste, la recortada silueta de las primeras cumbres andinas.

Santa Marta —avanzada de la civilización en la selva, capital de la «montaña» amazónica, sede del gobernador civil, el comandante militar y el obispo —figuraba en los mapas como ciudad de segunda categoría, pero en realidad no era más que pueblucho de último orden. Dos callejuelas sin asfaltar la recorrían de extremo a extremo: la calle del Río y la calle del Monte, teniendo ambas cosas como raíz común la rectangular plaza Francisco de Orellana, en cuyo centro se alzaba el carcomido rostro de piedra del tuerto descubridor del Amazonas.

En realidad, para los lugareños, la plaza era únicamente «La Plaza», pues nadie recordó jamás a Orellana, ni el santo de su nombre. En «La Plaza» se alzaba el palacio del gobernador, el Ayuntamiento, la Comandancia militar, la única iglesia del pueblo, el único cine, el único «hotel», e incluso el único almacén que merecía tal nombre En su extremo sureste nacía «el puerto», una diminuta ensenada del río, de arena pestilente por los detritus, en la que se varaban a fuerza de brazos y palos encebados, las curiaras y lanchones que se atrevían a navegar por el San Pedro.

Desde el «puerto», un grueso cable de acero, del que pendía una barquilla en forma de cajón, capaz para seis personas, comunicaba Santa Marta con «Denfrente», puñado de casuchas de la orilla derecha, habitadas preferentemente por indios huangas, garimpeiros que no admitían la ley de Santa Marta, y cazadores.

Santa Marta y Denfrente vivían dos vidas opuestas, a la vista una de la otra, separadas por no más de trescientos metros de río, y unidas por aquella triste imitación de funicular que de tanto en tanto se venía abajo con estrépito, lanzando al agua a sus ocupantes.

En Santa Marta se luchaba por conservar un remedo de «civilización», con edificios de hierro y cemento, calles con letreros, luz eléctrica, leyes, impuestos, policías y hasta una docena de jeeps, camiones y automóviles.

En Santa Marta todo se hacía según las normas de «allá afuera», de la capital y el mundo exterior, pues, en realidad, no era más que una triste caricatura de esa capital y ese mundo. Con un calor de cuarenta y cinco grados y unos ventiladores que no funcionaban la mayoría del tiempo, los funcionarios de la Gobernación y los militares de la guarnición tenían que acudir a sus despachos con chaqueta y corbata, los policías calzar botas altas, y los sacerdotes vestir sotana.

Santa Marta quería olvidar la selva que la rodeaba, atosigándola, amenazando con invadir sus calles, su plaza y aun sus casas, y por ello, en Santa Marta se bebía whisky en lugar del tradicional aguardiente de caña; se traía en avión carne de vaca para sustituir a la de danta, mono o

138

capibara, y se cuidaban gallinas para eludir los huevos de tortuga. Y es que en Santa Marta, como «capital administrativa», apenas vivían hombres de la selva y el río de la «montaña» amazónica. La mayoría eran extraños: funcionarios, militares, comerciantes y religiosos llegados de la Alta Sierra o de la lejana Costa; gentes que odiaban el calor pegajoso; los ejércitos de mosquitos, la constante amenaza de serpientes, arañas y alacranes, y el lejano rugir de los jaguares.

Para militares y funcionarios, Santa Marta constituía el obligado escalón de los primeros años de carrera, o el «semidestierro» donde pagar errores.

Para los religiosos sin vocación de misioneros, Santa Marta era una penitencia más en este mundo, y para los soldados, la prueba innegable de que la Virgen no había escuchado las plegarias de sus madres y novias, que el «Día de Sorteo de Destinos» habían acudido a las iglesias en un desesperado intento por evitar a sus seres amados el infierno de un servicio militar en la «montaña».

En Denfrente, por el contrario, no había calles, ni plazas, iglesias, hoteles, comercios o leyes. No había nada más que chozas de paja y adobes, tres tabernas de aguardiente de caña; un fonducho de carne de mono y huevos de tortuga, dos prostíbulos y una libertad absoluta para que todos hicieran lo que les viniera en gana.

Ladrones, asesinos, estafadores, desertores y renegados, convivían con los huangas y con los últimos vestigios de la tribu «Yuma», que fuera antaño nación poderosa —llegada de los más remotos confines del Tapajoz— y que durante siglos dominó las cabeceras del San Pedro hasta las estribaciones de los Andes, sin que nadie, excepto los yubani, osara discutir su supremacía.

De los veinte mil yumas del pasado siglo no quedaban más que dos docenas de familias famélicas, aniquiladas por la tuberculosis y la gonorrea, que subsistían gracias a lo que sus mujeres conseguían en las casas de prostitución de «La Sandra» y «La Hojilla», negra costeña la primera, andina verdosa y transparente la segunda, culpables de todas las sífilis que navegaban el San Pedro hasta su unión con el Amazonas.

Fuera cual fuera el crimen que se hubiese cometido en cualquier rincón del mundo, incluso en la orilla opuesta, en la mismísima plaza Francisco de Orellana, bastaba con cruzar el río y alcanzar Denfrente, para saberse a salvo. No había allí autoridad, ni nada que recordase los usos de la civilización, y tan sólo el elástico código garimpeiro tenía cierta validez entre los habitantes del caserío.

En Denfrente se podía circular libremente con machetes, revólveres, escopetas, rifles e incluso arcos, flechas y cerbatanas, y se vivía un auténtico clima de «western».

En Santa Marta, sin embargo, las armas estaban rigurosamente prohibidas —incluso el imprescindible machete montañero—, y un policía montaba guardia en el «puerto» para recordar a quienes llegaban que debían dejar sus «hierros» en el embarcadero.

El «Hotel Santa Marta» olía a moho y suciedad; a local cerrado, vigas de madera en putrefacción, chinches y desinfectante barato, y estaba regentado por un cholo de gesto agrio y uniforme azul, que lucía en la chaqueta un letrerito de «Gerente», aunque sus funciones iban desde recepcionista a mozo de equipajes, pasando por camarero, cajero y administrador.

Las habitaciones eran oscuras y minúsculas, sin más ventilación que altos ventanucos que daban a la plaza o al río, ni más muebles que una vieja cama de hierro, una desvencijada mesilla de noche y un desportillado orinal amarillento. La ropa se colgaba de clavos tras la puerta, y para lavarse había que buscar al fondo del pasillo un retrete pestilente y una ducha de fangosa agua traída directamente del San Pedro.

Apenas el cholo cerró la puerta a sus espaldas, dejándole «acomodado», experimentó que una olvidada sensación de angustia le atenazaba nuevamente.

El denso olor a trópico era distinto, allí encerrado, prisionero entre las desconchadas paredes grises; el húmedo calor se tornaba agobiante, empapando el cuerpo de un sudor que parecía nacer de los mismos huesos, y del piso bajo llegaba el desafinado escándalo de una cumbia monótona y obsesionante, de letra soez e instrumentación ramplona.

Comenzó a maldecir para sus adentros el momento en que se dejó meter en un enredo que le impedía dormir en su cabaña de la laguna, por la que cruzaba siempre una brisa sin trabas, invadida por el profundo aroma de la tierra virgen; silenciosa en la noche; limpia y tranquila.

Se «duchó» con el agua marrón y cálida del río, entre un acre olor a orines que llegaba de la puerta vecina; se vistió el único pantalón que le quedaba y una camisa de color ya indefinible, y bajó malhumorado a la terraza que servía de comedor los días sin lluvia.

El padre Carlos le aguardaba, y juntos maldijeron los huevos fritos en lo que parecía aceite de máquinas; el arroz sin descascarillar y casi crudo; la carne achicharrada y maloliente, y un café en el que debían de haberse lavado los pies todos los cholos de Santa Marta.

—¡Mierda de lugar! Había jurado no volver a poner los pies en este sitio...

—Calma, hijo... Calma... Mañana haré que los franciscanos nos acomoden en su convento... Hoy ya era demasiado tarde...

—No para usted... Le hubieran recibido a cualquier hora...

—Estamos juntos en esto, no lo olvides... Para todo... —Sorbió el café—. A ese cholo deberían meterlo en la cárcel por tentativa de asesinato... ¡No hay derecho...!

—No proteste, padre. No proteste... —le interrumpió una voz desconocida—. Se le hará mala sangre... ¡Resígnese...!

El cura se volvió rápidamente, y su rostro se iluminó con una amplia sonrisa.

—¡Inti...!

Era un hombre joven, casi un muchacho, de mediana estatura, fuerte, muy moreno, enormes mostachos caídos y pobladas cejas. Vestía unos gastados vaqueros y una camiseta de color naranja, y su aspecto era el de un «hippy» que hubiera equivocado el rumbo. Golpeó afectuosamente la espalda del misionero, y sin más ceremonia alzó la pierna, metió por debajo una silla, y se sentó extendiendo la mano.

—Ignacio, «Inti», Ávila... Si es amigo del padre Carlos, es mi amigo.

El cura parecía uno de los hombres más felices del mundo. Se volvió al recién llegado, pero señalaba con el pulgar a su acompañante.

—¿Adivina quién es...? —Se interrumpió un instante, como recordando algo—. Perdona... No te he preguntado... ¿Dónde está Paula?

—Arriba... «Diz» que bañándose... Ahora

142

baja... —miró al otro con curiosidad; lo estudió de arriba abajo, y se volvió de nuevo al cura—. ¿No será...?

—El mismo...

—¡Dios Santo! La montaña vino a Mahoma... Llevo un año queriendo verle, pero el padre Carlos nunca aceptó llevarnos hasta usted... —rió—. Es un maldito egoísta este cura... Cree que tanto los yubani como usted son de su exclusiva propiedad...

—¿Por qué quería verme...?

—Según el padre, usted conoce mejor que nadie el territorio yubani... Y he visto sus dibujos... ¡Son fantásticos...! Realmente magníficos... A menudo ilustran mejor que mis fotografías... ¿Qué le trae a Santa Marta?

—La carretera... Quieren hacerla pasar por territorio yubani...

—Lo sé... Protesté por ello, e incluso publiqué un par de artículos en *La Nación,* pero no me hicieron caso... Hay mucho dinero por medio... Cobre, ya sabe...

—Sí... Cobre... Pero los yubani están dispuestos a ir a la guerra...

—Lo imagino... Esa carretera es una canallada... Podrían hacerla por el norte; por las estribaciones de la cordillera, donde no molestaría a nadie...

—¿Está seguro?

—¡Naturalmente...! Soy naturalista, y realicé un estudio ecológico para el Ministerio de Transportes... Acompañé durante tres meses a los topógrafos por aquellas tierras de todos los diablos y redacté un informe de ochenta y tres páginas... Mi conclusión era simple: una carretera a través de la serranía y el piedemonte andino no afectaría el equilibrio ecológico de la región ni la vida de sus indígenas. Una carretera que cruzara territorio yubani acarrearía, a la larga, la destrucción de nuestras tribus y nuestras selvas...

—¿Qué se ha hecho de ese informe...?

—Escondido en algún cajón del Ministerio... Me agradecieron mis servicios, me pagaron muy buenos pesos, pero procuraron silenciar mi opinión. Mi contrato especifica que realizaba un trabajo de índole confidencial...

De pronto sonrió feliz y se puso en pie vivamente. El hombre siguió la dirección de su mirada. En la puerta acababa de hacer su aparición una de las mujeres más atractivas que hubiera visto nunca, pese a que estaba sin maquillar y no vestía más que un viejo pantalón vaquero y una blusa anudada a la cintura.

Se aproximó sonriente, besó a su esposo en la mejilla, golpeó afectuosamente el brazo del cura y tendió la mano al desconocido.

—Ésta es Paula —presentó «Inti» Ávila—. El señor es Daniel Boone...

—¿Daniel Boone?

—Es una broma... Ya sabe... Daniel Boone odiaba la civilización y prefería vivir en la selva entre los indios... Paula —que lee mucho a Udall— opina que yo podría ser el Aubudón de las selvas amazónicas, y usted el Daniel Boone...

—¿Quién era Aubudón...?

—Un naturalista... Fue el primero que, ya hace más de un siglo, pronunció aquella célebre frase: «¿Dónde puedo ir y visitar la Naturaleza inviolada...?» Se adelantó a su tiempo, y predijo la destrucción de los grandes bosques y los recursos naturales de Norteamérica... Dibujó todos los pájaros de los Estados Unidos, y protestó contra la matanza de bisontes, castores y animales libres de las praderas... —Acarició cariñosamente la mano de su esposa—. Paula pretende que me parezco a él, porque, como él, chillo y pateo en defensa de una causa perdida...

—Paula también es naturalista... —intervino el padre Carlos—. Una autoridad en fauna tropical... —Sonrió—. Algún día, los libros de Paula e Ignacio Ávila-Gorsky serán texto obligado en las Universidades...

—No se lo tome a broma, cura... No se lo tome a broma... —rió Inti—. En esta selva estamos y de aquí no saldremos hasta que lo hayamos logrado. Dejaremos a la Humanidad un auténtico estudio sobre las selvas vírgenes, antes de que la Humanidad las convierta en «putas selvas»... Al ritmo de los acontecimientos, todo lo que nuestros nietos sepan sobre Amazonia será lo que puedan leer en libros, del mismo modo que lo único que los norteamericanos saben hoy sobre las grandes selvas de sus abuelos es lo que encuentran en los escritos de Parkman. Si a los veintitrés años Parkman no se hubiera ido a vivir con los sioux para escribir *El camino de Oregón*, nada nos quedaría hoy de ellos. Sudamérica está viviendo la destrucción que sufrieran hace ochenta años los Estados Unidos, y la que padeció antes Europa. Como siempre, las cosas nos llegan con retraso, pero llegan... Y aquí no tenemos un Muir o un Pinchot que luchen por conservar Yellowstone, Yosemite o el Cañón del Colorado... Aquí los mercaderes «que están en el templo», como Muir decía, arrasarán las selvas... —Su tono de voz se había ido haciendo más y más apasionado a medida que hablaba—. Pronto llegará el día en que estas tierras no sean más que un bello recuerdo y un inmenso desierto.

—Es muy dura esta selva —comentó—. La conozco, y sé que se defenderá bravamente. A la

Humanidad le costará trabajo acabar con la Amazonia...

—La Humanidad acaba con cualquier cosa... —sentenció Inti Ávila—. Desde que circula por la faz de la tierra, ha aniquilado ciento cincuenta especies de animales, y otras mil están a punto de extinguirse. Quinientos millones de hectáreas cultivables se han convertido en baldías, porque quien las recibió en herencia no supo cuidarlas y las estrujó hasta destrozarlas... Y el culpable de todo es el hombre blanco... ¡Únicamente el hombre blanco, óigalo bien! El indio, el negro, e incluso en algunos casos el amarillo, tienen un concepto totalmente distinto de lo que es la tierra y para lo que sirve... Cuando los europeos llegaron a América, las tierras no pertenecían a nadie; eran un bien común de la tribu, heredadas de sus antepasados. Cada generación las disfrutaba en usufructo, cuidándolas para las generaciones venideras... Mas, para los blancos la tierra era poder. Ambicionaban inmensas extensiones que explotar en poco tiempo, sin preocuparse de lo que ocurriría después... Les tenía sin cuidado que se agotaran, que la erosión se las llevara, o que se convirtieran en desiertos... En Norteamérica, los madereros desmontaron, uno tras otro, inmensos bosques que transformaron en eriales, y de los que apenas utilizaron el 30 % de su madera. Para evitarse el trabajo de cortarlos, volaban los grandes árboles con pólvora, destrozando a los mayores que, al caer, arrasaban los pequeños. De ese modo, en cinco años, un equipo de leñadores aniquiló los bosques de Pensilvania. A principios de siglo, en los Estados Unidos se destruían más de diez millones de hectáreas de bosque por año... Cuando se descubrió, el país era un conjunto de bosques de punta a punta... ¿Dónde están ahora...?

—No donde yo nací, desde luego... No en Chicago...

—Pues hace un siglo, un mono podría haber atravesado Pensilvania, Ohio, Indiana, Illinois, Kentucky, Wisconsin y Minnesota sin tocar con los pies el suelo, simplemente saltando de árbol en árbol... Y en ese tiempo no existían los tractores, ni las sierras mecánicas, ni los grandes camiones... ¡Imagine lo que tardarán en desmontar estas selvas en cuanto la carretera les abra un camino fácil hacia la caoba, el cedro, la balsa o los samanes...!

—Lo que la Naturaleza ha tardado un millón de años en crear, lo aniquilarán en el transcurso de nuestras vidas...

—¿Y consentiremos que nos roben la más preciada de nuestras posesiones: la tierra en que vivimos...? Es nuestra, y el que atenta contra ella, y la destruye, está atentando contra nosotros. Debería ser mayor delito cortar un árbol que cortarle el cuello a alguien... Sobra gente, y se reproduce demasiado... Cada día hay más. Pero faltan árboles y tardan en crecer... Cada día hay menos...

—Sería una curiosa filosofía... —rió el otro levemente—. Dar más valor a la vida de un árbol que a la vida de un hombre... No creo que el padre Carlos esté de acuerdo...

—No. Desde luego... —afirmó el misionero—. Pero estoy acostumbrado a los extremismos de Inti... Es un exaltado, pero, en el fondo, no cree lo que dice...

—¡Sí que lo creo, padre...! Sí que lo creo... Y Paula también... ¡Piénselo! No hay un solo árbol sobre la tierra que no sirva para algo. El que

menos da, da sombra y protege de la lluvia...
¿Cuánta gente conoce, que ni siquiera es capaz
de proteger de la lluvia al caminante...? La mitad de nuestra raza es parásita, y por alimentar
a esos parásitos, estamos talando nuestros bosques y agostando nuestros campos... ¡Talémos-
los a ellos: esterilicémoslos para que no continúen
reproduciéndose como conejos, y dejemos los
bosques y los campos en paz...!

—¡Por todos los santos, Inti...! ¡Te estás pasando...! —protestó el cura. Se volvió a Paula
mientras señalaba a Inti con la mano—. ¡Cuída-
lo, o acabará en el manicomio...!

—¿Por qué? —inquirió ella con naturalidad—.
Tiene razón... Yo opino lo mismo... Deberíamos
esterilizarnos... O castigar a quienes tuvieran más
de dos hijos... La Humanidad se enfrenta en estos años a dos monstruos que nunca conociera:
la explosión demográfica y la contaminación del
planeta... Ante la magnitud de tales amenazas,
las costumbres y la moral sufrirán cambios radi-
cales... Los valores se invertirán: los conceptos
de lo bueno y lo malo se verán desde ángulos distintos, y los hombres de ciencia, los que siempre
quieren llevar la técnica más adelante a costa de
deshumanizarnos, serán perseguidos por intentar
convertirnos en máquinas...

—¡Par de locos...! —masculló el cura—. Y
pensar que en vuestra generación están puestas
mis esperanzas... Generación de hippies, de va-
gos y drogadictos; de eternos descontentos... Y,
sin embargo, tal vez vuestras teorías sean las buenas, y yo tenga tras de mí dos mil años de errores.

—Hagan lo que hagan, no pueden estar más
equivocados que nosotros, padre —intervino—.
Cada funcionario que huye de las cuatro paredes
de una oficina y cada desertor del Vietnam, hace

más por la Humanidad que los que trabajan. Son los trabajadores, los ambiciosos, los que polucionan la atmósfera, contaminan las aguas y destruyen la tierra...

—¡Tres locos...! —masculló el misionero—. Ya son tres los locos sentados en torno a esta mesa...

Inti Ávila contempló asqueado el par de huevos fritos que el cholo había colocado ante él y agitó la cabeza convencido:

—En eso le doy la razón, padre... Hay que estar loco para dejarlo todo y venirse a cenar esta mierda a Santa Marta...

Su Excelencia el gobernador Aldemaro Barrancas cesó de juguetear con el lápiz que tenía en la mano, señaló la verde inmensidad más allá del abierto balcón, la plaza y el río, se volvió hacia sus visitantes:

—Miren eso —dijo—. Tengo que gobernar una extensión de selva casi tan grande como Francia, y apenas cuento con algo más que este despacho que se cae a pedazos, y un puñado de inútiles que están aquí porque no hay otro lugar donde enviarlos... Somos la cenicienta de las provincias del país. Nada nos dan, porque nada producimos, excepto oxígeno y belleza. Ahora las cosas van a cambiar; hay cobre y petróleo ahí dentro, y podemos empezar a producir —¡a «dar»!—, lo que significa que luego podremos «exigir»... ¿Debemos renunciar a ello porque los yubani no quieren ser molestados...? Los yubani no son más que una minoría dentro del territorio y el país...

—No pretendemos que se renuncie al cobre y al petróleo —señaló—. Tan sólo, que no se haga pasar la carretera por donde está prevista... Causaría un daño irreparable tanto a las tribus como al medio ambiente. No son únicamente los yubani los que sufrirán las consecuencias. A la larga, todo el país saldrá perdiendo.

—No soy adivino para predecir si saldremos perdiendo o no, pero no veo otra forma de abrir esa carretera.

—Por la Sierra... Hay un proyecto.

—Nunca oí hablar de él... —Jugueteó nuevamente con el lápiz. Luego se puso en pie, rodeó la enorme mesa de madera carcomida y salió al amplio balcón. Le siguieron. El gobernador observó detenidamente la quebrada línea de los Andes que se distinguía muy a lo lejos, y señaló hacia allá—: ¿Una carretera por la Sierra...? —Agitó la cabeza negativamente—. No hay más que un paso entre esas cumbres... y es el que trae directamente aquí... ¡Y ya es un camino de todos los infiernos...! No creo que nadie pueda abrir una carretera hasta las fuentes del río Yubani sin pasar por Santa Marta y por tierras de la tribu... No, no lo creo...

—Pues el proyecto existe... Y es factible... Más caro, pero factible...

—¿Quién lo hizo?

—El Ministerio de Transportes —intervino el padre Carlos—. Lo tienen archivado en alguna parte...

—En ese caso, diríjanse al Ministerio de Transportes... Es él quien decide sobre cómo y por dónde abrir carreteras...

—Pero su opinión pesa en esto, Excelencia —señaló el cura—. Usted gobierna el Territorio y sabe lo que le conviene... Conoce mejor que el ministro de Transportes los problemas de la Amazonia.

—Desengáñese, padre... Mi opinión valdrá bien poco... Yo puedo darla; incluso puedo pedir al ministro que les reciba, pero, en definitiva, la decisión es suya... En este país, en cuanto nombran ministro a alguien —¡vaya usted a saber por qué!— se considera la máxima autoridad, no sólo en la materia, sino en todas... Se lo digo con conocimiento de causa: también fui ministro... —sonrio con amargura, contempló la sucia plaza, el fangoso río y las chozas de la otra orilla, en Denfrente—. Soy ingeniero agrícola, y me nombraron ministro de Telecomunicaciones... Y lo más curioso es que llegué a creer que podría hacerlo bien... Por eso estoy ahora aquí... —Se volvió al misionero—. Ahora, como ingeniero agrícola, puedo comprender sus razones, pero, desgraciadamente, no tengo autoridad... Tal vez el ministro de Transportes sepa también entenderles y desvíe esa carretera... —Movió la cabeza—. Pero lo dudo... Francamente, lo dudo...

Volvió al interior de su despacho, consultó una agenda roja, que sacó de un cajón, y alzó de nuevo la cabeza:

—Mañana sale un avión para la capital... Tendrán plaza en él, y una carta para el ministro... Es todo lo que puedo hacer por ustedes.

Les acompañó a la puerta, tendió una mano fláccida, dejó que un secretario los guiara escaleras abajo y cerró de nuevo, silenciosamente.

Atravesaron a toda prisa la plaza inundada por un sol implacable cuyos rayos se reflejaban en las blancas paredes y buscaron refugio a la sombra en la terraza del hotel.

La cerveza estaba caliente, y no corría una gota de brisa. La temperatura pasaba de los cuarenta y cinco grados, y —cerca ya del mediodía— ni un alma humana, ni un perro, ni siquiera un pájaro se aventuraba por las calles de Santa Marta.

Al concluir la cerveza, el misionero señaló con la cabeza hacia el balcón del palacio de Gobierno:

—¿Qué te ha parecido?

—Un hombre acabado. Y amargado...

—Tiene razones para estarlo... Familia rica, estudios en Europa, cafetales en la Costa, una prometedora carrera política: embajador, ministro... Pero luego, todo fracasos... Como hacendado no supo prevenir la crisis del café, y perdió sus tierras.. Como ministro no supo prevenir el «boom» de las comunicaciones y el auge de la Televisión, y acabó en Santa Marta... Dos errores de apreciación que destrozan una vida...

—¿Y ahora qué hacemos?

—Lo que él ha dicho... Ver al ministro...

—Lo considera inútil...

—Hay que intentarlo, hijo... Hay que intentarlo... ¿No pensarás darte por vencido...?

—No. Desde luego... Pero a medida que pasan los días, me convenzo más de que, ni aquí, ni en Santa Cruz, lograré nada...

—¿Y qué pretendes...? ¿Lanzar a los yubani a la lucha sin medir las consecuencias...? ¿Quién los detendrá luego?

No respondió. Meditaba mientras seguía con la vista el cajón del funicular que cruzaba el río. Dentro no se distinguía más que la gruesa figura de una negra enorme —«La Sandra»— que trataba de protegerse del sol bajo un paraguas.

«Si la barquilla vuelca, y "La Sandra" cae al agua —pensó—, todos los peces y caimanes del San Pedro agarrarán la sífilis...»

Cuando la negra llegó a la otra orilla y desapareció entre los árboles, se volvió, pero el misionero no estaba ya a su lado. Había desaparecido en el interior del hotel.

Continuó en la terraza contemplando el pueblo semidesierto, viendo correr el sucio río, observando la selva de la otra orilla; una selva que parecía distinta por el simple hecho de encontrarse salpicada por la presencia de dos docenas de chozas de adobe.

No había garzas en las copas de aquellas ceibas, ni monos que saltaran de rama en rama en los samanes. No había loras estruendosas, ni guacamayos, pavas o tucanes.

Los monos, loros, guacamayos y tucanes de Santa Marta estaban enjaulados, o ya no estaban. Y existían muchas jaulas en Santa Marta. Docenas, casi centenares, porque en ellas se conservaban los miles de animales que cada año se enviaban a Europa y Norteamérica. Santa Marta era, junto a Iquitos, en el Perú, Manaos, en Brasil, y Leticia, en Colombia, uno de los puntos clave en la exportación de animales salvajes —vivos o muertos— hacia los grandes mercados internacionales.

Tan sólo en el año 1964, Iquitos envió a Miami más de cuarenta mil animales vivos, y casi doscientas cincuenta mil pieles de jaguares, ocelotes, panteras y nutrias.

¿Cuánto tiempo soportaría la fauna amazónica semejante abuso? Recordaba las palabras de «Inti» Ávila... «Mil especies están en peligro de extinguirse de la faz de la tierra.»

Estuvieron charlando hasta muy avanzada la noche, mientras la luna, que apenas comenzaba a ser menguante, iluminaba el silencio y la oscuridad de Santa Marta, cuya planta eléctrica dejaba de funcionar a las once en punto. Hablaron de lo divino y lo humano; de las selvas y los hombres; de las tierras y los animales. Entre Paula e Ignacio Ávila parecían saber todo cuanto pudiese referirse a la Naturaleza, su pasado, su presente y su futuro, y hablaban de ella con pasión de enamorados y furia de impotentes.

—A mediados de 1800 —contaba Paula, cuya memoria parecía registrar datos, fechas y cifras como un cerebro electrónico —había en Estados Unidos cien millones de bisontes de casi mil kilos de peso... Cuentan, que en 1870, el coronel Dodge pudo ver una manada que cubría la pradera por más de quince kilómetros en todas direcciones, tan apiñados, que parecían una alfombra de piel marrón... Bajo ellos la tierra era verde, de excelente pasto... Luego comenzó «la gran matanza»... Unos dicen que el Ejército acabó con los bisontes para matar de hambre a los indios; otros, que fue iniciativa de los campesinos, que querían quedarse aquellas praderas; los más, que se trató tan sólo de un negocio de venta de pieles... Lo cierto es que en 1885 apenas quedaban bisontes en las praderas... Sólo escaparon de la muerte los que se habían refugiado en Canadá. Y de los casi cien millones de muertos, no se aprovechó más que la piel y —en algunos casos— la lengua. El resto, carne de primera calidad, mejor que la de vaca, se dejó pudrir al sol... Calculándole un mínimo de trescientos kilos de carne útil por cada bisonte, se puede asegurar que en ese tiempo los norteamericanos desperdiciaron unos treinta mil millones de kilos de carne... Y lo más triste del caso; lo más cómico, es que cuando los campesinos se lanzaron sobre esos campos, los destrozaron. Eran praderas inmensas, de pocas lluvias y fuertes vientos, donde únicamente la hierba sujetaba la tierra al suelo. Cuando las hubieron arado y llegaron las primeras sequías, el viento comenzó a llevarse la tierra, convirtiéndola en polvo y marchitando las cosechas... De ese modo, se formó el famoso «cuenco de polvo», que durante años —de 1932 a 1938— azotó Norteamérica, convirtiéndose en la peor catástrofe que sufriera jamás el Continente...

—Esas praderas ya nunca podrán recuperarse —concluyó su esposo—. Son parte de los quinientos millones de hectáreas que el ser humano arrasó para siempre... ¡Quinientos millones! Y las reservas cultivadas del planeta se calculan en mil quinientos millones... Hemos arruinado más de la cuarta parte de lo que teníamos...

¡Pobres loros; pobres monos; pobres jaguares, ocelotes y nutrias...! Pronto pasarían a convertirse en recuerdo, y sus selvas pasarían al cupo de las tierras arrasadas: de los desiertos.

Algún día la cuenca del Amazonas no sería más que un inmenso arenal como lo era el Sáhara; desierto que año tras año ganaba terreno a las praderas y a los bosques del sur.

Elefantes, leones, cebras, jirafas, incluso hipopótamos y cocodrilos poblaban antiguamente el Sáhara, y sus imágenes aún podían contemplarse en los frescos de Tasili, recuerdo de una fauna y una flora que ya tan sólo se encontraba a miles de kilómetros, al otro lado del río Níger. ¿Qué sucedió para que semejante vergel, paraíso de caza del hombre primitivo, se convirtiera con el paso del tiempo en la más desolada de las regiones del planeta...? Quizá cambió el clima; quizás el hombre destruyó los bosques o quizá —como muchos científicos aseguran— el gran Níger modificó su curso, dejó de correr hacia el Mediterráneo y se taponó a sí mismo, para ir a morir en el golfo de Guinea. Sin ese riego los grandes árboles murieron, sus raíces cesaron de sujetar la tierra al suelo, llegaron los vientos, y con ellos, el polvo, y más tarde, la arena.

El día que el ser humano, con su ambición sin límites y su ceguera ante el futuro, se uniera al viento y a las lluvias, la historia del Sáhara o las praderas americanas se repetiría en Amazonas.

Un perro vagabundo, que le recordó al *Tom-Tom* de su niñez, cruzó la plaza y se detuvo a orinar en su único árbol esquelético, como si quisiera escarnecer al solitario superviviente que los hombres habían dejado de lo que antaño fuera un pedazo más de la selva impenetrable.

Le vino a la memoria una fotografía que dio la vuelta al mundo, distribuida por agencias internacionales. En una plaza de España, en las cercanías de Madrid, un arbolillo de apenas dos metros trataba esforzadamente de sobrevivir, atosigado por los altos muros de edificios populares. En uno de esos muros, en grandes letras negras, alguien había escrito: «Multa de mil pesetas a quien toque este árbol...» Nunca había sabido cuánto significaban, al cambio, mil pesetas, pero ahora, allí, en Santa Marta, le gustaría poder plantar un gran letrero que dijera: «Multa de mil pesetas a quien toque estas selvas...»

Era la única forma de adelantarse al tiempo; de evitar que, como en España, los grandes bosques que se extendieron de los Pirineos a Gibraltar, quedasen reducidos a aquel triste superviviente de la plaza.

El perro abandonó su precario refugio a la sombra y cruzó a toda prisa la calle de tierra, deteniéndose a olfatear sus pantalones. Luego se afianzó sobre sus cuartos traseros, dispuesto a esperar, paciente, que le ofreciera algún resto de comida.

—Más vale que te vayas —le aconsejó en voz baja—. Si te doy de lo que me van a servir aquí, puedes morir envenenado...

El chucho agitó la cola alegremente, prueba innegable de que no entendía inglés, y continuó esperando hasta que apareció el cholo con un plato de grasa ennegrecida en la que flotaban dos docenas de frijoles y tres pellejos de mono. Ahí terminó la amistad entre hombre y perro, y éste continuó su vagabundeo por las calles de una Santa Marta abrasada por el sol, sin encontrar alma alguna en su camino, pues no existía nadie capaz de aventurarse al mediodía por aquel infierno.

Cuando el perro desapareció en la esquina, tuvo la impresión de que el mundo hubiera muerto; el tiempo estuviera detenido: la Tierra cesara de girar.

No había una nube en el cielo, ni un hálito de brisa en las hojas, ni un zamuro que volara en la distancia, ni una lagartija que corriera entre las piedras.

El río fluía más lento que nunca, como si al agua también le afectara el calor, y era tal su reflejo, que dolían los ojos de mirarlo. El aire —tan quieto— parecía haberse endurecido, y de tan ardiente hacía daño en el pecho al aspirarlo. El sudor —aun inmóvil como estaba— manaba mansamente de cada poro de su cuerpo; goteaba de la punta de su nariz y de las cejas, se detenía en la comisura de los labios y pugnaba por buscar refugio en la boca reseca.

Una mosca insistía, incansable, en posarse en su oreja, y cien más —algunas verdes— correteaban sobre los pellejos de mono o nadaban desesperadamente en la grasa negra y fría.

Dentro, alguien puso una cumbia en la rocola y soportó impávido el estruendo chillón, sin ánimos para alzarse de la silla y estrellar contra el suelo el maldito aparato.

En otro tiempo lo habría hecho, como aquel día en que un vecino de playa se empeñó en elevar al máximo el volumen de su radio. Sonrió al recordar la escena. Dejó a Lola con la palabra en la boca, se alzó calmosamente, llegó hasta el bañista, agarró la minúscula radio y la lanzó al agua como lo hacía de niño con las piedras muy planas, logrando que saltara una y otra vez sobre la quieta superficie antes de hundirse definitivamente.

Fue un curioso espectáculo. Al primer salto, el aparato pareció lanzar un aullido, pero luego continuó con su música estridente, hasta que las aguas se cerraron sobre él. El bañista alzó desconcertado el rostro, hizo ademán de protestar con fuerza, calculó en un instante la estatura de su enemigo, estudió su fría expresión y optó por volver a tumbarse boca abajo, dando por concluido el incidente.

Regresó junto a Lola, que había observado la escena indiferente:

—Con eso no solucionas nada —dijo ella—. El mundo está lleno de tipos que elevan demasiado el nivel de sus radios, porque es la única forma que tienen de llamar la atención. Jamás podrás tirar al agua todas esas radios, ni podrás acabar con todos esos imbéciles.

La cumbia acabó, y Santa Marta volvió a sumirse en el silencio. Recostó las piernas en la silla vecina, echó hacia atrás el respaldo de su asiento hasta apoyarlo en la sucia pared, y dejó que el sopor le invadiera, que los párpados comenzaran a pesarle hasta cerrarse, y que por su mente cruzaran escenas y personajes incoherentes, hasta que todo fue sombras, y Santa Marta dejó de existir.

El viejo «DC-3» rugió como si quisiera comerse el mundo, trepidó de punta a punta, se agitó del morro a la cola, tembló de las ruedas a la antena, escupió fuego por la abierta boca de sus tubos de escape, y saltó disparado en una desenfocada mancha de verdes cambiantes.

Se diría que le costaba un gran esfuerzo desprenderse de la pista de hierba, cargado a tope de asustados pasajeros, fardos de pieles y jaulas de animales.

Al fin, el suelo comenzó a ser empujado hacia abajo por una mano gigantesca, los árboles pasaron a convertirse en matorrales, los edificios de Santa Marta no fueron más que rectángulos oscuros sobre el verde, y la sinuosa y brillante cinta de San Pedro quedó atrás, mientras el chato morro cobraba altura y enfilaba hacia las cumbres de la cordillera Andina, recortada como dientes de perro contra el cielo de un azul-añil furioso.

Observó el girar de las hélices, el diminuto escape de aceite que rezumaba entre las junturas del ala, y más allá, la monotonía obsesionante de la selva, donde el verde era dueño absoluto; donde nada más que verde existía, ni existiría mientras aquel lugar pudiera continuar llamándose Amazonas.

Intentó distinguir, a lo lejos, el curso bajo del San Pedro, calculando dónde se encontraría la confluencia del afluente que llevaba aguas arriba, hasta su laguna y su cabaña.

Allí, en algún punto perdido, al sureste, existía un igarapé, y en sus orillas —apenas visibles desde el cielo—, el conjunto de chozas de una tribu salvaje, cuya única ambición era continuar viviendo en el mismo rincón perdido bajo el ala de un avión.

¡Qué poca cosa parecían contemplados desde tres mil metros de altura! ¡Qué insignificante su problema, frente a los problemas del mundo hacia el que se dirigía...!

Comprendió de pronto lo ridículo de su empresa; lo estúpido de su esfuerzo, y sintió deseos de gritar al piloto que volviera, que le dejase nuevamente en tierra, porque resultaba inútil viajar a una ciudad de dos millones de habitantes en busca de alguien que escuchara las demandas de un puñado de indios desnudos.

«Se reirán de mí, y es lo que merezco —se dijo—. Y me meteré en un lío si se les ocurre pedirme el pasaporte y descubren que lleva años caducado... En realidad no pueden hacerme nada —rió para sus adentros—. En estos momentos tengo el rango de embajador extraordinario y plenipotenciario de la Nación Yubani...»

Era, en verdad, una linda combinación. Un embajador sin documentación, para una nación prehistórica y desnuda.

«Tal vez debiera haberme hecho acompañar por Kano, el de los pies deformes y la larga cerbatana, con el extremo del pene amarrado a la cintura, mostrando al mundo sus grandes bolas colgantes...»

Contempló sus pantalones desgastados; la camisa descolorida y las enormes botas a punto de caerse a pedazos y admitió que, en el fondo, su aspecto no era mejor que el de Kano.

El avión dio un brusco salto y se hundió abruptamente en un bache de trescientos metros, para iniciar un molesto baileteo, prueba de que acababan de penetrar en el piedemonte andino, con sus barrancos y quebradas, sus picachos que se elevaban como agujas, y las mil turbulencias que el choque de las corrientes provocaba.

El verde de la selva dejó paso a un gris de nubes bajas; nubes que parecían descargar su agua rozando casi las copas de los árboles, y recordó las palabras de «Inti» Ávila...: «Una región de todos los demonios, donde llueve trescientos cincuenta días al año.»

A trechos, cuando se abría un claro entre la masa de nubes, distinguía abajo una selva densa y compacta, de un verde profundo, e incluso llegó a entrever uno de aquellos famosos precipicios que convertían la región en una fortaleza impenetrable.

«Debo de estar loco para pretender que desvíen la carretera por esta zona... Debo de estar loco... Visto así, fríamente, resultaba más sencillo aniquilar a los yubani...»

Hizo un esfuerzo por ahogar sus últimos residuos de hombre civilizado, pero llegó a la conclusión de que parecía difícil conseguirlo sentado en aquella butaca, viendo girar las hélices, sintiendo rugir a los motores y tomando conciencia de que se encontraba a tres mil metros de altura gracias al ingenio humano y los adelantos de la técnica.

Observó con detenimiento el achacoso avión, calculó su edad y llegó a la conclusión de que había que dar, también, parte de esas gracias, a Dios.

El zumbido cambió de ritmo, la nariz se alzó unos centímetros, y al frente comenzaron a aparecer las blancas siluetas del Montaña Clara y el Volcán Serena, rozando ambos los seis mil metros de altitud.

El Paso serpenteaba entre ambas cumbres, abriéndose camino por un páramo de color ocre y vegetación raquítica que había comenzado a sustituir, ladera arriba, a la verde selva que parecía haberse cansado de trepar montañas.

El «DC-3» enfiló hacia el Paso, dejó las deslumbrantes nieves del Serena a la izquierda y de Montaña Clara a la derecha, bailoteó zarandeado por vientos entrecruzados, sobrevoló el espejo esmeralda de la laguna de Viracocha, y se lanzó cordillera abajo, en busca del mar.

El paisaje era otro, como si fuera otro el mundo. Erguidos picachos y profundos abismos; nieves eternas y fértiles valles; lagos tranquilos y furiosos torrentes; desérticos páramos y suaves pastizales...

Y aquí y allá, en los rincones más insospechados, rojos techos de aislados caseríos, campos roturados, rediles en los que alpacas y llamas sustituían a ovejas y cabras.

Los Andes se interponían entre la selva y el mar como muro infranqueable por el que tímidos caminillos indígenas trepaban uniendo valle con valle y pueblo con pueblo, salvando ríos por el viejo sistema incaico de los puentes colgantes; bordeando abismos durante horas, en un viaje en el que cada paso podía ser el último.

No se soñaba aún con carreteras que unieran

el país con aquel altiplano aislado y miserable. Poco había que buscar en las alturas, salvo en algún valle aislado o mina perdida, y nadie se había preocupado de llevar la civilización y el progreso hasta las cumbres.

Los indios, enfundados en sus ponchos, combatiendo el frío con excrementos de llama como único combustible, matando su hambre con patatas congeladas y puñados de maíz y mijo, vivían esperando el día en que el blanco se acordara de ellos; construyera carreteras; trajera maquinarias para modernizar su agricultura; proveyese de abonos que revivificaran sus tierras; crease escuelas en las que aprender a vivir en el siglo XX; importara reses para mejorar su vieja ganadería...

«Y seguirán esperando por siglos y siglos —se dijo—. Esperarán hasta que encuentren una mina de cobre o reviente un pozo de petróleo, si es que ha habido alguna vez petróleo a estas alturas...»

Advirtió en los oídos el efecto de perder rápidamente altura, y aparecieron ante sus ojos las primeras plataneras, que se convirtieron luego en un verde océano que no tendría ya fin hasta la orilla del mar.

Bananas, bananas, y bananas... ¡Miles, millones de bananas...! Un auténtico paraíso para todos los monos de este mundo... El sueño dorado de Piá.

Sonrió al recordar a la muchacha. Volvió a verla con su sábana empapada, el cabello mojado, la boca semiabierta y los ojos brillantes...

La vio también, el día de su llegada, sentada como un simio, con las piernas abiertas, la cabeza gacha y más aspecto de bestia de zoo que de ser humano.

¡Había cambiado mucho en poco tiempo...!

¿Había cambiado, o era tan sólo una vieja sábana lo que parecía hacerla cambiar...?

No había aprendido ni una palabra en cinco meses. «Banana», eso era todo... Pero, en realidad, no era culpa suya. ¿Cómo podría aprender un idioma del que no conocía siquiera su sonido?

—Tal vez debería enseñarle algo... Tal vez me convendría hablar con alguien, de cuando en cuando... —Lo pensó mejor—. En cuanto empiece a hablar, se acabó la paz... Siempre tendrá preguntas; siempre encontrará algo que contar, incluso en aquella laguna en la que nada ocurre... Mejor la dejo como está. Nada más fastidioso que estar leyendo a Sartre, y que una mujer venga a plantear problemas... Clarence resultó especialista en eso. Siempre tenía alguna noticia nueva, y se sabía de memoria la vida del barrio, de gran parte de la ciudad, y aun del país... Políticos, peloteros, estrellas de cine y la televisión, jugadores de fútbol, boxeadores... Podía recitar de memoria listas de fechas de matrimonio, divorcio, nacimiento o muerte de más de mil personalidades de cualquier actividad... Y se diría que eso constituía su mayor orgullo...

¡El mar!

Allí estaba: azul y tranquilo, y le alegraba verlo después de tanto tiempo. Comprendió que en aquellos dos años había estado siempre echando algo de menos, y ahora sabía lo que era: ¡Horizontes...!

Salvo en la laguna, en pocas partes de la selva podía encontrarse un campo de visión que alcanzara más allá de los doscientos metros. El muro de vegetación cortaba la vista, y con el tiempo se perdía la noción de lejanía; se olvidaban las anchas llanuras; la inmensidad del océano y la línea del horizonte bajo la que se ocultaba el sol.

¡El mar! Tal vez hubiera sido feliz en una pequeña isla como moderno Robinson voluntario. Tal vez hubiera encontrado su destino como navegante solitario, dando vueltas al mundo a bordo de un falucho desvencijado.

Tal vez, pero aunque el mar le atraía, no tenía el misterio de la selva, ni el canto de los pájaros, los gritos de las loras o el profundo olor a hojarasca húmeda.

Y por el mar circulaban ya demasiados barcos y al mar se asomaban multitud de puertos hediondos. Al mar iban a parar cientos de ríos apestosos y cloacas inmundas, y al mar se arrojaban cada año cincuenta mil toneladas de DDT y millones de toneladas de basura. El mar se estaba muriendo, y no quería estar allí para verlo.

Ya el ser humano estaba a punto de acabar con las ballenas, las focas, los leones marinos, y docenas de especies antaño florecientes... «El medio millón de toneladas de DDT que hemos arrojado a los océanos redujeron en un 75 % la capacidad de fotosíntesis de las algas marinas, encargadas de renovar el oxígeno de las aguas.» Los residuos de petróleo acabarán con las aves marinas. Los moluscos sabían a mierda y producían el cólera.

—No, el mar no era para él.

Pero le gustaba contemplarlo.

Distinguió los arrabales de la capital: un hacinamiento de casuchas de cartón y madera; de barro y latas trepando por cerros, haciendo equilibrio en los barrancos, hundiendo sus cimientos en la pestilencia marrón y espesa del río Raíces —gigantesca cloaca de cloacas—, que en los días de viento sur llevaba su nauseabundo olor hasta el corazón mismo de la Plaza de Armas.

Un mar de techos de hojalata o azoteas grises;

un dédalo de callejuelas sin asfaltar que iban ensanchándose a medida que el avión perdía altura y sus motores rugían con más fuerza, y allá, delante, una densa nube de humo negro —niebla de chimeneas de fábricas y escapes de automóviles— que ocultaba a la vista las altas torres de la Telefónica, el «Hotel Hilton» y la «Pacific Oil».

El viejo «DC-3» dio un bandazo, tosió por tres veces, rebotó contra la pista y se deslizó gruñendo hacia los edificios del Aeropuerto Internacional Simón Bolívar.

Sintió que un desagradable cosquilleo le ascendía desde las plantas de los pies al pisar el duro suelo de cemento de la pista, caliente como plancha de parrilla, y el aire acondicionado del terminal le golpeó la cara como viento helado, secando su garganta y haciéndole tiritar de frío bajo la leve camisa.

Tuvieron que abrirse paso a empujones entre los trescientos pasajeros recién vomitados de un inmenso «Boeing 747» que corrían disputándose los escasos taxis disponibles, y consiguieron, milagrosamente, plaza en un autobús abarrotado, que un negrazo sudoroso condujo a velocidad suicida por la sinuosa carretera, hasta que el primer semáforo de la ciudad detuvo su ímpetu y redujo su marcha a un lento progresar metro por metro.

Cuando se apearon en la plaza Independencia, habían empleado tanto tiempo en llegar a ella, como en volar de la selva al aeropuerto.

Se dejaron caer en la terraza de un bar y pidieron dos cervezas bien frías. ¡Bien frías!

¡Resulta tan fácil...! ¡Camarero...! Otra cerveza...

Y al momento llegaba, tan helada, espumeante, amarilla, transparente y apetitosa como la anterior.

Y para acompañarlas, un ceviche de cangrejos, y unos langostinos a la plancha, y unos taquitos de jamón magro, y unas lonchitas de queso...

—¡Diga algo, padre...!

—Calla, hijo, que no comía decente desde que salimos de la Misión... ¡Ese maldito cholo del «Hotel Santa Marta»...!

—Modere su lenguaje, padre... ¡Olvídese que es vasco...!

—Estos langostinos me recuerdan mi tierra... ¡Y si tuvieran unas sardinitas asadas...! ¿Te comerías unas sardinitas asadas, hijo...?

—Me comería «¡todas!» las sardinitas asadas, padre. Pero aquí no hay sardinas... ¿Más jamón...?

—Bueno... ¿Más queso...?

—Bueno... ¿Otra cerveza...?

—¡Hummm!

—¡Camarero...! Dos cervezas...

Y al momento llegaban: heladas, espumeantes, amarillas, transparentes, apetitosas...

—¡Mire eso, padre...!

—No seas bestia, que soy cura...

—Por más cura que sea... Mire eso... ¡Qué falda lleva...!

—Déjame en paz... ¡Pásame el ceviche...!

—Tome su ceviche... ¿Y aquella negra...? Diantre con la negra... ¡Qué par de tetas se gasta la negra...!

—¡Dios me perdone...! Sí que es cierto... ¡Camarero! Dos cervezas...

El baño estaba caliente, las toallas limpias, la cama mullida, y de un altavoz disimulado, nacía una música suave y lejana que invitaba al sueño.

Levantó el teléfono y pidió un whisky y un paquete de cigarrillos, que le subieron al instante, junto al periódico de la tarde.

Se tumbó en la cama y saboreó lentamente los viejos vicios:

Nicaragua comenzaba a recuperarse del terrible terremoto que asoló Managua...

Bajó el periódico y contempló la pared. No tenía la menor idea de que un terremoto hubiera destruido Managua...

Las noticias tardaban en llegar al Amazonas... La mayoría, ni siquiera llegaban, y en ciertos casos era digno de agradecer.

En la segunda página aparecía una enorme fotografía del candidato de la oposición, Ramón Cáceres, bajo gigantescos titulares: «Cáceres denuncia la criminal política industrial del Gobierno.»

La Tarde no dejaba dudas respecto a su posición en favor de Cáceres y contra el partido en el poder. Atacaba al presidente Jaén con las más duras expresiones que pudiera soportar el papel impreso, y tachaba al candidato oficial, doctor

Agustín Carrión, de retrasado mental y vendido a los «trusts» norteamericanos. También destacaba a bombo y platillo que Ramón Cáceres «ya había ganado» unas elecciones que tardarían un año en celebrarse.

El whisky era excelente, de contrabando o importación, al igual que los cigarrillos, frescos y aromáticos.

Pasó la página. Una hermosa rubia con los pechos al aire adornaba un reportaje sobre las nuevas costumbres de los bañistas en las playas de Saint-Tropez. Aparecía también una foto pequeña de Brigitte Bardot, ya ajada por el tiempo y el uso, pero aún apetecible.

Le invadió una suave modorra, y permitió que el diario cayera de sus manos y la música acariciara su sueño.

De la cama ascendía un tibio olor a ropa limpia, y la temperatura resultaba perfecta.

—Se está bien aquí —murmuró—. Se está muy bien...

Le despertó el repiquetear del teléfono:

—¡Hola, hijo! —saludó la familiar voz—. ¿Dormías?

—Un poco... —rió—. Hay que aprovechar una cama como ésta mientras esté a mano...

—Malas noticias... El ministro no podrá recibirnos hasta la semana próxima...

—¡La madre que lo...! ¿Le explicó que el asunto es grave...?

—Sólo pude hablar con la secretaria de su primer secretario... Y no pareció impresionarse por el hecho de que los yubani amenacen con declarar la guerra... Tuve que deletrearle dos veces la palabra yu-ba-ni...

—Ya le dije que era estúpido venir... Nadie nos hará caso...

—Un padre del convento me dio un buen dato... En alguna parte oyó que el ministro de Turismo se opuso desde un principio a la construcción de esa carretera... Ha tenido varios roces con el ministro de Transportes a causa de ella...

—¿Cree que podrá ayudarnos...?

—Nada perdemos con intentarlo... Es un hombre joven, con ideas nuevas... Y le interesa la conservación de la Naturaleza... Una vez escribió que el turismo moderno ya no desea ver altos edificios, largas autopistas y puentes colosales... Todos tienen de eso en casa... Lo que quieren los turistas es lo que les falta: auténtica naturaleza: flores, árboles y animales en libertad...

—Parece listo... ¿Cómo se llama...?

—Guzmán... David Guzmán... Intentaré conseguir cita con él...

—¿Qué hago mientras tanto...?

—Descansa... Disfruta de la civilización... Sácale jugo a toda una semana de progreso... Intoxícate paseando por el centro de la ciudad. Ve al cine... Búscate una novia... La negra de la plaza Independencia...

—No es mala idea... —Sorbió un trago de whisky—. Me ocuparé también de poner al día mi pasaporte y conseguir algo de ropa...

—¡Diviértete, hijo...! Te tendré informado...

Colgaron.

Permaneció unos instantes recostado. Luego se encaminó al amplió ventanal y lo abrió de par en par.

El estruendo del tráfico penetró como jauría de perros cazadores. Doce pisos más abajo, la inmensa avenida República aparecía congestionada en cuanto alcanzaba la vista, de Norte a Sur, y un millar de automovilistas nerviosos hacían sonar sus claxons a sabiendas de que sus esfuerzos resultaban inútiles.

Nubes de humo negro ascendían desde los tubos de escape de los autobuses, y un pestilente olor a gasolina de baja calidad flotaba sobre la ciudad, pegándose a las fachadas de los edificios, los anuncios luminosos, las grandes vallas y los vidrios de las ventanas.

Un kilómetro le separaba en línea recta de la plaza de Armas y el Palacio del Congreso, pero su cúpula apenas se distinguía tras la cortina de partículas en suspensión que flotaban en la contaminada atmósfera de Santa Cruz.

Hacia el suroeste, cerca del puerto, gigantescas chimeneas se unían con sus humaredas a los escapes de los vehículos, y como las cercanas montañas que dominaban la espalda de la ciudad cortaban la llegada de los vientos, el aire contaminado se estancaba en una hoya, matando cada mes a docenas de enfermos aquejados de dificultades en las vías respiratorias.

En menos de ocho años, Santa Cruz había pasado de pequeña capital de aire provinciano a moderna urbe de incontenible desarrollo, atestada por miles de vehículos que no encontraban cómo escapar a la trampa en que se habían convertido las estrechas calles y las diminutas plazas de la Santa Cruz colonial y recoleta.

Tan sólo la gran avenida República, de Norte a Sur, y la avenida Libertador, de Este a Oeste, se abrían como arterias pensadas para el tráfico, pero ya a los dos años de inauguradas, habían resultado incapaces de paliar, siquiera levemente, el gran problema.

Cerró la ventana y contempló la atrayente cama, el whisky y el gran baño que se abría al fondo.

—¡Qué gran cosa si tan sólo hubiera progreso de puertas para adentro...! —murmuró—. ¡Qué gran cosa...!

Se vistió y bajó a la calle.

Abandonó pronto las grandes avenidas, y ya caía la noche cuando se internó en la vieja Santa Cruz de enormes palacios, diminutos jardines, barrocas iglesias y calles de piedra pulida por los años y las lluvias.

Se detuvo ante los vitrales de la catedral, y ante la increíble filigrana de encaje en madera de los balcones del Palacio del Virrey. Contempló a las parejas que se sentaban en el pretil de la musgosa fuente de la plaza España, y çenó al aire libre frente a las ventanas de un viejo caserón en el que, contaba la tradición, durmió una vez Bolívar.

Disfrutó de un excelente vino chileno y una carne asada al estilo argentino que le prepararon a la vista, y que remató con un magnífico café de Colombia, y un coñac francés de contrabando.

—¡Treinta pesos...! Un regalo...

Continuó su paseo digiriendo la cena, saboreando un habano que hubiera dado envidia al propio Fidel, y tras bordear el convento de los Franciscanos, desembocó en la plaza de Armas, donde de nuevo le sorprendió el tráfico que no parecía haber disminuido en dos horas.

Le atrajo la atención el parpadeo de un desmesurado letrero luminoso: «FELLINI, ROMA»... «FELLINI, ROMA»...

Entró.

La sala era grande, limpia, cómoda, con anchas butacas y aire acondicionado, pero olía a desinfectante barato, a hospital de campaña; a casa de citas.

Salió asqueado por el esperpéntico desfile de

miserias humanas e intentó olvidarlo paseando por la gran Avenida, invadida ahora por noctámbulos que deambulaban sin prisas, contemplando escaparates en los que se ofrecía cuanto la imaginación humana pudiera desear. Junto a un comercio de automóviles de lujo, abría sus puertas un almacén de ropa interior femenina, más allá una farmacia, luego un restaurante, y en la esquina, una joyería...

Un despilfarro de bombillas de todos los colores, y anuncios luminosos de todas las formas, invitaban a consumir chocolatines; beber «Cocacola»; usar aceite «Móbil», ahorrar en el Banco de la Nación; gastar en el «Club Tropicana», vestirse en «Chez Nicole» y desvestirse en «Chez Mimi»...

La gran noria del consumo; de los cientos de miles de objetos que tentaban día y noche a la especie humana, tenía en la gran Avenida de Santa Cruz uno de sus puntos fuertes. Podía comprarse desde un televisor del tamaño de un paquete de cigarrillos, capaz de destrozar la vista a quien intentara contemplarlo por más de diez minutos, a una simple corbata de astronómico precio por llevar la firma de Cardin, pasando por relojes de oro que daban la hora en seis países diferentes...

Se detuvo ante una chaqueta de ante, importada de Italia. La admiró unos instantes y estudió su precio, calculando el cambio en dólares. En relación al sueldo de su antiguo empleo en Chicago, comprar aquella chaqueta le habría significado catorce días de trabajo. Catorce días de hacer números; escribir a máquina; preparar informes; contemplar la desnuda pared de su despacho y soportar a un agriado jefe.

Catorce días de levantarse a las seis de la mañana; desayunar mal y aprisa, pasar frío en la calle, aguardar una hora de autobús atestado y maloliente, y angustiarse ante la posibilidad de llegar con retraso.

Catorce noches de regresar en el mismo autobús; pasar idéntico frío, cenar mal y sin ganas y caer rendido en la cama de un cuarto helado y triste.

Más tarde, con su paga de teniente en activo, comprar la chaqueta le habría costado tres días de lucha en las junglas del Vietnam; tres días de matar y arriesgarse a ser muerto; tres días de soportar las miradas de odio de viejos, mujeres y niños de aldeas y caminos; tres noches de dormir angustiado, temeroso de que el siguiente amanecer fuera el último.

Era una hermosa chaqueta importada de Italia que alguien compraría sin detenerse a calcular su precio.

Continuó su paseo, y al detenerse ante la siguiente vidriera, olvidó la chaqueta.

Más allá del cristal, cien rostros amigos le observaban: Huxley, Steinbeck, Dos Passos, García Márquez, Gary, Sartre, Camus, Humboldt, Herman Hesse... Una mujer, que desde el fondo del local había alzado el rostro del libro que leía, le observó sin interés. Tendría poco más de treinta años y podría ser hermosa sin sus gruesas gafas de miope y su aire de hastío.

Aún estaba abierto y entró.

Era como penetrar en las cuevas de Alí Babá, el único paraíso de la civilización con el que soñaba en su cabaña de la laguna. Toda clase de libros: de los más rústicos a los más lujosos; del último *best-seller* al más antiguo clásico, aparecían alineados en las estanterías de madera o amontonados sobre enormes mesas.

Se entretuvo eligiendo. Era el único cliente a aquellas horas, y se sentía como niño en pastelería, incapaz de decidirse. Fue amontonando ejemplares sobre un mostrador, y cada vez que se aproximaba, la mujer suspendía su lectura, dejaba resbalar los lentes sobre la nariz y le estudiaba.

En un rincón oscuro descubrió un cajón repleto de ejemplares en liquidación. Rebuscó ansioso. Los títulos oscilaban de los *Episodios Nacionales,* del español Pérez-Galdós, a la *Historia de Roma* de Indro Montanelli, pasando por un manual de quiromancia, tres libros de ajedrez, dos geografías e incontables novelas de todos los estilos.

Se volvió a la mujer:

—¿En cuánto los deja, si me los llevo todos...?

Le miró asombrada. Cerró el libro y dejó su refugio tras el mostrador. Tenía una hermosa figura que no parecía querer destacar. Vestía mal y descuidadamente, de un marrón indefinido que no favorecía.

Avanzó hasta él y se detuvo a contemplar el saldo:

—¿Todos...? —repitió.

—Todos... incluso el cajón...

Calculó mentalmente. Al fin se encogió de hombros:

—Ochenta pesos... Por cien le doy aquéllos también.

Sacó unos billetes:

—¿Puedo pagar en dólares...?

—Sí, claro... —trató de contenerse, pero su curiosidad pudo más—. ¿Vende libros usados?

—No... No, desde luego... Es para leerlos...

—¿Todos...? —se asombró.

—Naturalmente... —guardó el dinero sobrante—. ¿Puede guardarlos unos días...? Pasaré a recogerlos cuando me vaya...

—¿Adónde...?

La pregunta había surgido rápida e impensada, pero inmediatamente pareció volver a la realidad y trató de disculparse:

—¡Oh! Perdone... —suplicó—. No fue mi intención ser indiscreta... Es que... Sabe... No es normal que alguien compre libros por cajones...

—Lo comprendo... —sonrió—. Es que vivo en la selva, y allí mi única compañía son los libros...

—¿Trabaja para las petroleras...?

—No. No trabajo: Solamente vivo...

Tomó al azar uno de los libros que había comprado: El tomo primero de *La vida de los animales*, de Brehm, y se encaminó a la puerta.

—¡Guárdelos...! —repitió—. ¡Buenas noches...!

Permaneció muy quieta, aún con el dinero en la mano.

—¡Buenas noches...!

Las calles comenzaban a vaciarse. La noche, tibia, invitaba a continuar al aire libre, y buscó acomodo en una terraza, a la luz de un gran anuncio luminoso. Pidió un whisky, encendió un cigarrillo y abrió el libro por su primera página.

«Hace más de dos mil años, los cartagineses equiparon una flota con el fin de fundar colonias en la costa oeste de África. Con sesenta embarcaciones salieron de Cartago alrededor de treinta mil hombres y mujeres. El comandante era Hanno, que describió su viaje en el *Periplus Hannonis*. Hanno, nos dejó en sus crónicas una información de importancia. "Al fondo del golfo llamado Cuerno del Sur (Guinea) había una isla con un lago, y dentro otro islote, donde se encontraban hombres salvajes. La mayor parte eran hembras con cuerpo peludo, y los intérpretes los llamaron gorilas. A los machos no los pudimos alcanzar cuando los perseguimos. Capturamos tres hembras que no pudimos llevarnos porque mordían y arañaban. Tuvimos que matarlas, pero las desollamos y enviamos su piel a Cartago.'' Según Plinio, esas pieles se conservaron luego en el templo de Juno...»

Sonrió con tristeza. El ser humano no había cambiado mucho en dos mil años. Cazar y matar era cuanto sabía. No importaba que fueran gorilas anteriores a Cristo, o bisontes de las praderas. Matar y guardar la piel era la única ley que conocía.

Sintió vergüenza por las pieles de caimán que había traído. Durante dos años, las pieles que entregaba al padre Carlos y éste vendía en Santa Marta, eran —junto con las mariposas— su principal fuente de ingresos. Nunca se le ocurrió que estaba haciendo mal. Los pantanos de la región estaban infestados de caimanes que jamás habían gozado de las simpatías de nadie. Ahora, tras su charla con Inti Ávila y su esposa, comenzaba a comprender que esas razones no bastaban: los caimanes amazónicos merecían tanto respeto como los gorilas africanos o los bisontes norteamericanos. Era parte de la Naturaleza, y si deseaba que esa Naturaleza fuera respetada, debía empezar por respetarla él mismo.

Prescindir de las pieles podía significar prescindir de azúcar, de café y de algunas latas de conserva. También, quizá, prescindir de...

—Buenas noches...

Alzó el rostro. Le pareció distinta sin los gruesos lentes y con aquel aire tímido, como avergonzada de haberle dirigido la palabra.

—Buenas noches...

—Temo causarle una falsa impresión... No es mi costumbre...

—Por favor... ¿Quiere sentarse...?

—¿No le molesta?

—En absoluto...

Tomó asiento frente a él. Tenía unas magníficas piernas, aunque los zapatos bajos no la favorecían, y la falda parecía demasiado larga para los tiempos que corrían.

—¿Quiere tomar algo...?

—Un café, gracias...

—Camarero... Un café...

—Hábleme de la selva...

—¿Qué quiere que le diga...?

—Saber cómo vive allí, solo, sin ver a nadie durante días, lejos del tráfico, del humo, de los problemas económicos, de los clientes malhumorados... Últimamente envidiaba a Robinson Crusoe... Era mi personaje favorito, pero nunca creí que alguien pudiera convertirse en un Robinson voluntario... ¿Cuánto tiempo lleva allí?

—Dos años... Ésta es mi primera salida.

—¿Quiere decir que ha pasado dos años sin...?

—A todo se acostumbra uno... El misionero que me acompaña lleva catorce años en la misma situación...

—En un misionero es comprensible... Pero uted no es religioso... —dudó unos instantes, guardó silencio, como asaltada por un idea—: ¿O sí lo es...?

—No... En absoluto...

—¿Nunca se casó?

—Sí, pero eso quedó atrás... ¿Usted es casada...?

—Divorciada... Aquí el divorcio está a la orden del día... Te casas joven y sin experiencia; dedicas tus mejores años a un hombre; le das un par de hijos, y cuando tu carne comienza a no ser tan firme, pide el divorcio, te deja en la calle y se casa con otra que puede ser tu hija...

—¿Y la ley?

—En este país la ley la hacen los hombres... Es un país de «machos». ¿No lo sabía...? Al divorciarse, no contraen más obligación que pasarle una pequeña pensión a los hijos, pero si no la pagan, no pasa nada...

—En Norteamérica es distinto... Allí la mujer sale ganando...

—Lo sé. Y también me parece injusto... —hizo una pausa—. ¿Realmente no le vence la soledad allá dentro...?

—En absoluto... La soledad la noto aquí, en la ciudad... Me sentía más solo esta noche que todas las que he pasado en la selva... Cenar solo, pero rodeado de gente... pasear solo, en medio del tráfico... entrar en un cine junto a extraños... sentarme solo a beber un whisky en una terraza... Eso es soledad... ¡Auténtica soledad!

—Lo sé... La experimento cada día...

—Comprendo...

—No. No creo que lo comprenda... Es difícil comprender los sentimientos de una mujer que empieza a envejecer y sabe que no encontrará a quién volverse. Mis hijos pronto tendrán su propia vida. Estudian en Europa, y no soy más que la obligación de una carta quincenal... Y yo me iré consumiendo entre libros, apolillándome como ellos, hasta el día en que me metan en un cajón y me vendan como saldo... —rió por lo

180

bajo, amargamente—. Y no creo que llegue alguien capaz de cargar con todo...

Se subestima... Está en la plenitud de su vida, y se apolilla porque quiere... Diría que siente un extraño placer en rebajarse. ¿Cuánto hace que se divorció...?

—Tres años...

—¿Y aún no ha hecho nada por salir de ese hoyo...? Autocompadeciéndose no arreglará su vida... Ni escondiéndose bajo esos lentes de concha y esos zapatos planos...

—Cada cual se esconde como puede... Yo así. Usted en la selva... ¿O no?

Tardó en responder. Llamó al camarero y pidió un nuevo whisky. Ella aceptó otro. Durante unos instantes observaron en silencio a una pareja de barrenderos que empujaban un carrito y recogían papeles desganadamente. El camarero trajo el pedido, señaló que debían apresurarse porque era hora de cerrar, y se alejó de nuevo. Bebió un largo trago y agitó la cabeza.

—Sí, desde luego... Al principio, quizá fue una huida... Pero ya no... Ahora no cambiaría aquellos bosques y aquella laguna por nada de este mundo... Soy feliz allí. Tan feliz como no había soñado serlo nunca. ¿Y sabe por qué? Aprendí a reducir cada vez más el campo de mis necesidades... Vivo en mi propia compañía; con mi cuerpo, mi mente y algunos libros... Eso me basta... La desgracia es desear más de lo que se tiene... Y hoy en día, el campo de los deseos insatisfechos es infinito... Resulta prácticamente imposible tenerlo todo... Por ello, la felicidad estriba en alcanzar justamente la meta que nos hemos propuesto, y no mirar más lejos...

—Pero ésa es una posición cobarde...

—¡En absoluto...! Es ceñirse a la condición de

ser humano... Tengo mis necesidades vitales cubiertas, libros que alimentan mis deseos de perfeccionarme; libertad absoluta y tiempo y paz para meditar en mí mismo y en las razones de mi vida... Fuera de eso, todo es superfluo...

Según usted, deberíamos volver a la prehistoria; al salvajismo... ¿Cree que el hombre de las cavernas era más feliz?

—¿Cree que un hombre de las cavernas podría sentirse más infeliz de lo que usted se siente...? No, desde luego; pero no es ése el punto... El hombre de las cavernas estaba en los comienzos, y necesitaba la larga etapa de conocer cosas nuevas; de buscar su felicidad más adelante... Pero en mi caso, he llegado suficientemente lejos... No creo que nada nuevo me interese... Que el ser humano llegue a Marte, los aviones vuelen diez veces más veloces o la Televisión se vea en tres dimensiones, me tiene completamente sin cuidado... Llegué a mi capacidad de asombro respecto a la técnica, y una vez allí en el límite, comencé a retroceder; a buscar la verdad en sentido contrario... Ahora me asombran las cosas pequeñas; el diario milagro de las flores que se abren; las nubes que pasan, las hormigas que trabajan empujadas por un instinto de hace un millón de años... Y puede creerme... Cuanto más retrocedo, más cerca estoy de la meta.

—Le entiendo... Alguien lo dijo: «No busques nada que no lleves en ti mismo...» Pero suele ser más sencillo encontrarlo en otros.

—Ése es el error... No es más sencillo... Es únicamente cuestión de empezar... Haga la prueba. Este domingo, salga de la ciudad, váyase al campo, tiéndase bajo un árbol, respire profundo y comience a mirar a su alrededor... No a «ver»... ¡A «mirar»! Observe la hierba, los insectos que saltan; el extraño mundo de la corola y los pistilos de una flor de Pascua... Recuéstese luego en el árbol y escuche... El viento; las hojas que susurran; los pájaros que se llaman; el lejano ladrido de un perro... Es como una orquesta. Y hay algo mágico en el bienestar que nos invade... Mi selva es eso, pero no una orquesta, sino toda una Filarmónica de Londres... Y el escenario se compone de millones de árboles, de flores, de insectos, de aves... Puedo escuchar y mirar toda una vida, descubriendo cada día cosas nuevas... Asombrándome a cada paso; sintiéndome como un Colón a la busca de nuevos mundos...

El camarero aguardaba impaciente. Eran los últimos parroquianos, y ya las mesas habían sido retiradas, y las luces apagadas.

Dejó unos billetes sobre la cuenta, sorbió el último trago y caminaron lentamente, calle abajo; a ratos, por la acera sin gente; a ratos, por la calzada sin tráfico.

—Sudamérica es el paraíso de los que aman a la Naturaleza... África lo fue hace treinta años, pero la están destruyendo, acabando con sus animales, con sus bosques, con sus praderas... Quizá los elefantes sean más espectaculares que los armadillos, y los leones más temibles que los jaguares, pero en el mundo que me interesa; el de lo pequeño: el de los insectos, las flores y los misterios sin resolver, la Amazonia resulta incomparablemente más rica. Se pueden leer libros y ver películas en colores sobre la vida del elefante, desde que nace hasta que muere, pero nadie ha filmado nunca una película sobre las hormigas *Isula,* que se convierten en plantas después de muertas, y a veces, incluso vivas...

La mujer se detuvo en el borde de la acera y

lo observó con detenimiento, como si creyera que intentaba burlarse.

—¿Hormigas que se transforman en plantas? —repitió—. ¿Me toma por tonta...?

—En absoluto... Yo mismo las he visto... A menudo, de las antenas les sale la punta de un tallo del bejuco llamado *Tamishi*. Ese bejuco alcanza luego quince o veinte metros de largo, y proporciona la mejor agua de la selva. Sus semillas son tan minúsculas y agradables, que la hormiga *Isula* se las come en grandes cantidades. Si ocurre que una de esas semillas se fija en su organismo y comienza a germinar, el tallo asoma por las antenas, las raíces, por el ano y las patas, y acaba por matar a la hormiga, de la que se alimenta hasta que se fija en tierra, o en un árbol, del que vive parásita...

—¡Nunca lo hubiera imaginado...!

—Existen allí tantas cosas que jamás habíamos imaginado... ¿Comprende el porqué de mi capacidad de asombro? Con la ventaja, además, de que mis descubrimientos los hago yo; los veo y los palpo, y no tengo que limitarme a que alguien descubra para mí, para contármelo luego...

La mujer se detuvo ante un gran portal solitario y sacó del bolso una llave.

—Aquí es donde vivo —señaló. Luego pareció librar una lucha consigo misma, dudó, pero acabó por decidirse—. ¿Quiere subir...? —ofreció—. Puede que aún me quede algo de whisky...

Era un hombre joven, de mediana estatura, elegante sin exageración, nervioso y vivaz, que escuchaba con atención, tomando notas o dibujando círculos concéntricos en un gran cuaderno que tenía delante. De tanto en tanto se volvía para tomar un libro de la biblioteca, abrirlo y dejarlo sobre la mesa, en una página que ya tenía marcada, sin interrumpir por ello a sus interlocutores, como si estuviera preparando su respuesta sin dejar de escuchar.

Su despacho era grande y luminoso, pero sobrio, y se diría que, en él, tan sólo sobraban libros y papeles que se amontonaban en demasía sobre mesas y sillones.

David Guzmán era el ministro más joven de la historia del país, y muchos opinaban que algún día sería, también, el más joven de sus presidentes. Su carrera parecía destinada a conducirle, desde aquel despacho del Ministerio de Turismo, al Palacio Presidencial.

Cuando el cura concluyó su explicación y se recostó en el sofá, el doctor David Guzmán permaneció unos instantes pensativo y, por último, agitó la cabeza afirmativamente:

—Ante todo —comenzó—, quiero agradecerles que se acordaran de mí a la hora de intentar resolver este problema... Aunque, desde luego, la cuestión de los yubani no atañe a mi Ministerio, me preocupa profundamente su segunda faceta; es decir, el hecho de que una explotación incontrolada de la región amazónica acabe por destruir nuestros recursos y nuestras principales bellezas naturales. No es ningún secreto que yo, personalmente, me he opuesto a la política que se está siguiendo al respecto, en especial, a los Ministerios de Industria y Transportes... Creo que imitar al Brasil, poniendo nuestro país en subasta e hipotecando para ello su futuro, es el peor error que puede cometerse..

Abrió un gran álbum, en el que se encontraban archivados infinidad de recortes de Prensa. Casi todos aparecían subrayados en rojo en algunos párrafos. Tomó sus lentes del escritorio y se los caló, alzando el rostro hacia sus visitantes:

—Quiero que escuchen esto —rogó—: «El senador Emilio Moraes, de Pernambuco, denunció que las empresas extranjeras: "Bethlehem Steel", "Georgia-Pacific", "Dutch Bruynzeel" y "Toyomenka" detentan derechos mineros en la Amazonia brasileña, que van de un millón a casi dos millones y medio de acres de terreno... Estamos construyendo una carretera para inversionistas europeos y americanos —dijo, refiriéndose a la Transamazónica—. Ellos serán los únicos beneficiados...»

Se despojó de los lentes y los observó con fijeza:

—Para hacer frente a los actuales planes de desarrollo con que los militares brasileños quieren hacer olvidar los problemas políticos y sociales del país, su Gobierno se vio obligado a solicitar al Banco Mundial un préstamo de quinientos millones de dólares...

Rebuscó en un cajón, entre un nuevo montón de recortes que aún permanecían sin archivar, volvió a calarse los lentes:

—Ésta es una noticia reciente...: «Cuando el ministro de Planificación brasileño, Joao dos Reis Velloso, pidió en el mes de febrero de 1972 al "Council of the Americas" reunido en Nueva York, que las empresas establecidas en Brasil fueran más prudentes en la explotación de los recursos naturales de su país, y no quisieran enriquecerse tan rápidamente destrozándolo todo, las grandes corporaciones reaccionaron demostrando claramente su desagrado por semejante "recomendación". Dos Reis hizo mención al medio ambiente y su protección. Meses después, el Brasil solicitó del Banco Mundial un préstamo para ampliar el aeropuerto de Galeao, en Río de Janeiro, y el representante norteamericano en el Banco, Robert Wieczorowski, lo objetó, alegando que: "No contemplaba una adecuada protección del medio ambiente." Últimamente, volvió a rechazar otro intento de un préstamo de 26 millones a 700 ganaderos brasileños que querían mejorar sus ranchos... Eso ha obligado al ministro de Hacienda, Delfim Netto, a trasladarse repetidamente a Nueva York, y tratar de ponerse en buenas relaciones con los miembros del "Consejo de las Américas"...» —hizo una pausa, dando tiempo a reflexionar sobre lo que acababa de decir. Luego continuó—: Como podrán advertir, Brasil, que pretende convertirse en potencia mundial y se declara líder de Sudamérica, no puede dar un paso sin contar con la aprobación de las grandes empresas, a las que ella misma ha encumbrado... Está en sus manos, y jamás podrá liberarse de ese yugo... Por ello, me opongo a que nuestro país entre en el juego y abramos nuestra Amazonia a ese tipo de empresas...

Se puso en pie, guardó el álbum de recortes en una estantería, junto a medio centenar de ellos, y paseó a grandes zancadas. Se detuvo frente al ventanal y contempló distraídamente la plaza de la República. Su mente estaba puesta en otra cosa.

—Nuestros países necesitan capital extranjero... —dijo sin volverse—. No podemos salir adelante sin ellos, y no me opongo a una justa colaboración... Sería estúpido por mi parte, y estaría fuera de toda realidad... Pero existen compañías con las que se puede trabajar sin que pretendan devorarnos... En estos momentos, mi Ministerio contempla la construcción de varios complejos turísticos que no podríamos llevar a cabo sin ayuda externa... —se volvió rápidamente—. Pero de eso, a entregar dos millones de acres de suelo nacional, hay un abismo... Cuenten conmigo... Para todo cuanto necesiten. En un país como el nuestro, el futuro, a la larga, no está en el cobre o el hierro, que se agotan... Está, quizás, en que algún día seamos uno de los pocos lugares en los que la Humanidad aún pueda sentirse a gusto... Por mí, convertiría todo el territorio amazónico en un gigantesco Parque Nacional...

—Ésa sería, quizá, la fórmula: Hacer ver al país que obtendría más beneficios protegiendo su Naturaleza, que destruyéndola a cambio de unos dólares...

—Desgraciadamente —señaló el ministro—, nuestra gente no está preparada aún para comprender tales razonamientos... Vivimos una etapa semejante a la que viviera Estados Unidos a finales de siglo... Durante más de cien años, la única fórmula imperante allí fue la —libertad individual—, llevada a extremos inconcebibles... En nombre de tal libertad, personajes sin escrúpulos arrasaron con lo que fue una de las más bellas tierras del mundo. En unos años despilfarraron recursos que hubieran bastado para diez generaciones... Algunos se enriquecieron hasta límites increíbles, pero estuvieron a punto de acabar con todo... Probablemente, si Teodoro Roosevelt no hubiera llegado al poder, hoy Estados Unidos sería un desierto de punta a punta... Fue Roosevelt el primero que demostró que la «tiranía de la riqueza» de los ultraindividualistas, iba contra los principios de la democracia, y le puso freno... —Volvió a tomar asiento—. Lamentablemente, aquí aún no ha nacido un Roosevelt que sepa hacer frente a quienes, no pudiendo destrozar ya su tierra, pretenden arrasar la nuestra...

—Usted parece haber comprendido el problema...

—Comprender no es resolver, amigo mío...

—Es el primer paso.

—Pero no basta... No. No basta. No tengo ni el poder, ni la capacidad para hacer frente a esa amenaza... Entiéndanme bien: yo puedo ser para ustedes una ayuda; nunca una solución. Al fin y al cabo, soy miembro de un Gabinete, y debo plegarme a las decisiones de la mayoría y las órdenes del presidente. Existe un límite del que no puedo, ni quiero, pasar... Cuando juré mi cargo, juré lealtad y obediencia, y eso me ata...

—En definitiva... ¿Qué puede hacer por nosotros...?

Sonrió, divertido.

—Directamente al grano. ¿No es eso...? Menos palabrería y más hechos... Bien... En primer lugar, ordenaré que mi departamento técnico prepare un estudio detallado sobre las consecuencias que puede acarrear a la ecología amazónica la apertura de esa carretera... Intentaré conseguir, también, parte del estudio de la desviación de la carretera, aunque, naturalmente, no podrán decir que yo intervine. Más adelante, si veo que no progresan, haré que conozcan al doctor Agustín Carrión, candidato gubernamental a la presidencia... Al fin y al cabo, probablemente será él quien tenga que tomar las decisiones dentro de un año.

—¿Y Cáceres...?

—¡Por favor, amigo mío...! No nombre la cuerda en casa del ahorcado... —rió, divertido—. Si la oposición sube al poder, ustedes habrán perdido un aliado... Cáceres es un demagogo imprevisible... Lo mismo podría darle por vender el país a 32 centavos de dólar el cuarto de hectárea, como están haciendo hoy los brasileños, que declararlo Monumento Nacional.

—¿Treinta y dos centavos el cuarto de hectárea...?

—¿No lo sabía...? Los brasileños están poniendo su país en subasta... El precio mínimo es ése... En otras regiones, más cerca de la carretera Transamazónica, en el Estado de Pará, lo han subido a 53 centavos el cuarto de hectárea... Piensan vender millones... El primer lote se compone de más de 12.000 kilómetros cuadrados de selva amazónica, incluidos indios, árboles, ríos, minerales, petróleo y todo lo que pueda existir... En 1860, el Gobierno de los Estados Unidos vendía sus tierras a 31 centavos la hectárea... En los años siguientes, los leñadores destrozaron los bosques a razón de diez millones de hectáreas por año. Por lo visto, el Gobierno brasileño pretende que se destrocen cuarenta millones de hectáreas anuales... Pero, para cuando su Amazonia sea un desierto, esos generales ya se habrán ido a la tumba con sus pechos cargados de medallas...

—No les tiene simpatía...

—¿Cómo tenérsela, si es ése el ejemplo que nos están dando...? ¿Qué pensarán sus vecinos, los que comparten con ellos la cuenca amazónica...? La mayoría seguirán el camino que ellos marcan, y en el término de una generación, habremos acabado con un patrimonio que tenía que durar mil años.

—¿Duermes...?

—No.

—¿En qué piensas...?

—En estos cinco días... Quizá, mejor, en estas cinco noches...

—¿Y...?

—Resultará difícil olvidarlas...

—¿Por qué olvidarlas...?

—Allí dentro no deben recordarse estas cosas... Es lo único que hace dudar...

Siguió un largo silencio, que ella rompió de nuevo:

—¿Piensas quedarte allí para siempre?

—Sí...

—¿Incluso si construyen esa carretera...?

—La Amazonia es grande... Siempre habrá una laguna para mí... —dudó—. Al menos, eso espero... Con las máquinas modernas nunca se sabe...

—¿Y no habría ningún otro sitio para ti, sin ser necesariamente la selva...? ¿Un pueblecito aislado; una casa en el campo...?

—No. Aquél es mi lugar... No quiero otro...

-¿Y yo...?¿No significo nada...?

—Te gustaría la selva... Te enseñaría a amarla y comprenderla...

—¿Me estás pidiendo que vaya contigo...?

—Más o menos...

—¿Te casarías conmigo...?

—Estoy casado.

—Puedes divorciarte...

—No lo creo. Soy un desertor... Si inicio los trámites de divorcio, acabarían por descubrir mi paradero... —Hizo una pausa—. De todos modos, no volvería a casarme...

—¿Por qué?

—No creo en el matrimonio... Cuando se vive tan lejos de la sociedad, se aprende a ver las cosas de otro modo...

—No hay otro modo... Si un hombre y una mujer se aman, deben casarse...

—¿No pretenderás que empecemos ahora una discusión ridícula...?

—¿Por qué no?

—Son las cuatro de la mañana...

—¿Y qué...? Para hacer el amor te parecía buena hora... Para hablar de cosas importantes, no...

—¡Oh! Ya estás empleando el tono de Clarence... ¡Dios bendito! ¿Por qué todas las mujeres hablan igual después de hacer el amor...? ¿Es acaso una forma de descargar la conciencia...?

—¡No me compares con Clarence...!

—Pues te pareces a ella. Antes de casarnos siempre era así... Me empujaba a la cama, pero luego se enfurecía...

Encendió la luz y le miró de frente. Sus miopes ojos despedían chispas.

—¿Estás insinuando que te empujo a la cama...?

—No. Simplemente te dejas llevar, pero luego se diría que quieres hacérmelo pagar...

—Eres un cerdo... Sí; eso es lo que eres... Y

me está bien empleado por dejarme convencer...
¡Dios de los cielos...! ¡Qué imbécil fui...!

—¡Oh!, ya está bien... ¿A qué viene esto...?
¿Qué pretendes? ¿Que te diga que me casaría
contigo...? Está bien... ¿Te casarías conmigo y
vendrías a vivir a la selva...?

—¿Y por qué precisamente a la selva...? ¿Ésa
es la cuestión? ¿Por qué a la selva...?

—Porque allí es donde vivo... Y me gusta...

—¿Y cómo sabes que no te gusta el campo...?
También hay silencio y soledad... ¿Prefieres vivir en la selva solo, o en el campo conmigo...?

—No lo sé... Y además, en el campo no podríamos vivir... ¿Qué íbamos a comer...? Los
campos son de la gente. Tienen dueños; hay que
cultivarlos... Yo no tengo dinero...

—Trabajarías... Todo el mundo trabaja...

—Yo no.

Saltó de la cama, buscó un cigarrillo y lo encendió furiosa. Desde el otro extremo de la ha-
bitación lo observó fijamente:

—Ésa es la razón... ¿Verdad...? La única que
existe. No es la selva, ni la libertad, o que te moleste el ruido y la polución... Es que no te gusta
trabajar.

La miró unos instantes y sonrió burlón. Apartó las sábanas, encontró bajo la cama sus zapatos, y comenzó a ponérselos.

—¿Adónde vas...?

—Al hotel, naturalmente... No pienso pasar-
me la noche discutiendo...

—No es que no quieras discutir... Es que te
duele que te digan la verdad... ¿No es cierto?

—¿Qué quieres? ¿No pretenderás que me ponga ahora a cargar muebles para demostrarte que
me gusta trabajar...?

—Hay muchos medios...

—¿Como cuál...?

—Como intentar otra forma de vida...

—Una casita en el campo. ¿No...? Cerca de la ciudad... Y luego tal vez un pequeño automóvil para venir de compras los fines de semana... Una televisión portátil y una neverita...

—¡Oh! ¡Vete al infierno...! No se puede discutir contigo...

—Naturalmente que no se puede... ¿Qué te creías...? Nos conocemos hace cinco días... Hemos hablado mucho, y reconozco que eres inteligente, y culta... y amena...

—Gracias...

—No hay de qué... Es la verdad... Y, además, eres grande en la cama... ¡En serio...! ¡Eres fantástica en la cama...! Apasionada sin llegar a lo chabacano; experta sin pasarse de la raya... ¡Magnífica...! —guardó silencio mientras se abrochaba los pantalones. Se volvió hacia ella al tiempo que comenzaba a ponerse la camisa, y continuó—: Estoy muy a gusto contigo... Mucho, pero no por ello voy a cambiar de vida, te lo aseguro... Me ha costado años llegar a donde estoy ahora, el culo del mundo si tú quieres, pero no voy a dejarlo por ninguna mujer.

—No necesitas ser grosero...

—No. Tienes razón... —Se encaminó a la puerta. Se detuvo en el umbral y se volvió un instante—. En otras palabras: No te cambio por mi selva... A lo más que llego, es a aceptarte en ella...

Salió a la calle desierta... A las cuatro de la mañana, Santa Cruz parecía muerta, y pudo pasear tranquilamente por el centro de la calzada, disfrutando del frío de la madrugada. Una humedad viscosa que llegaba del mar cubría los vehículos aparcados junto a las aceras, y el relente calaba bajo la delgada camisa.

Contempló los gigantescos edificios de apartamentos donde seres humanos se amontonaban como termitas. En la larga calle tan sólo se distinguía una ventana encendida, y se preguntó quién viviría allí, y por qué no dormía.

«Tal vez padezca insomnio crónico... O esté enfermo... O tenga tantas preocupaciones que no pueda irse a la cama... Todos estos edificios deben de estar llenos de gentes con preocupaciones, con miedo a que amanezca, a empezar un nuevo día.»

Observó con detenimiento la gris fachada de un gran bloque de apartamentos de pequeñas ventanas y minúsculos patios. Más de mil familias debían amontonarse allí, soportándose mutuamente gritos, olores y mal humor, y muchas vivirían con la inquietud constante de que un día los echasen a la calle. Miles... Miles de miles de hombres, mujeres y niños, durmiendo en la ciudad contaminada; unos junto a otros, pared con pared, como muertos en nicho de camposanto, sintiendo los ronquidos del vecino, los pedos del de abajo, el llanto de los niños de arriba... Y todos respirando una y otra vez el mismo aire; aire compartido con los humos de las fábricas, los motores de los vehículos, los pulmones de los enfermos, los muertos en putrefacción...

En cierta ocasión leyó algo que le impresionó profundamente: «El aire que usted inhala en este instante, probablemente contenga átomos inhalados por Jesucristo y por Adolfo Hitler. Y también contendrá átomos de estroncio 90 y de iodina 131 de las explosiones atómicas.»

El aire contaminado mató cuatro mil personas durante el terrible *smog* del invierno de 1952, en

Londres, y en aquella primera semana de diciembre la capital británica quedó prácticamente paralizada, sufriendo pérdidas por más de diez millones de dólares.

El aire comenzaba a convertirse en uno de los grandes enemigos de la especie humana, y al respirarlo, se respiraba también monóxido de carbono, dióxido de azufre, ácido sulfúrico, óxido nítrico, dióxido de nitrógeno e incluso el temible 3:4 benzopireno, la poderosa resina cancerígena, residuo de la combustión del petróleo.

De ese modo, el mundo había visto cómo de las doscientas muertes por cáncer de pulmón de 1906, se pasaba a veintiséis mil en 1964, pero aun así, los seres humanos seguían empeñados en amontonarse en las ciudades, continuando con su gregarismo exacerbado.

«Tal vez ella tenga razón —se dijo—. Tal vez no me guste trabajar... —sonrió—. No; no me gusta trabajar en una fábrica, ni en una oficina, ni en parte alguna en la que me sienta encerrado, lejos del sol y del aire... Pero allí, en mi laguna, bajo un sol de fuego y con casi cincuenta grados de temperatura, puedo levantar mi cabaña, tallar mi cayuco, cultivar mis plataneras, buscar bayas en el bosque, cazar en el monte, pescar en los ríos... Tengo las manos encallecidas y la espalda quemada por el sol, pero nunca experimento la sensación de estar trabajando...»

Se detuvo y se volvió hacia el lejano portal que apenas se distinguía en la distancia.

—Al fin y al cabo —masculló en voz alta—. ¿Qué diablos me importa lo que piense...?

Reanudó su camino. Un portero soñoliento apareció en la acera y comenzó a sacar enormes pipotes de basura cuya hediondez se extendió a lo largo de la calle. Como si hubiera sido una señal, los portales comenzaron a abrirse uno tras otro, y hombres y mujeres de rostro indefinible parecieron enfrascarse en una extraña competencia en la que cada cual parecía rivalizar con el vecino a la hora de aportar desperdicios malolientes.

La ciudad se convirtió al instante en una inmensa cloaca al aire libre, y sin saber de dónde, comenzaron a hacer su aparición sombras oscuras, enfundadas en sacos de arpillera o prehistóricos abrigos pestilentes, que se precipitaron sobre los cubos, afanosos por extraer de su fondo papeles, cartones y pedazos de tela para ir echándolos en un gran saco que cargaban a la espalda.

Parte de esa basura iba a parar al suelo, donde al momento comenzaba a disputársela una jauría de perros callejeros.

Incapaz de soportar el olor y el espectáculo, se introdujo en una callejuela lateral, buscando de nuevo el silencio y la paz de la ciudad dormida, que salía ya de las sombras a causa de una claridad lechosa y triste que comenzaba a perfilarse a sus espaldas, más allá de las altas montañas.

Descendió hacia el puerto, sintiendo que la actividad regresaba a Santa Cruz. Comenzaron a circular los primeros autobuses, todavía con las luces encendidas, y gentes soñolientas hicieron su aparición en las esquinas —la cabeza gacha y los hombros encogidos— tiritando de frío; malhumorados por tener que abandonar la cama.

Recordaba aquella sensación de amargura e impotencia; de frío, sueño y rabia, maldiciendo de antemano las diez horas siguientes; horas de esfuerzos, desalientos y humillaciones... Las horas más miserables que había puesto el Creador sobre la Tierra.

Recordó después los amaneceres sobre la laguna, cuando en un cielo brillante comenzaban a dibujarse pinceladas rojizas, y en las copas de las serrapias y los acerados parature despertaban las loras, que a su vez despertaban a los arrendajos del sotobosque, y éstos a los paujiles de las ceibas, que gritaban a los araguatos dormilones...

Recordó, por último, otro amanecer desde las faldas del volcán Serena, cuando se detuvo a hacer noche en la choza de El Paso, rumbo a la Amazonia, y el sol apareció a cuatro mil metros por debajo, al final de la inmensa llanura de copas de árboles grises en la madrugada. Sus primeros rayos fueron a herir las nieves del volcán y la cumbre de Montaña Clara, y la nieve devolvió la luz como un espejo, iluminando el páramo con la más extraña tonalidad que hubiera visto nunca.

¡Podía ser todo tan distinto...! Fabuloso espectáculo cuando el día llega a la Naturaleza; triste obligación cuando ese día llega a la ciudad.

—Yo no soy, de momento, más que un candidato presidencial... —repitió una vez más—. El partido me ha elegido, pero esa elección presupone —y eso es lo que prometo en mi plataforma electoral— que seguiré la línea política marcada por el presidente Jaén... Y el presidente ha decidido abrir la carretera y atraer al capital extranjero que nos resulta imprescindible a la hora de impulsar nuestro desarrollo... Como comprenderán, no debo enfrentarme a la línea gubernamental y a mi partido... —Hizo una pausa y abrió los brazos en un exagerado ademán de impotencia—: Desgraciadamente... —concluyó— no puedo hacer nada por ustedes.

—Pero el día que asuma el poder... ¿Tomará una decisión?

—No en el primer año, desde luego... Si —como usted presupone— subo al poder... necesitaré ese año para hacerme cargo de problemas que ahora se me escapan en todas sus facetas y estar en condiciones de tomar medidas... Es una servidumbre de los sistemas democráticos... Toda transición exige un freno temporal a la labor gubernamental...

—Para esa fecha, la carretera ya estará concluida...

—Probablemente...

—¿Eso quiere decir...?

—Ya lo dije... Es una cuestión que está totalmente fuera de mi alcance... Se lo advertí a David Guzmán, pero insistió en que les recibiera... Siento decepcionarles... Únicamente el ministro de Transportes, o el presidente, pueden detener esas obras...

—El ministro se ha negado.

—Lo suponía... La solución que ustedes proponen, una carretera por el piedemonte andino, encarece increíblemente las obras... Tengo entendido que viene a costar casi cinco veces más...

—Cuatro...

—¡Imaginen...! El presupuesto subirá a ochocientos millones... No me extraña la negativa del ministro...

—A la larga, el país perderá mucho más...

—Eso es algo que aún no está comprobado... Y aunque así fuera... La misión de un gobernante es procurar el bienestar de su pueblo... Y nuestro pueblo es éste: el de hoy, el de mañana y el de la próxima generación como máximo... Lo que ocurra dentro de cincuenta años no tiene que ser necesariamente nuestra responsabilidad... Quizá para ese tiempo, entre rusos, chinos y norteamericanos, nos hayan hecho saltar por los aires... O quizá la Humanidad se alimente de píldoras y no necesite a la selva y las tribus indígenas... ¿Cree usted que en el año dos mil, cuando vayamos y volvamos de Marte, los yubani podrán seguir reduciendo cabezas? Son un anacronismo, amigo mío. Están fuera de nuestro tiempo y deben desaparecer o transformarse...

—¿Y quién va a ayudarles en esa transformación...? —inquirió, molesto, el padre Carlos—. Todos hablan de que el indio debe evolucionar, que no tiene derecho a permanecer aislado e intocable, pero nadie da un paso por acercarse a ellos, por adaptarlos poco a poco a la civilización. O se les olvida por completo, como a bestias de selva, o se cae sobre ellos, intentando asimilarlos en cuestión de días...

—Ése es un problema sobre el que podríamos estar discutiendo un año, padre... Y nunca nos pondríamos de acuerdo... Creo sinceramente que el indio no tiene futuro, y nunca se conseguirá hacer de él un hombre del siglo XX... Por favor, no me malinterprete... No soy racista. Únicamente práctico... La Humanidad se divide en individuos románticos y en individuos prácticos... Ustedes pertenecen al primer grupo; yo, al segundo... Para ustedes la selva y los yubani son algo hermoso que se debe conservar a toda costa... Para mí, son una carga que no debemos soportar por más tiempo. Los yubani deben convertirse en ciudadanos útiles a la comunidad... Las selvas deben transformarse en campos roturados...

—Pero... —intervino—, ¿y si los yubani no sirven como ciudadanos, ni las selvas como campos de cultivo...? ¿Qué hacemos...? ¿Destruirlos...?

—Las selvas siempre pueden dar madera...

—¿Y cuando hayan dado toda su madera...? ¿Dejaremos que se conviertan en desierto...? Según los científicos, la tercera parte del oxígeno de nuestro planeta proviene de la Amazonia.

—Sí, ya he oído esa teoría... Sin embargo, otros científicos aseguran que es totalmente ridícula; la Amazonia no produce más oxígeno que cualquier otra zona verde de la Tierra... Aún no sabemos lo suficiente sobre eso...

—Pero, sin saberlo, nos arriesgamos... Es

como jugar a la ruleta rusa... Estamos apretando el gatillo sin tener la seguridad de que no hay bala en la recámara... ¿Y si se dispara...? Está comprobado que cuando la Amazonia deje de existir, la temperatura media de la Tierra subirá casi cuatro grados. Como habrá otro aumento de casi dos grados por la excesiva concentración de bióxido de carbono en la atmósfera, tendremos el planeta convertido en un horno...

—Creo, amigo mío, que exagera sus temores... Y aunque fueran ciertos... ¿Cree que está en mi mano resolverlo...?

—Quizá dentro de un año esté en su mano contribuir a resolverlo... Algún Gobierno tiene que dar el primer paso...

—¿Por qué? ¿Imagina que los Gobiernos de todos los países que comparten la cuenca amazónica son idiotas...? Han estudiado los pros y los contras, y han decidido lanzarse a la conquista de sus territorios, conscientes de que es lo mejor para sus intereses nacionales. ¿Pretende que sus técnicos e ingenieros están equivocados o actúan de mala fe...? ¿O es que únicamente usted está en posesión de la verdad...?

Tardó en responder. Por unos instantes se diría que estaba a punto de ponerse en pie, cruzar el gigantesco jardín de la lujosa mansión, atravesar los suntuosos salones e irse al diablo sin despedirse siquiera, pero una mirada del misionero, que pareció leer su pensamiento, lo retuvo en su sitio.

—Desconozco las razones de otros Gobiernos... —replicó al fin—. Probablemente, la mayoría actúa de buena fe, y pretende únicamente mejorar el nivel de vida de sus conciudadanos de la generación actual, como usted dijo. Pero quizá no sea ésa la fórmula mejor para este país...

Analicemos la situación...: La densidad demográfica es pequeña, y no existe una superpoblación que amerite el esfuerzo de intentar acondicionar la Amazonia... Los campos descuidados de la región andina bastarían para absorber más colonos de los que pudieran nacer en treinta años... Ese punto tampoco justifica la apertura de la carretera... Su única razón es —y eso lo reconoció uno de sus ingenieros— que existe cobre en la Sierra de los Loros, y la «Southern Mining Company», quiere llevárselo al Japón, que lo necesita para inundar aún más el mercado de transistores, motos, barcos, televisores, juguetes y otros mil cacharros... En definitiva, enriquecer un poco más a un tal Mr. Galbraith, de Nueva York, y a un par o tres de Masacuchi, Kawanati, o como quiera que se llamen los dueños de la industria nipona...

—¿Y qué tiene de malo que se lleven el cobre? ¿Para qué sirve enterrado en la Sierra de los Loros...?

Quizá para que el día de mañana, cuando este país esté en condiciones de explotarlo por sí mismo, tenga algo más que un agujero en el suelo... ¿O es que no se ha detenido a pensar en la diferencia que existe entre exportar mineral en bruto y exportar hilo de cobre...?

—Nuestra industria no está preparada...

—Ni lo estará nunca por el camino que lleva... Si el Gobierno se negara a exportar mineral, pronto tendría aquí capital dispuesto a montar industrias...

—De todos modos, tendríamos que abrir la carretera...

—Desde luego, pero entonces sus beneficios serían muchísimo mayores, podrían permitirse el lujo de hacerla pasar por el piedemonte, y preservar así sus restantes recursos naturales... En esas selvas hay fortunas en maderas ricas... En cuanto la carretera abra paso a los camiones, los madereros caerán sobre el bosque, y a la vuelta de unos años lo dejarán liso como la palma de la mano. Meterán un tractor por un lado, lo sacarán por otro, y esquilarán el Amazonas como se esquila una oveja...

—¿Por qué no le expone todo eso al presidente...? Al fin y al cabo, es quien decide...

—No ha querido recibirnos... Está preparando su gira por Europa y, según su secretario, no tiene un hueco disponible hasta quince días después de su regreso... Es decir, dentro de tres meses... Demasiado tarde...

—Y si dentro de tres meses les parece demasiado tarde..., ¿cómo esperaban que yo les ayudara, si no puedo hacer nada hasta el año próximo...?

—Usted es amigo íntimo del presidente, y cofundador del partido. Al fin y al cabo, ha de continuar su política el día de mañana... Podría hablarle... Hacerle comprender la magnitud del problema y las dificultades que puede acarrear en un futuro... En una palabra: hacerle recapacitar sobre el tema...

—Está bien... ¡Lo intentaré...! Deje aquí ese estudio —que por cierto, parece hecho por expertos—, y le pediré al presidente Jaén que lo lea durante su viaje... —Hizo un gesto indefinido—. Es todo lo que puedo prometerles...

Cuando la gran reja de hierro se cerró a sus espaldas y se vieron de nuevo en la calle, el cura comentó:

—El mismo ruido debió de hacer la puerta de Poncio Pilatos.

—¡Hola!

—Hola...

—Vengo a recoger mis libros...

Señaló un cajón perfectamente embalado.

—Ahí los tienes... ¿Ya regresas...?

—Esta tarde...

—¿Conseguiste algo...?

—Lo que suponía... Nadie escucha...

—¿Y ahora?

—¿Quién sabe...? Tendré que buscar otro rincón... Si los yubani inician la guerra, aquél no será buen sitio...

—¿Cómo pueden ser tan ciegos...? ¿Realmente nadie te ha hecho caso...?

—Únicamente David Guzmán... El ministro de Turismo... Pero no puede presionar mucho... —Hizo una pausa—. Lamento lo de la otra noche... Estuve grosero, y no te lo mereces...

—No tiene importancia... —sonrió tristemente—. Y sí lo merezco... Me comporté como una estúpida, y tenías razón...: No tengo derecho a exigir nada, y ya empezaba a hacerlo.

—¿Te vendrías conmigo...?

—¿A la selva...? No... Soy demasiado cobarde... —dejó los lentes sobre el mostrador y se frotó los ojos con gesto de fatiga. Parecía mayor que nunca, más agotada, más vencida—. No es que me asusten los indios, las serpientes o las arañas... No es eso. Es la lejanía; la soledad; el desamparo... Tengo la impresión de que irme, sería como enterrarme en vida; como desaparecer para siempre de la faz del mundo... Y tengo a mis hijos... Mi casa... La librería...

—Tus hijos están lejos... La casa puedes alquilarla... La librería, venderla...

—Lo sé... Pero no es eso lo que me ata aquí... No es nada grande. Ni aun pequeño... Es el temor a lo desconocido; a no saber defenderme en aquel mundo. Creo que a la mayoría de la gente le pasaría lo mismo... Por un lado siento deseos de abandonarlo todo, y estoy segura de que allí, contigo, sería mucho más feliz... Pero, por otro lado, carezco de corazón suficiente para hacerlo...

—Lo lamento...

—Yo también... Sé que me arrepentiré siempre... Mi futuro es consumirme entre estos libros, y ver pasar los años con menos ilusión cada día... Me iré enterrando en vida entre autores famosos y relatos de lugares de ensueño, pero nunca podré hacer nada por alcanzarlos... ¡Tal vez si hubiera nacido hombre...!

—No es cuestión de sexo. Es cuestión de decidirse. Tampoco importa la edad, ni el dinero, ni el país en que se vive... Por fortuna, cada día son más los que se deciden... Es una de las cosas buenas que tienen las nuevas generaciones... ¡Fíjate en ellos! Cuanto más jóvenes, menos apego sienten por las cosas, las personas, e incluso los lugares. Nuestros abuelos eran capaces de vivir en la misma casa desde que nacían hasta el día de su muerte. Y trabajaban cincuenta años en la misma empresa... Incluso los de mi edad sufren aún esa extraña fobia a moverse, mudar de casa, cambiar de ciudad... Pero la juventud de hoy, no. La juventud es dinámica, vivaz, y no se ata a nada. Si un trabajo no le gusta, lo deja y busca otro... Si una ciudad le cansa, vende lo que tiene y se larga, aunque sepa que va a pasar una mala temporada hasta adaptarse a otra ciudad u otro país... Incluso a otro continente... Y a los pocos años, se mudan nuevamente... Ya no respetan las tradiciones, ni las viejas ligaduras... No respetan siquiera el concepto de patria y nacionalidad... Para ellos, el extranjero no es el lugar misterioso en el que se habla otro idioma y se practican extrañas costumbres que atemorizaba a nuestros antepasados... Ahora el extranjero es un mundo que vale la pena conocer, y donde, quizá, se vive mejor que en casa... —Hizo una pausa y agitó la cabeza convencido—. ¡Y eso es una gran cosa, te lo aseguro...! Saber vivir así, sin dejarse aferrar por nada, pendiente tan sólo de buscar la propia felicidad, es lo más grande que ha hecho la Humanidad desde que está sobre la Tierra...

—Creí que estabas contra todo lo moderno... Contra lo que es la gente hoy y su concepto del «Progreso»...

—En absoluto... El concepto de progreso no es de la gente de hoy, sino de los que aún tienen mentalidad de ayer... De hace veinte o treinta años... La verdadera juventud; la que está formándose, se caga en el progreso, te lo aseguro... Lo aceptan, y aprovechan lo que trae de bueno, pero no se dejan deslumbrar por él, como ocurrió con nuestra generación... Ya no es palabra mágica. La técnica les ha dado tanto, que les importa poco cuánto más dé.

—¡Nunca te hubiera supuesto esa confianza en los jóvenes...!

—¿Por qué no...? ¿No tienes ojos en la

cara...? ¿O es que piensas que únicamente son jóvenes los que se drogan...? Mira a un Inti Ávila y su esposa... Te hablé de ellos... Son jóvenes, hermosos e inteligentes... Y andan por el mundo libres, con un par de pantalones viejos, dos camisas, una máquina fotográfica y un libro de apuntes... Hoy viven en la selva; mañana, en una isla estudiando a las focas pasado, en el corazón de Londres... Les interesa el mundo que sus padres quieren destruir; el de las selvas y bosques; y no les interesa en absoluto el que sus padres les quieren dar: el de la tecnología llevada a sus últimas consecuencias...

—No es más que una reacción lógica; antagonismo entre generaciones...

—Pues bendito sea ese antagonismo si nos lleva a gentes más sanas mentalmente... —señaló con un amplio gesto los estantes repletos de libros, y el que ella estaba leyendo en particular—. Tú estás aquí encerrada, metida en tu mundo, y no te preocupa salir fuera, a mirar a la gente... En estos días he podido darme cuenta de una cosa...: Hay más Inti Ávilas de lo que yo creía, y hay más muchachas hermosas en pantalones vaqueros, sentadas en el sillín posterior de una moto, que en el asiento de un carro de lujo... En mis tiempos, no era así... En mis tiempos, las muchachas hermosas aspiraban a trajes de lujo, clubs nocturnos, restaurantes caros y pasear en automóviles último modelo, aunque fuera acompañadas por un viejo o un imbécil... Ahora las noto más libres; más desprendidas; más auténticas...

—Quizá sea una consecuencia de la revolución sexual... Salir con un chico, significa acostarse con él... Por eso es preferible escoger a un muchacho que realmente agrade aunque no tenga más que una simple moto... Los mejores ratos se pasan en la cama... Antes eso no ocurría y los mejores ratos se pasaban en los restaurantes, los clubs y los autos de lujo. El acompañante importaba menos...

—No se me había ocurrido, pero tal vez sea la respuesta... Eso significaría que la revolución sexual no sólo trae menos hipocresía en las relaciones físicas, sino, también, en las relaciones sociales...—levantó en peso el cajón y se encaminó a la puerta—. Quizás aún podamos tener esperanzas en un mundo que cambia de ese modo...

¿Te vas ya...?

—No quiero hacerte perder tiempo... —dejó el cajón junto a la puerta—. ¿Podrías pedir un taxi...?

—¿A qué hora sale tu avión...?

—A las tres...

Ella consultó el reloj. Luego le miró fijamente a los ojos:

—¿Te gustaría ir a casa...?

—¿Ahora...? —señaló cuanto le rodeaba—. ¿Y la librería...?

—¡Oh! Al diablo la librería... Por un día que no venda libros, el mundo no va a ser más bruto...

* * *

Aún notaba en su cuerpo el olor a pefume femenino cuando a un lado quedó el cono del volcán Serena, al otro, las nieves de Montaña Clara, y allá delante apareció de nuevo la monotonía sin límites del verdor amazónico.

El padre Carlos cerró su breviario y se volvió a mirarle:

—¿Qué has sacado en limpio...? —inquirió.

Se encogió de hombros y continuó observando los movimientos de un rebaño de ovejas que atravesaba El Paso, justo a espaldas del refugio donde durmiera una noche, años atrás. Si no tuviera prisa por regresar a su cabaña y a su selva, le hubiera gustado andar nuevamente aquel camino; trepar desde la costa hasta las cumbres y llenarse los ojos con el paisaje que cambiaba a medida que iba ascendiendo por las faldas de Los Andes. Le gustaba la grave serenidad de los fríos páramos, ya sobre los cuatro mil metros, tierra de matojos bajos, de colores pardos, de viento helado, aire enrarecido y silencio infinito...

Se volvió al cura.

—¿En limpio...? Lo que ya sabía. Que la Humanidad es estúpida y no se merece el lugar que habita...

—Para saber eso no necesitábamos viajar tanto... Con respecto a ti... ¿Qué harás...?

—Nada... Seguiré en mi laguna hasta que llegue un tractor y me tire abajo la cabaña... Entonces meteré todo lo oue tengo en mi cayuco y me adentraré por esos ríos de Dios, hasta encontrar otro lugar en que quedarme... Mire esas selvas... ¡Kilómetros y kilómetros...! No acabarán con ella antes de que muera, y como nunca tuve hijos, me importa un bledo lo que pueda ocurrirle a las generaciones venideras...

—Creí que te preocupaba el futuro de los yubani... Y el futuro de esos bosques... ¿No vas a hacer nada?

—¿Qué quiere que haga...? ¡Ya los ha visto y los ha oído...! No se puede luchar con ellos... ¡Son tan estúpidos...! Sería como querer explicarle un Picasso a un ciego, o la *Octava Sinfonía* a un sordo... ¡No hay nada que hacer...!

—No estoy de acuerdo... Creo que sí hay mucho que hacer... —dijo el cura—. Pero si nosotros; los que nos hemos dado cuenta del problema, nos lavamos las manos, el mundo se irá al traste sin remedio...

—¿Qué propone para evitarlo...?

—Aún no lo sé... Pero algo... Las carreteras las fábricas, las vallas anunciadoras y las cloacas no tienen derecho a invadirlo todo. Deben existir lugares que les estén prohibidos para siempre... Si la especie humana se divide entre los que aman el progreso y el dinero con todas sus pestilencias y los que aman la Naturaleza y la libertad con todas sus incomodidades, me parece justo que el planeta se divida también en dos partes... Del mismo modo que no nos dejarían plantar una selva en el corazón de Nueva York, no debemos permitir que Nueva York venga a meter sus fábricas y su porquería en nuestras selvas...

—Hasta ahí estamos de acuerdo... ¿Pero cómo lo impedimos...?

—De eso se trata: de buscar una fórmula... He estado meditando en ello... Pese a lo que creía en un principio, no son en absoluto problemas aislados y sin conexión entre sí. La independencia de los yubani, la preservación de la Amazonia, tu necesidad de libertad, la búsqueda de Inti Ávila, la oposición a su partido de David Guzmán... Todo es, en realidad, un único problema: La rebelión de la especie húmana. Rebelión de nuestra naturaleza por la forma de vida que nos obligan a llevar; y rebelión de nuestros instintos, que pugnan por regresar a una más íntima comunión con la Tierra... ¿Quieres saber una cosa...? Si emprendemos la lucha, tendremos muchos...

¡muchísimos más partidarios de lo que pudieras imaginar!

—¿Una lucha a favor de los yubani...? ¿O de la Amazonia...? Eso es algo muy remoto para la mayoría de la gente...

—La Amazonia y los yubani, quizá sí... Pero el principio por el que debemos luchar, probablemente no... Y ese principio está claro: El derecho de los seres humanos a que se respete el mundo que heredaron de sus padres. Algo tan antiguo como el hombre... «Bienaventurados los mansos, porque ellos recibirán la tierra por heredad...» San Mateo, capítulo quinto, versículo quinto... Pero al paso que vamos, la tierra que hereden los mansos no será más que una inmensa cloaca... Ya va siendo hora de que los mansos dejen de serlo y defiendan su herencia...

—¿Qué diría monseñor si le oyera hablar de ese modo...?

—Estaría de acuerdo... Él también es vasco y también es misionero... ¿O es que crees que por el hecho de vestir una sotana, hemos perdido nuestro empuje...? Cuando abandoné San Sebastián sabía que tendría que enfrentarme a muchos peligros y dificultades en la selva... Bien: el mayor peligro es quedarme sin selva; la mayor dificultad, tratar de conservarla como la encontré... No me asusta la lucha...

—¿Y qué quiere hacer...? ¿Agarrar un fusil y ponerse a matar obreros de la carretera...?

—No. Pero sé lo que no voy a hacer... ¡regresar a la Misión y quedarme con los brazos cruzados!

—¿Piensa ponerse a gritar...?

—Exactamente... Tan alto, que alguien me oiga...

—La Misión está lejos...

—Dios está cerca…

—Oh, padre… Dejemos a Dios fuera de esto… ¿Quiere? ¿Cómo pretende convencerme de que hay que hacer algo, e inmediatamente hablarme de Dios como defensa…? ¿Luchamos o rezamos…?

—¿Creía que no querías hacer nada…?

—Y no quiero… Pero supongamos que logra convencerme… Supongamos que decido que ha llegado la hora de que los mansos defendamos nuestra heredad… ¿Continuamos siendo mansos, volviéndonos hacia Dios y dejando que nos jodan, o plantamos cara y jodemos nosotros…?

—Soy un misionero; un siervo de Dios… Hay cosas que no me están permitidas, ni aun para defender su Obra…

—Ése es uno de los grandes errores de la Religión, padre… Y concretamente, de la Iglesia Católica… Para ustedes, la Obra de Dios se ha limitado, casi exclusivamente, al ser humano… ¿Qué piensan responder cuando les pida cuentas sobre el mundo que les dejó en custodia…? ¿Podrán devolverle una tierra arrasada y hedionda y decirle…: «Esto es, Señor, cuanto queda de aquella maravilla que Tú realizaste en siete días de inspiración y mil millones de años de evolución…»?

Una azafata pasó ofreciendo caramelos y anunciando que aterrizarían en diez minutos. El cura desenvolvió su caramelo, lo observó goloso y se lo metió en la boca con innegable placer. Le dio varias vueltas antes de colocárselo en un carrillo y responder con voz un tanto ahogada:

—Quizá tengas razón… —admitió—. Quizá sea el momento de aceptar que el ser humano no es la única criatura de Dios digna de ser salvada, y la tierra es algo más que una sala de espera para los que han de resucitar con el Juicio Final…

Pero pertenezco a la Iglesia, y si he de emprender una lucha, tengo que saber qué clase de lucha es... Me enseñaron que todas las selvas de este mundo no valen lo que la vida de un ser humano...

—Otro error de la Iglesia... Hay seres humanos cuya vida no vale ni una mata de coco... Y recuerde que los yubani también son criaturas de Dios, y en este caso, son sus vidas las que están en peligro... La pregunta es... ¿Vale tanto un yubani como un obrero de la carretera...? ¿O como un soldado? ¿O como un ingeniero...?

—A los ojos de Dios, sí, naturalmente...

—Entonces, si abrir la carretera pone en peligro la vida de los yubani, lo justo es impedir que lo hagan, aunque cueste la vida a los obreros... ¿No le parece...?

El padre Carlos agitó la cabeza, preocupado. Luego se encogió de hombros, indeciso:

—¡Hombre...! —protestó—. No es tan fácil... No se trata de llegar a una lucha armada...

—¿Y qué otro camino han dejado...? ¿Qué quiere que le diga a Kano y sus guerreros...? ¿Que el padre Carlos se va a poner a gritar en su Misión para que Dios le oiga e impida la destrucción de los yubani...?

—No, claro...

—¿Entonces...? ¡Seamos prácticos...! No quedan más que dos soluciones: o encogernos de hombros —que es mi idea— y dejar que ocurra lo que ocurra... o ponerse del lado yubani, y echar a patadas a esa gente...

—¿Es que no hay un medio que no sea la guerra?

—¡Pero, bueno, padre...! —parecía haberse puesto súbitamente de mal humor—. ¿Es que conoce otra razón que la gente comprenda...? ¿Hablar? Ya hemos hablado... ¿Rogar? Ya hemos rogado... ¿Advertir? Ya hemos advertido... ¿Rezar? Ya usted ha rezado... ¿Qué diablos quiere...?

—Paz.

—¡Paz...! —exclamó—. ¡Vaya! ¿Sabe una cosa? Siempre me pareció que san Gabriel perdía su tiempo... ¿Cómo se le ocurre bajar y decir: «Paz a los hombres de buena voluntad...»? Los hombres de buena voluntad ya desean la paz por sí mismos... —guardó silencio unos instantes como rememorando algo, y sonrió débilmente—. Recuerdo que, de niño, me aprendí de memoria el discurso del gran Arapooish, jefe de la tribu de los crow... Tendría unos quince años cuando lo leí, era un muchacho romántico, y me pareció la más bella declaración de amor que pudiera existir... —fijó los ojos en el techo del avión, arrugó el entrecejo haciendo memoria, y recitó con voz monótona...: «La tierra de los crow está justo en el lugar apropiado... tiene montañas nevadas y valles soleados; toda clase de climas y buenas cosechas. Cuando el verano quema las praderas, hay refugio en el aire limpio, al pie de las montañas, con ríos cristalinos y nueva hierba. Y en el otoño, cuando están gordos los caballos, podemos bajar al valle, a cazar bisontes y castores. Para el invierno tenemos protección en los bosques profundos, o en el valle del Río del Viento, donde la hierba abunda... El país de los crow está justo en el lugar apropiado... No hay país como el país de los crow.»

—Es hermoso...

—Lo más hermoso que hombre alguno haya dicho jamás sobre su patria... Pero ya del país de los crow no queda nada... Sus bosques se talaron para enriquecer a unos pocos; sus bisontes se aniquilaron; sus pastizales se convirtieron en desierto... Ya no hay país de los crow. —Hizo una pausa—. Tampoco hay crows...

—Probablemente, dentro de unos años, dirán... «Ya no hay selva de los yubani... Tampoco hay yubanis...»

—Probablemente... ¿Pero sabe una cosa, padre...? Pese a todo mi pesimismo... Pese a mi desconfianza, en lo más íntimo de mi ser, queda la esperanza de que un día la especie humana salga de su amnesia y pregunte...: ¿Dónde está la tierra que habrá de alimentar a los hijos de nuestros hijos...? —chasqueó la lengua y agitó la cabeza—. ¡Valdrá la pena vivir ese día...!

Remó sin esfuerzo, aguas abajo por el caudaloso San Pedro, preocupado tan sólo por esquivar con un golpe de canalete los maderos flotan-
tes o los árboles derribados por recientes tormentas.

Remó fatigosamente, aguas arriba, por el negro afluente, a la sombra de los caobos y las ceibas, buscando apoyo en ramas y enredaderas.

Cenó en la playa de arena, allí donde descubrió huellas frescas de tortuga que le ofreciera el
regalo de tortillas gigantes.

Durmió colgando el chinchorro entre dos troncos de palmera, protegido por el leve y remendado mosquitero, sin más techo que un cielo sin nubes y sin más paredes que el río a un lado y la
selva a otro.

Despertó con el rugido del jaguar merodeando
en las proximidades; tal vez molesto por la presencia del hombre, tal vez en celo, tal vez hambriento.

Despertó con las primeras luces, y remó de
nuevo, esquivando los enormes nenúfares, bajo
el calor del mediodía del pantano, y por las anchas lagunas, levantando a su paso bandadas de
garzas y garzones.

Remó al fin, por el caño casi inmóvil, ansioso

por distinguir el techo de su cabaña, oler su fuego, dormir en su catre, ver a Piá...

Pero el techo se había hundido con la lluvia, el fuego no ardía, el catre estaba húmedo y Piá no aparecía.

Reparó a medias el techo, encendió fuego, tendió el chinchorro, cenó poco, durmió mal.

Con la primera luz, ya estaba Kano bajo el árbol, esperando paciente, sobando una y otra vez su resobada cerbatana.

—¿Dónde está Piá?

—Aún no se ha ido...

El corazón le dio un vuelco. Para un indio, «Aún no se ha ido», significa que todavía no ha muerto.

—¿Qué le ocurre...?

El salvaje se encogió de hombros con gesto fatalista:

—Le atacó el «taré» de las tripas... No hay «Intié» contra el «taré» de las tripas...

Corrió como nunca había corrido.

Piá sudaba y gemía en la más apartada de las cabañas del poblado. Un curaca y cuatro mujeres la rodeaban salmodiando conjuros, pero en sus rostros se reflejaba ya el cansancio, y en el tono de sus voces, el convencimiento de que sus esfuerzos resultaban inútiles.

Se inclinó junto a ella, que abrió los ojos y murmuró algo. Una mujer le ofreció agua en una calabaza, de la que bebió ávidamente.

La notó más desnuda que nunca, más niña, más indefensa. Había enflaquecido, y tan sólo su estómago aparecía duro y tenso frente a la laxitud de sus miembros.

Bajó con cuidado la mano y palpó la ingle. La muchacha dejó escapar un grito, y el curaca hizo un gesto negativo con la cabeza.

Salió de la choza. José Correcaminos estaba junto a Kano, aguardando:

—¿Qué dijeron los blancos? —inquirió.

Se limitó a señalar hacia dentro:

—Parece apendicitis... —señaló—. Si se queda, morirá... Si la llevo a la Misión puede salvarse... Los misioneros tienen un médico...

El indio no le prestó atención...

—¿Qué le dijeron los blancos...? —insistió.

—¡Oh! —se enfureció—. ¿Qué importa ahora...? Piá va a morir... Hay que hacer algo...

—Es sólo una mujer... —replicó Kano—. Te daré otra.

—No quiero otra... Quiero que Piá viva... ¿Es que no te importa?

El indígena pareció sorprendido. Miró a Correcaminos como si no hubiera entendido bien, y repitió:

—No es más que una mujer...

—¿Qué dijeron los blancos...?

—¡Al infierno con los blancos...! Dijeron que no hay tratado... que no se van... Construirán la carretera por aquí; por el centro del poblado... ¿Está claro...? Os echarán de vuestras tierras... Os mandarán a vivir con los huangas, y esto se lo darán a los garimpeiros... ¿Estás contento...? ¡Bien...! Ahora me llevo a Piá... —Se volvió a Kano—. ¿Puedo llevármela...?

—Es tuya... —respondió el indígena con naturalidad, y dando media vuelta se encaminó con José Correcaminos hacia la cabaña grande.

Los observó unos instantes y regresó a la choza. Descolgó de una viga la vieja sábana, cubrió a la muchacha y alzó en vilo el liviano cuerpo.

El curaca y las mujeres le observaron en silencio. Cuando salió con su carga y se alejó, dejaron de salmodiar y regresaron a sus ocupaciones, dando por concluida la cuestión.

Fue una dura caminata abriéndose camino por el estrecho sendero, tropezando con raíces que no alcanzaba a ver, imposibilitado de apartar las zarzas, lianas y enredaderas que intentaban herirle el rostro y se prendían en los cabellos de la muchacha.

Piá seguía gimiendo, y a cada tropezón sus quejas ganaban en intensidad, para convertirse luego en un apagado murmullo, hasta que cayó, por fin, en un sopor tranquilo.

Al llegar a la cabaña la depositó en el chinchorro mientras acondicionaba la frágil curiara con mantas y su única almohada. Luego, casi sin tomar aliento tras la larga caminata, saltó a popa, empuñó el canalete y reemprendió el camino, caño adelante, laguna adentro, pantano a través, afluente abajo.

Ya no había paisaje, ni orquídeas, garzas, caimanes o nenúfares. Ya no había chiguires, dantas, ni nubes blancas en un cielo añil... No había más que agua, y agua, y agua, que se diría infinita ante la proa del cayuco, bajo la presión del remo, junto a la mano de Piá que colgaba fuera de la borda.

Le detuvieron, al fin, la noche y las chorreras que no pudo cruzar a oscuras con la embarcación sobrecargada. Atracó en la orilla y encendió fuego sin mover a la enferma de su lecho. Cenó poco y mal, apoyó la espalda en la borda y se volvió a observarla.

Su color era ya de un gris ceniciento, y su vientre aparecía hinchado, liso y tirante. Se movió inquieta, abrió los ojos, miró sin ver las llamas y gimió quedamente.

—Duerme, duerme, pequeña... —susurró

como si le entendiera—. Duerme tranquila, que mañana remaré todo el día y remaré también aunque llegue la noche, y con el amanecer estaremos en el Yari, y allí los curas te pondrán buena pronto... —le acarició la mano que pendía a su lado—. No te harán daño, no temas. —Recostó la cabeza en la borda y contempló las estrellas; su voz se quebró ligeramente—. No quiero que me dejes... Eres todo lo que tengo... Tan desnuda, y tan callada; tan tímida y tan simple... A veces la soledad se hacía muy pesada, y me ayudabas a llevarla, como me ayudó, de niño, *Tom-Tom*... La gente se burla de esos viejos que llevan flores a sus perros y los recuerdan durante años, pero yo también le llevé flores a *Tom-Tom,* y lloré en su tumba... ¡Se queda el mundo tan vacío cuando un buen perro muere...! Tenía doce años, y lo enterré en el parque, en lo más espeso del boscaje, donde jugábamos a perseguir ardillas... Le gustaba aquel sitio... Era como estas selvas, alto y callado, frondoso y oscuro... Lo enterré, me eché sobre su tumba, a contemplar las nubes que pasaban, grises y sucias, y me dije que algún día mis nubes serían blancas... Me sigue faltando *Tom-Tom*... Necesitamos que nos quieran sin pedir nada a cambio... Que nos acompañen, sin tener que hacer compañía... Que nos escuchen sin tener que escuchar...

Quedó en silencio evocando la soledad de su niñez sin alegría, cuando vagaba en procura del sol y del parque, sin desear la compañía de otros niños, cuyos juegos no entendía. Recordó luego su soledad de muchacho, abandonado en un rincón de la gran biblioteca pública, leyendo a Stevenson y Melville, soñando con *Moby Dick,* o *Las Islas Encantadas.* Pensó luego en Lola, y en su soledad de hombre, encerrado en su minúscula oficina, rellenando memorándums y oficios, aproximándose en el mediodía a la ventana para entrever el rayo de sol que a veces iluminaba la pared de enfrente. Y su soledad de esposo... La más terrible, la más absurda y dolorosa, porque fue una soledad compartida en la que ni uno ni otro tenían nada que decirse... Odiaba el trabajo, pero odiaba también la hora de regresar a casa, sentarse a la mesa, cenar en silencio y contemplar durante horas la televisión hasta quedar dormido frente al aparato. Podían pasar días sin cruzar palabra, hundidos cada cual en sus ideas; ideas que no eran más que frustraciones, deseos de escapar de aquel mar muerto, pero carentes de voluntad para romper, al fin, el círculo vicioso.

Y llegó por último su angustiosa soledad frente a la guerra y la muerte; frente a rostros de niños hambrientos, viejos derrotados, hombres moribundos y mujeres acabadas...

Y no fue aquélla la soledad del guerrero victorioso, ni aun del vencido, porque jamás fue ni una cosa ni otra... Era la soledad del desplazado que ignora su lugar en el juego, mira a su alrededor y se pregunta quién es, y quiénes son los que le rodean...

—Lo cierto es que nunca llegué a entender mi papel en la vida —comentó en voz alta, como si Piá le estuviera escuchando—. Y tardé en descubrir que en realidad no me habían dado papel alguno. Contra lo que creía en un principio, no venimos al mundo con una finalidad determinada... Somos meros comparsas, eso es todo... Comparsas de una gran tragedia que se improvisa cada día, y que cada día acaba mal... No hay nadie que dirija la función... Nunca lo ha habido, y lo más triste, es que tampoco hay nadie que la vea...

Actores ante una sala vacía, sin libreto, ni director... Unos pocos que se apoderan del centro del escenario y pretenden marcar al resto el compás de su propia concepción de la obra... Aun así, cada noche mil millones de seres se preguntan la razón de su vida, incapaces de admitir que no existe razón para su muerte...

La miró fijamente. El fuego marcaba en su rostro gris extrañas sombras.

El «Taré» de la muerte pasó remando en su largo cayuco, río abajo, y se la llevó consigo, pero el «Intié» del fuego la había acompañado hasta el último instante, y el espíritu de Piá no vagaría para siempre por las noches frías y las aguas profundas. Como mujer yubani no tenía derecho a un alma, pero fuera lo que fuera que alimentó la vida en su cuerpo, descansaría en paz para siempre, disfrutando del calor del día; de la luz del sol; de la alegría de los colores.

La cubrió con la vieja sábana y evocó el día en que por primera vez la vio acuclillada a la sombra del árbol, y aquel otro en que la deseó sobre todas las cosas.

El jaguar rugió más de cerca que nunca. El olor de la muerte se extendía aprisa por la selva, se filtraba entre las hojas, impregnaba los árboles, subía hasta las más altas copas y llegaba a las más profundas raíces... Y en su camino iba llamando a las fieras y los insectos; al ocelote, el jaguar, la hormiga o el moscón, invitando al festín que aguardaba; al cuerpo joven de mujer-niña que yacía en el interior de la curiara, a la orilla del río, junto al fuego.

Veló toda la noche, repasando los caminos que le habían llevado hasta la margen de un triste afluente del San Pedro, afluente a su vez del Amazonas, junto a una hoguera que luchaba por extinguirse, y una yubani que «ya se había ido».

—El día que yo «también me vaya —se dijo— no habrá nadie que aleje los jaguares, que encienda el fuego para espantar al "Taré" de las sombras; que se sienta más solo que cuando yo aún estaba».

Sintió compasión de sí mismo ante su propia muerte en solitario. Trató de verse tumbado en la cabaña, cara al techo, aguardando la llegada del jaguar, o de un ejército de hormigas *saca-saiya,* de las que avanzan arrasándolo todo. Recordaba el estado en que quedaron sus pantalones una noche que los dejó en el suelo y pasó por la cabaña una avanzadilla de las *saca-saiya.* En cada punto en que había existido una mancha de grasa, no quedaba más que un agujero limpio, y limpia estaba de cucarachas, gusanos, ratones y comida la vivienda, pues no existía bestia pequeña, ni rincón, que las hormigas no limpiaran.

Su destino era acabar de una fiebre palúdica, víctima de uno de los mil millones de anofeles que revoloteaban por la Amazonia, para ser consumido luego por jaguares y hormigas, y pasar de ese modo a formar parte de la selva; una selva que era máquina incansable de creación y destrucción, y donde nadie estaba a salvo de su depredador.

Tenían razón los yubani al reducir su mundo a «Tarés» e «Intiés», porque en la jungla todo se limita a comer y ser comido; jugar el papel de «Taré» a veces, de «Intié» otras, eslabón más de una cadena interminable que se inicia en la larva, crece hasta la mayor de las ceibas, y vuelve de nuevo a la larva, pasando por trescientas mil especies vegetales, y cincuenta mil mariposas diferentes...

El ser humano no era más que un número en

aquella inmensidad, y sin embargo, pretendía arrogarse el derecho de destruirla, acabar con plantas y animales que habían perdurado por millones de años.

Volvió la vista a su alrededor; a las sombras de los inmensos troncos, las aguas del río, el techo de hojas y la tierra, húmeda y fangosa.

—¿Te dejarás vencer? —inquirió—. ¿Permitirás que vengan con sus hachas, sus sierras y sus tractores y te conviertan en desierto? Son como un ejercito de *saca-saiya* comiéndose las manchas de grasa de los pantalones, los gusanos, y las cucarachas, pero ahora están hambrientas y se atreven contigo. ¿Me oyes...? Se atreven con el gran Amazonas... ¿Dejarás que te venzan...?

Buscó una islilla en el centro de la corriente, cavó una fosa profunda sin más ayuda que su machete, depositó el cadáver de la india y lo cubrió con tierra y gruesos cayados que trajo de la orilla, para impedir que caimanes o jaguares devoraran los restos de Piá.

Navegó luego despacio, rumbo a casa, y al llegar se tumbó en el chinchorro y se bebió de un golpe la única botella de whisky que había traído de Santa Cruz.

Se emborrachó hasta sentir que se moría, y cantó, lloró e insultó al mundo y sus habitantes, para lanzarse luego de cabeza a la laguna, y nadar aguas adentro sin importarle los caimanes, pirañas o anacondas, que no parecieron interesarse en su presencia.

Trepó al manglar en que buscó refugio una mañana, y se preguntó si no hubiera sido mejor poseerla aquel día; olvidarse de todas sus creencias, tratar de ser como eran la mayoría de los hombres.

—Hay que tomar las cosas como vienen... Y apoderarse de ellas cuando vienen... Ésa es la regla, y yo nunca la sigo... Siempre busco algo más; siempre pretendo ir más allá, sin pensar que no hay nunca más allá... Acabaré podrido por las niguas; las amebas me reventarán el hígado; las moscas verdes me llenarán de larvas el cuero cabelludo, o la lepra me roerá la cara, pero yo seguiré aquí dentro, escondido entre estos árboles, porque nunca seré capaz de aceptar las cosas... Ya es demasiado tarde, y no vale la pena arrepentirse. Está muerta, y no queda más que olvidar. Será como si nunca hubiera existido...

Al día siguiente, cuando se le pasó la borrachera, reanudó su vida en solitario; su pescar en la laguna, cazar mariposas y practicar con la cerbatana que le vendiera Kano.

Un atardecer, el eco de un trueno lejano llegó volando sobre las copas de los árboles bajo un cielo azul sin una nube. A ese trueno sucedió otro, y un tercero, y luego cinco o seis en rápida sucesión.

Eran disparos, y venían del Nordeste, del cauce medio del Napuari, empujados por una suave brisa que no encontraba obstáculos en la inmensidad de la llanura.

Durmió intranquilo, y con el amanecer se puso en marcha en procura de Kano, dispuesto a pedirle que le acompañara a averiguar el porqué del tiroteo.

Desde la orilla del pantano le sorprendió la actividad del poblado, y advirtió que la tribu se encontraba reunida en torno a la pequeña plazoleta que formaban las chozas grandes, junto al agua.

Cuando llegó hasta ellos, guerreros, niños y mujeres abrieron paso en silencio, sin apartar su vista del interior del círculo. Tuvo que hacer un esfuerzo para no gritar y salir huyendo. Desde lo alto de un tarugo, dos garimpeiros: el negro Rafaelo, y el llamado Lucas, le observaban con los ojos muy abiertos; ojos que reflejaban aún el espanto de la muerte.

Buscó a su alrededor. Los cuerpos no aparecían por parte alguna, y de las cercenadas cabezas aún escurría un hilillo de sangre que empapaba la madera y resbalaba hasta el suelo.

Se apartó asqueado. José Correcaminos llegó a su lado:

—Invadieron nuestro territorio —se disculpó—. Y cuando descubrieron a nuestros guerreros, comenzaron a disparar sus armas...

Asintió en silencio. Se apoyó en el árbol con un gesto hacia los macabros despojos:

—¿Era necesario...?

—Es una vieja costumbre de guerra... Y ahora estamos en guerra... ¿O no...?

—No lo sé... ¿Lo están?

—Los blancos la quieren... Por cincuenta años, los yubani no han reducido cabezas... El rito está casi olvidado, y tan sólo Xudura, el más viejo de los brujos, jura recordarlo.

—¿Van a reducir esas cabezas...? —inquirió, horrorizado—. ¿Convertirán a esos desgraciados en «tzanzas», para que los blancos tengan razón al decir que los yubani son bestias que no merecen respeto...?

—Los blancos no respetan a las bestias, pero tampoco respetan a los «civilizados». Yo lo sé y tú lo sabes... No respetan más que a quien se hace respetar, y el lenguaje de la «tzanza» es algo que entienden... Cuando lleves esas dos cabezas reducidas, el miedo les hará reflexionar...

Contempló al indio con asombro. Fue a decir algo, pero su desconcierto se lo impidió. Por último, con un esfuerzo, repitió:

—¿Cuando lleve...? ¿Quién lo ha dicho...? Yo no voy a llevar nada a nadie... Y menos esos despojos... ¿Es que se han vuelto locos...?

—No. No nos hemos vuelto locos... Queremos

que los blancos reflexionen... Te enviamos como
mensajero de paz, y no te escucharon... Ahora
volverás con esta advertencia: «Todo el que pise
territorio yubani, tendrá el mismo fin que esos
garimpeiros...» Eso aterrorizará a muchos... Hay
blancos que no temen a la muerte, pero todos temen verse convertido en «tzanza».

—No lo haré... ¡Está claro! No lo haré... No
iré por el mundo como repartidor de cabezas reducidas... Me cansé de hacer de embajador de los
yubani...

—No te permitirán negarte... —respondió suavemente José Correcaminos. La mitad de mi
vida ha transcurrido entre los blancos; la otra mitad, con mi gente... Sé que no puedes quedar al
margen. Si hay guerra, tienes que estar con unos
o con otros... O eres aliado de los yubani, o eres
amigo de los blancos, y en ese caso serían tres las
«tzanzas»...

—¿Me estás amenazando...?

—Yo no... Pero conozco a mi pueblo... Los
guerreros querrán saber dónde estás..., de qué
lado... Como tú dices, son salvajes; no admiten
más que el sí y el no...

—¿No pueden entender que prefiero ser neu-
tral...?

—No. No lo entienden... Si vives en tierra yubani, en amistad con los yubani y casado con una
yubani, no puedes permanecer al margen...

—Piá murió.

—Lo sé... Nadie se salva del «Taré» de las
tripas...

—Podía haberse salvado... Llevándola a tiempo a la Misión, aún estaría con vida...

—Quizá... Pero no es hora de hablar de las
ventajas de los blancos. Lo que dan, no compen-

sa lo que exigen... Debes decidirte... ¿Estás con los yubani o contra los yubani...?

—Debo pensarlo...

—Quédate y piénsalo... —señaló hacia cuatro guerreros que salían de la cabaña grande, detrás de un viejo encorvado y cubierto de amuletos—. Mientras lo piensas, verás algo que pocos blancos han visto: reducir cabezas...

—¿Van a hacerlo ya...?

—Ahora empiezan... El viejo es Xudura, el brujo; el único que conoce las fórmulas mágicas... Los otros son sus ayudantes; los que mataron a los garimpeiros... Kano está entre ellos... Han pasado la noche en ayuno y meditación, encerrados en la cabaña, y no comerán ni beberán durante los días que dure la ceremonia... Tampoco pueden hablar más que entre ellos...

—¿Por qué?

—Los espíritus de los muertos rondan en torno a las cabezas... Buscan venganza contra sus vencedores y contra la tribu yubani... Si el ritual de reducción no se cumple en todos sus detalles, los espíritus lograrán esa venganza...

Los guerreros y el brujo habían llegado junto al tarugo. A su paso, la tribu se había ido apartando respetuosa, y ahora formaba un amplio círculo silencioso. Xudura se plantó frente a las cabezas y comenzó a imprecarlas a voz en cuello, agitando ante ellas una especie de espantamoscas de plumas. Insultaba a los muertos con los peores epítetos, y en más de una ocasión se giró bruscamente para lanzarles a la cara un sonoro pedo. Concluidos sus gritos, se volvió a los guerreros señalando con un mudo gesto las cabezas inmóviles, haciendo notar que no habían respondido a sus insultos. Los espíritus de los muertos se sentían acobardados, incapaces de reaccionar ante él.

Luego, entregó un punzón de madera de chonta al más próximo de sus ayudantes, que lo empleó en extraer el ojo izquierdo de Lucas. Terminada su tarea, pasó el punzón a Kano, que extrajo el otro ojo. La operación se repitió por dos veces, ahora con los ojos del negro Rafalo, y luego, al unísono, cada guerrero lanzó el ojo que le correspondía al pantano, por encima de las cabezas de los espectadores.

Durante unos minutos, no ocurrió nada. Los guerreros se habían acuclillado y cada uno colocó ante sí un afilado cuchillo mientras el brujo permanecía inmóvil, con los ojos en blanco y la cabeza levantada hacia el cielo, escuchando.

—Xudura sabe que los espíritus de los muertos están tratando de recoger sus ojos, y los buscan en el pantano antes de que las pirañas los devoren... —murmuró José Correcaminos—. Pero en el pantano vive el güio —la anaconda—, que es aliada de los yubani y no permite a los espíritus revolver las aguas...

—¿Tú crees esas cosas...?

El indio lo miró fijamente:

—¿Crees tú en el Dios que cada día se convierte en pan y vino...?

—La comunión no es más que un acto simbólico de la unión de los fieles con Dios...

—El yubani se esconde de sus enemigos en los pantanos, y los pantanos están defendidos por las anacondas, que impiden el paso.

Se interrumpió. Los guerreros estaban aplicados a la tarea de rajar el cuero cabelludo de sus víctimas, de la coronilla al cuello, y con sumo cuidado desprendían la piel del cráneo, empleando sus dedos y sus afiladísimos cuchillos.

Al concluir —sucios y ensangrentados—, mostraron orgullosos las pieles vacías, fláccidas como un globo deshinchado; repugnante despojo que colocaron nuevamente sobre el tocón de madera.

Kano tomó el cráneo del negro; otro guerrero el de Lucas, y al unísono los lanzaron igualmente sobre las cabezas de los mirones, y escucharon el golpe de su caída al agua.

Xudura reanudó ahora con más furia sus insultos a las pieles vacías, y sus gritos y ventosidades iban acompañadas de una especie de danza frenética y provocativa, clamando al cielo, pidiendo que cayeran sobre él todas las furias.

Cuando pareció agotarse, tomó asiento con sus nalgas desnudas sobre la cara del negro Rafalo, e hizo un gesto a sus ayudantes, que asieron entre los cuatro un enorme recipiente de barro y se encaminaron a la orilla del pantano.

Comenzaron a llenarlo formando cuenco con las manos, y cada vez que lo hacían repetían un extraño salmo.

—¿Qué dicen...?

—«Lleno la vasija con el agua del güio» —aclaró José Correcaminos—. Es la fórmula mágica... El vaho pestilente de la anaconda ahuyentará a los espíritus que aún buscan venganza... Los espíritus parecen ya vencidos al permitir que Xudura se les siente encima, pero son muy astutos y en cualquier momento pueden rebelarse... El agua del güio ayuda contra ellos...

Los guerreros colocaron sobre una hoguera la vasija, echaron dentro puñados de plantas y raíces, lo revolvieron todo y se acuclillaron a esperar que hirviera.

Continuaban sin pronunciar más palabra que sus conjuros, y actuaban como si se encontraran solos y el resto de la tribu no existiera. Permanecían con los ojos fijos en el agua, y cuando comenzó a bullir, alzaron la mirada hacia el brujo.

Xudura se puso en pie, tomó la piel de Lucas y avanzó hasta la vasija. Extendió la mano derecha, que fue tomada por el guerrero más próximo, quien a su vez permitió que su vecino tomara su mano, y así los cuatro, hasta formar una cadena, porque el último guerrero utilizó la mano libre en aferrarse al pie del brujo.

Era un momento grave. Cuando el difunto sintiera el espantoso dolor del agua hirviente, su espíritu se revolvería furioso, intentando atacar a sus enemigos, pero se encontraría frente a un grupo compacto que rechazaría el ataque como un solo hombre.

—«Hiervo la cabeza en el agua del güio» —recitó el anciano, y dejó caer la piel, que se sumergió en el líquido amarillento.

—«Hervimos la cabeza en el agua del güio» —musitaron sus ayudantes una y otra vez como en una monótona cantinela...—. «Hervimos la cabeza en el agua del güio...»

Repitieron el ceremonial con la piel del negro, y luego todos, brujo, guerreros y espectadores, se sentaron confiando en que el agua, las raíces y las plantas surtieran su efecto.

Transcurrió una hora, la segunda, y una tercera... La tarde comenzaba a declinar y el cielo se teñía de rojo. Las garzas surcaban el cielo hacia levante, y los loros buscaban refugio en las copas de sus árboles predilectos. El calor perdió fuerza y el agua del pantano se mostró más tranquila. Los olores de la selva cambiaron, y el primer pájaro-bombardero dejó escapar su silbido a lo lejos. La selva se aprestaba a pasar la noche.

Se volvió a Correcaminos:

—Había un tercer garimpeiro... ¿Dónde está?

—Escapó en la embarcación de motor... Se internó en las aguas profundas del Napuari, y nuestros guerreros no pudieron seguirle...

—El Napuari no es territorio yubani...

—Donde ellos estaban sí... En otro tiempo nada habría pasado, pero ahora estamos en guerra...

—Los yubani la iniciaron...

—No... Tan sólo queríamos que se fueran... Pero empezaron a disparar...

—¿Qué pasará cuando el que escapó llegue a Santa Marta y cuente a su manera lo ocurrido?

—Los yubani están en su derecho... Y por eso te van a enviar con las «tzanzas»...

—Tú conoces a los blancos... ¿Te das cuenta de lo que puede ocurrir?

—Me doy cuenta... Pueden destruir a los yubani... Pero si lo hacen, más vale que sea en guerra abierta, de una vez, y no como han destruido a los yuma, los huangas y tantas otras tribus... No queremos acabar consumidos por el sarampión o la tuberculosis... No queremos ver a nuestras mujeres sirviendo de diversión de los garimpeiros, y a nuestros hijos mendigando por las calles de Santa Marta. Si los yubani tienen que ser aniquilados, morirán con orgullo; como han vivido... No será una tribu que muere de olvido, sino «La Tribu» que deje su memoria en el paso del tiempo... Los blancos tendrán que sentir vergüenza de nuestra desaparición; no nosotros...

—¿Quién decidió eso?

—Todos... Entre los yubani todos deciden... Nos reunimos en la casa grande el día que te llevaste a Piá... Tu respuesta fue clara: los blancos no quieren nuestra paz... Nosotros no queremos la de ellos.

—Yo tampoco la aceptaría...

Se interrumpió. Xudura se había puesto en pie y con la ayuda de dos lanzas, extraía del agua las pieles chorreantes. Las mostró a sus ayudantes con gesto orgulloso, clavó en tierra el extremo de las lanzas y dejó los despojos al aire, en el centro del poblado. Luego, lanzó sus postreros insultos y se encaminó a la cabaña grande, seguido de sus cuatro inseparables.

—¿Qué pasa ahora?

—Nada... Los muertos quedarán ahí toda la noche para que puedan meditar en su triste destino, y comprender que nunca debieron oponerse a los yubani... Es su última oportunidad de pensar con sus propias cabezas... Mañana comenzarán a ser reducidas, y ya nunca podrán hacerlo.

—¿También crees eso...?

—¿Qué puede importar lo que yo crea...?

—Mucho... Viviste años con los blancos. Aprendiste cosas... ¿No te quedó nada?

—Me quedó el convencimiento de que ellos tienen su mundo y nosotros el nuestro... Es inútil intentar adaptarnos a él, o que ellos pretendan entrar en éste... Son distintos y no pueden unirse... La soberbia de los blancos desprecia todo lo extraño, y no admiten que podamos ser iguales... Pretenden protegernos o destruirnos. Y no estaba de acuerdo.

—¿No te trataban bien los misioneros?

—Sí. Pero para ellos lo primero es Dios, y para nosotros lo primero es la libertad... Al principio, acepté que Dios estuviera ante todo, porque no conocía otra cosa. Pero cuando aprendí lo que es ser libre, comprendí que el Dios de los blancos me molestaba... Exigía demasiadas cosas, y no nos gusta que se nos exija... Un yubani puede darlo todo si ése es su deseo, y a menudo lo es... Ser generoso o sacrificarse por los demás, es una

236

forma de ser libre... Pero también lo es ser egoísta, o no ser absolutamente nada... Observa nuestro pueblo... Aquí no hay jefes. Nadie manda a nadie, ni castiga a nadie... Y sin embargo, todos viven en paz y obedecen unas reglas que no están escritas, ni son obligatorias, pero que comprendemos que resultan imprescindibles para convivir respetando nuestra libertad... ¡Imagina esta situación entre los blancos...! ¡Imagina un país, o una ciudad, o una simple aldea, donde no hubiera autoridades, ni leyes, ni castigos...! Nadie haría nada, más que robar, asesinar o violar a la mujer del vecino... Aun así, los blancos consideran que su civilización es mejor, tan sólo porque ha descubierto más cosas... Pero lo más importante: saber vivir en paz, no lo han descubierto aún... Yo no creo que un avión, o un automóvil, o una radio, sean más importantes que el respeto que mi vecino siente por mí... Ni creo que nada de lo que los blancos me ofrecían baste para pagar mi libertad... Tú debes entenderlo, puesto que elegiste la libertad de nuestras tierras...

—Sí, lo entiendo... Pero también entiendo que hay muchas cosas de los blancos que merecen la pena... Piá podía estar viva...

—¡Podía estar viva...! ¿Pero eres tú quien dice eso...? Conoces mejor que yo todo lo que tu gente ofrece, y sin embargo, renuncias a ello... ¿Por qué no tienes siquiera un motor en tu cayuco...? Con él habrías llegado a tiempo de salvar a Piá... Con él no tendrías que cansarte remando aguas arriba del San Pedro... Pero sabes tan bien como yo, que hay que renunciar a todo, o no se renuncia a nada... La medicina de los tuyos es buena; lo sé; muchas veces me curó... Pero también sé que por cada medicina, los civilizados traen a estas tierras una nueva enfermedad... Más vale que

Piá muera del «Taré» de las tripas, que toda la tribu muera de gripe, tuberculosis o sarampión...

Había caído la noche. Se habían encendido los fuegos, y los mosquitos luchaban con el humo para llegar a sus víctimas. José Correcaminos dio una rápida palmada y aplastó cinco de un golpe.

—Quizá los mosquitos detengan a los blancos —señaló...

Se alejó hacia su cabaña, dejándole a solas con los macabros pellejos colgando de las puntas de las lanzas. Ya no tenían forma alguna; eran como trapos viejos que escurrieran lentamente, y resultaba difícil admitir que el día antes habían sido la nariz, la boca y las orejas de seres humanos que se movían y hablaban. No parecían siquiera máscaras de feria. No eran nada más que pingajos informes, montón de pelos lacios en lo que fuera Lucas; mancha oscura de cabellos ensortijados en Rafalo.

Permaneció largo rato meditando en la contienda que se avecinaba; consciente de que nada salvaría a los yubani desde el momento en que el garimpeiro llegara a Santa Marta.

Quizás era la disculpa que los blancos estaban necesitando para lanzarse sobre ellos... Ya no sería una simple invasión de un territorio protegido por el Tratado. Ahora había un motivo.

¿Qué papel le correspondía en todo aquello? ¿Tendría que llevar las «tzanzas» a los blancos, intentar asustarlos y hacerles desistir de su empeño...? Se limitarían a exhibirlas como objetos curiosos, o tal vez algún avispado lograría sacarlas de contrabando y vendérselas a un anticuario londinense. Un buen coleccionista pagaría lo que le pidiesen por las dos últimas «tzanzas» auténticas salidas del Amazonas, en un tiempo en que el arte de la reducción parecía definitivamente perdido.

Un blanco de Chicago aparecería ahora con sus dos trofeos bajo el brazo, proclamando que un puñado de salvajes escondidos en los pantanos del San Pedro pretendían continuar inamovibles, resistir contra viento y marea los embates del progreso. Recordó las palabras de Agustín Carrión, el candidato gubernamental...: «Son un anacronismo, y deben desaparecer o transformarse...»

¿Qué diferencia había? Transformarse significaba dejarse asimilar por la civilización blanca, ser absorbidos hasta perder su identidad de grupo étnico; extinguirse lentamente para pasar a formar parte del gran monstruo que todo lo devora.

¿Cómo imaginar a Kano en el consenso del mundo capitalista...? ¿Qué futuro tenía dentro del engranaje económico del siglo XX, con sus fábricas, sus sindicatos, sus huelgas y sus problemas sociales...? Querer asimilar a las tribus salvajes, era querer aumentar el número de los marginados de los suburbios: los millones de hambrientos de las favelas de Río, las «villa-latas» de Santiago, los «ranchitos» de Caracas, o las «villamiseria» de Perú... ¿Cómo pretendían «civilizar» a los salvajes quienes aún no habían logrado solucionar sus propios problemas...?

Había visto a los niños yubani jugar y correr por los alrededores del poblado. No eran, quizá, los niños más limpios e instruidos del mundo, pero se les advertía felices y bien comidos. Respiraban aire puro, se bañaban en las pozas, pescaban en el pantano, se subían a los árboles y perseguían monos o capibaras por entre la maleza. Crecían fuertes, y sanos, porque el que no era sano y fuerte no llegaba a crecer.

Pero allá, en aquellos suburbios malolientes, entre detritus y vicio, los niños crecían hambrientos y enfermizos; sostenidos lo suficiente para continuar viviendo, pero no lo necesario para ser fuertes, alegres y sanos. Los civilizados medían el progreso por las estadísticas de mortandad infantil, y se sentían orgullosos al comprobar que el índice disminuía día tras día. Pero nadie se detenía a meditar que el ser humano se compone de algo más que un cuerpo cuyas enfermedades deben combatirse. A un niño de las chabolas no le bastaban las vacunas y los antibióticos; necesitaba aire puro, espacio para correr, alegría para vivir y mucho amor; todo lo que podía encontrarse en un campamento yubani.

¿Tenía razón José Correcaminos...? Probablemente, por cada medicina, los blancos traían una enfermedad... Y enfermedades no eran tan sólo tuberculosis y sarampión...; enfermedad era el monstruoso tinglado de la existencia humana en pleno siglo XX. Enfermedad era el proletariado, las grandes fábricas, las ciudades apiñadas, el humo, la contaminación y los millones de toneladas de detritus.

Y enfermedad era la carencia de libertad. Una carencia tan total y absoluta, que millones de seres humanos nacían, crecían y morían sin saber lo que era ser libres ni una sola hora de vida.

En cierta ocasión, leyendo un libro de viajes por África, le llamó la atención un poblado lacustre situado en el centro de una laguna tan grande y poco profunda, que muchos de sus habitantes morían de viejos sin haber pisado jamás tierra firme; sin saber, siquiera, cómo era esa tierra.

¿De qué se sorprendía su autor? En Nueva York, en Chicago, Los Ángeles, Londres, o Tokio, probablemente había muchos viejos que morirían sin haber pisado más que cemento, sin ver, ni de lejos, el color de la tierra; sin saber lo que era un bosque; sin haber disfrutado del aroma de un pinar muy de mañana.

¿Con qué milagrosa medicina pagarían los blancos el delito de traer el cemento y el asfalto a la tierra virgen? No existía, ni existiría nunca, adelanto alguno que mereciera sacar a un niño de sus bosques y encerrarlo en un suburbio.

Mientras la miseria y el despilfarro; el hambre y la hartura; el lujo y la pobreza, continuaran conviviendo pared por pared en el mundo de los blancos, éstos no tenían derecho a llevar su civilización a unos yubani para los que la tierra era de todos, y de todos el hambre, y de todos la caza, y de todos la alegría, y la tristeza y la libertad.

Tenía razón Correcaminos... Si los aniquilaban, que fuera de una vez para siempre. Como a seres humanos, como hombres libres; los únicos hombres auténticamente libres que quedaban sobre la faz de la Tierra.

Con el amanecer volvió la actividad al poblado. La primera claridad sorprendió al brujo y sus ayudantes tostando gran cantidad de frutos de la *Genia*, que ellos llamaban «huito», envueltos en hojas de plátano.

Obtuvieron así un líquido negro como la tinta china, con el que comenzaron a pintarse cuidadosamente el cuerpo unos a otros, dibujando con extraña perfección los huesos del esqueleto sobre la piel, de modo que, al concluir su tarea, podría tomárseles por auténticos esqueletos vivientes.

—¿Qué hacen...?

José Correcaminos había acudido nuevamente a su lado, tomando asiento en una piragua volteada junto a la orilla.

—Se disfrazan de esqueletos —respondió—. Hoy es un día terrible. El día en que las cabezas van a ser reducidas realmente, y los espíritus de los muertos vagan por el poblado, buscando atrapar a sus vencedores. Al ver a los esqueletos que caminan, piensan que también están muertos; que son espíritus como ellos, y los dejan en paz sin fijarse en lo que están haciendo...

No respondió, atento a las maniobras de los cuatro guerreros que comenzaban a llenar de arena recipientes que colocaron sobre el fuego, junto a grandes piedras redondas.

Mientras tanto, Xudura parecía más concentrado que nunca, enhebrando juncos en largas agujas de hueso que colocaba a su lado, sobre el tocón central en que había tomado asiento,

Cuando pareció dispuesto, bajó de la lanza, donde había permanecido toda la noche, la cabeza de Lucas, la insultó varias veces para cerciorarse de que no podía defenderse, y alzó la aguja al cielo, mostrándola a sus ayudantes, que se agruparon a su alrededor.

Se hizo un silencio impresionante, y se diría que incluso los pájaros del bosque, los monos y el mismo viento, habían enmudecido. El viejo comenzó entonces a coser el agujero de la boca, mientras los cuatro guerreros entonaban al unísono un canto monótono.

—¿Qué dicen ahora?

—«Él cose la boca del muerto...» «Nunca más hablará ese muerto...»

Concluida la macabra tarea, Xudura reanudó la labor con los ojos, y el cuarteto cambió ligeramente el estribillo,

—«Él cose los ojos del muerto...» «Nunca más verá ese muerto...» —tradujo Correcaminos.

Cuando los ojos y los labios de la segunda cabeza estuvieron cosidos también, la comunidad pareció soltar un suspiro de alivio, y los rostros de los guerreros y el brujo se relajaron. La tensión disminuyó, porque desde ese momento los muertos ya no podían ver, ni hablar, y su capacidad de venganza había descendido. Tendrían que andar ahora a tientas por el mundo, sin comunicarse con otros espíritus, y en tales condiciones les resultaría muy difícil apoderarse de los yubani.

Siguieron unos momentos de descanso, y a continuación los guerreros comenzaron a introducir arena caliente por el único agujero que quedaba en la cabeza vacía: el del cuello.

Bajo el efecto de la arena, los poros se abrieron y la piel comenzó a sudar, dejando caer gotas de grasa. Tomaron entonces, con ayuda de hojas de plátano, las piedras calientes, y se dedicaron a «planchar» delicadamente las caras, procurando no formar arrugas y que las facciones mantuvieran los rasgos originales.

Un nauseabundo olor a carne asada se extendió por el poblado, pero nadie hizo gesto alguno, ni aun pareció advertirlo, pues todos estaban atentos a la ceremonia.

Lentamente, sin perder la flexibilidad de la piel, curtiéndose, pero presentando aún su aspecto natural, las cabezas fueron encogiéndose a medida que perdían grasa, y así, cada vez que los guerreros sustituían la arena caliente, era menos la cantidad que necesitaban.

Cuando, a última hora de la tarde, Xudura dio por terminada la tarea, tenían el tamaño de una naranja. Las alzó, una en cada mano, asiéndolas por los cabellos y se las presentó a sus ayudantes. Luego se volvió por primera vez a la tribu, que no había existido para él hasta ese instante, y reanudó su retahíla de insultos, a la que pronto se unieron todos; guerreros, viejos, niños, mujeres, e incluso José Correcaminos.

La victoria había sido total. Los espíritus no alcanzaron su venganza. Por mucho que vagaran, ya nunca reconocerían sus propias cabezas, porque su nuevo tamaño les mantendría engañados.

Los yubani aclamaron a Xudura
El viejo rito había resucitado.

Kano le guió nuevamente hasta la carretera, que había avanzado unos doce kilómetros selva adentro.

Desde el amanecer del tercer día sintieron el atronar de las máquinas moviendo tierra y derribando árboles, y a medida que se aproximaban, el ruido fue aumentando hasta hacerse insoportable,

Cuando llegaron a la vista del claro sobre el que evolucionaba el primer bulldozer empujando un enorme tronco de ceiba, el yubani quedó clavado en el sitio, contemplando espantado el potente monstruo amarillo que lo arrasaba todo a su paso.

—No temas —le tranquilizó—. No puede hacerte daño... La selva te protege...

—Tumba la selva...

Tomó el macabro paquete envuelto en hojas de plátano, e inició, asqueado, la marcha hacia el claro. Al llegar frente al tractor, el mecánico dio un respingo, metió la reversa y comenzó a recular tan aprisa como le permitieron los árboles.

Marchó tras él hasta alcanzar el primer tramo de carretera, apenas algo más que un claro abierto en la espesura, tierra rojiza que contrastaba con el verde de la maleza; verde que aparecía ahora sucio de polvo, opaco y sin vida.

Una veintena de hombres salieron a su encuentro. Algunos debían ser soldados, aunque no lucían uniforme; tan sólo fusiles al hombro.

—Buenos días...

—Buenos días...

—¿De dónde sale...?

—De ahí... ¿Dónde está el ingeniero Planchart...?

—Atrás... En el campamento base, junto al río... ¿Qué trae...?

—Un obsequio de los yubani para el ingeniero... —dudó unos instantes—. Pueden verlo...

Depositó el envoltorio en tierra y se apartó un poco. Los hombres se agruparon alrededor, y el más decidido, uno de los obreros que, quizá tuviera una categoría superior, aunque nada lo indicaba, deshizo el paquete.

Cuando la última hoja de plátano cayó a un lado, dio un grito y se apartó de un salto...

—¡Coño é su madre...!

Todos le imitaron instintivamente, aunque la mayoría no tuvo tiempo siquiera de distinguir lo que había dentro. Luego se fueron aproximando de nuevo lentamente.

—¡Dios del Cielo...!

—¡Cabezas reducidas...!

—¿Son auténticas...?

—¡Claro que son auténticas, imbécil...! ¿No tienes ojos...?

Se volvieron a él:

—¿Recientes...?

—De hace tres días...

—¡Dios bendito! Qué salvajada... ¿Quiénes son?

—Garimpeiros... Invadieron territorio yubani... Seguirán el mismo camino si no abandonan estas tierras...

Tres de los hombres se habían apartado unos metros y vomitaban; el resto se agrupó instintivamente acobardado:

—¿Están cerca...? —inquirió un tractorista.

—No teman... Únicamente quieren que se vayan...

—¡Pues yo me voy...! —señaló uno de los que habían cesado de vomitar—. ¡Ya lo creo que me voy! Y ahora mismo... Treinta pesos diarios no compensan acabar así...

—Yo también me marchó.

—¡Un momento...! Un momento... —intervino el que abrió el envoltorio y que decididamente debía ser el capataz—. Tienen un contrato... No pueden irse.

—¡Tu madre, y la que parió el contrato...! El contrato especificaba que tendríamos protección militar, y mira esto...: Tres soldados piojosos, que ni uniforme tienen...

—¡Oye...! Sin insultar, que te arreo un culatazo...

—¡Razón le sobra...! —se interpuso otro obrero—. Todo el día durmiendo a la sombra con los fusiles descargados... ¡Menuda defensa contra los yubani...! Tampoco quiero acabar como ésos... —se encaminó a un camión aparcado bajo los árboles—. Yo me largo al campamento. El que quiera venir, que suba...

—¡Vuelve aquí, Sancho...! —ordenó el capataz—. No puedes irte mientras yo no lo ordene.

—¡Y una mierda...! Trata de impedírmelo...

—Si te vas quedas despedido...

—¡Gracias...! Si me despides tienen que pagarme indemnización... ¡Vamos, muchachos...! ¡Arriba!

Los obreros comenzaron a recoger sus escasas pertenencias y treparon a toda prisa a la caja del camión. Algunos permanecieron indecisos observando al capataz.

Al fin éste se encogió de hombros:

—Está bien —admitió—. Más vale que volvamos al campamento... No vale la pena correr riesgos...

—¿Y nosotros...? —inquirió con un hilo de voz uno de los soldados.

—¡Qué pregunta pendeja...! ¿A quién vas a proteger si todos nos hemos ido...? ¡Sube al camión...!

En menos de un minuto estaban arriba. Solo en medio de la carretera, junto a las cabezas reducidas, los observó en silencio.

—¿No viene?

—¿Para qué...? Ya cumplí mi encargo... —rehízo el envoltorio y lo depositó en la caja del camión. Los obreros se apartaron de un salto al rincón opuesto—. Entreguen esto a Planchart...

El capataz sacó la cabeza por la ventanilla y lo miró con asombro:

—¿Seguirá viviendo con esos salvajes a pesar de lo que han hecho?

—No tienen nada contra mí...

—¿Está loco...? Son bestias y no razonan. Un día, por entretenerse, le dejarán la cabeza como a esos desgraciados... ¿Sabe sus nombres...? Por si la Policía pregunta...

—El blanco creo que se llamaba Lucas... En Santa Marta los reconocerán. O en Denfrente...

—¡Venga! Menos cháchara... —se impacientó el chófer al tiempo que metía la marcha—. ¡Hasta nunca, amigo...!

Arrancó entre una nube de polvo. A los pocos

instantes, no era más que un punto en la distancia en el centro de la larga carretera.

Se sentó a la sombra, bajo un tinglado de madera y lonas. Había una caja de cervezas y destapó una, aunque estaba caliente. Bebió despacio, mientras contemplaba los árboles destruidos, las plantas rotas, la maleza pisoteada y el suelo convertido en un fangal por el pasar y repasar de los grandes bulldozers.

Tierra roja; tierra amazónica, lavada por miles de años de ininterrumpidas lluvias. Tierra pobre, demasiado caliente, poco poblada por toda aquella fauna diminuta que en otros climas hace la tierra rica y productiva; lombrices, gusanos, ciempiés, ácaros, saltamontes, termites y larvas descomponen los residuos vegetales y fertilizan los suelos, pero en Amazonia su número resultaba ínfimo, y sobre la superficie se extendía siempre una ancha capa de vegetación sin descomponer. La formación de nuevos suelos se volvía entonces tan lenta, que todo intento de cultivo se convertía en inútil.

Nada crecería allí donde los árboles fueron derribados. Nada más que maleza inútil, porque los nuevos árboles tardarían decenios en alcanzar su tamaño original. Ni silvicultura, ni agricultura admitía la gran cuenca amazónica, y los que la estaban destruyendo, lo sabían.

Convertirían en pastos los gigantescos bosques; sustituirían los árboles por vacas, y con los primeros vientos de la primera sequía, la tierra volaría por los aires, se convertiría en polvo y la gran catástrofe del Medio-Oeste de los años treinta volvería a repetirse en el hemisferio Sur.

¿Pero qué les importaba lo que ocurriera dentro de diez años...?

El último rugido del camión se perdió al fin

en la distancia; el humo de las máquinas se había diluido ya en el aire, y la selva quedó muerta, porque sus moradores —los que cantaban en los árboles y se peleaban en sus ramas— habían huido de la proximidad del ser humano y su afán de destrucción.

Escuchó el silencio.

Era como si el mundo hubiera detenido su marcha; como si el fin hubiera llegado de improviso, porque ni siquiera una hoja se movía en la quieta mañana sin viento, en el callado bosque sin vida, sobre las dormidas máquinas sin gente.

Entre las sombras apareció la inquieta figura de Kano, que avanzó quedamente, con miedo pese al silencio, bordeando el claro para evitar la cercanía de los monstruos de hierro, aferrando con fuerza la cerbatana; más dispuesto a la huida que a la ofensa.

Le hizo un gesto para que se aproximara, señaló el suelo ante él y destapó una cerveza.

—¡Ven! No hay nadie... Tus «tzanzas» los hicieron correr... ¿Quieres una?

El indio observó la botella con recelo. Se fijó en cómo bebía directamente del gollete, y lo intentó, pero se atragantó al instante y comenzó a toser y escupir.

—¿Te gusta...?

El yubani asintió sin dejar de toser. Cuando se tranquilizó, buscó a su alrededor hasta descubrir un sucio plato de estaño con restos de comida. Lo limpió ligeramente con la mano, vertió en él la cerveza y bebió con avidez.

Le observó agitando la cabeza:

—¡Vaya! Esto sí es nuevo... ¡Un plato de cerveza...! ¿Buena...?

—Buena...

—¿Otra...?

El indio asintió. Repitió la operación de verterla en el plato, y se la bebió hasta la última gota. Eso pareció darle ánimos, porque dejó la cerbatana y se aproximó despacio al enorme bulldozer que le asustara al llegar.

A unos dos metros se detuvo; olfateó el aire como perro de caza y frunció el ceño. Comenzó a girar lentamente en torno a la máquina, estudiándola, pero con los músculos tensos, listo a dar un salto si el trasto se movía.

—No temas. No hace nada... Está quieta... Muerta... ¿Entiendes...? ¡Muerta!

Kano no pareció convencido, pero se aproximó, escondiéndose a medias.

—¡Vamos! No seas cobarde... Tú eres un gran guerrero yubani... No le temes a nada. Tócala... Tócala, que no hace daño... Así... ¡Mierda! —exclamó—. Está que arde... El sol pega duro...

De pronto quedó en silencio, y observó con atención, uno por uno, los seis enormes tractores desparramados por la explanada.

—No debe resultar fácil traer seis monstruos como éstos hasta aquí. Hay que subirlos desde Santa Cruz hasta El Paso por la vieja carretera, bajarlos luego por la trocha hasta Santa Marta y hacerlos ascender en balsa por el San Pedro... No; no debe ser fácil, y llevará meses...

Regresó bajo el toldo y comenzó a husmear en los bidones, hasta encontrar lo que buscaba. Llamó al indio:

—Toma esa lata y rocía la máquina... ¿Entendido?

Tuvo que repetírselo tres veces, pero consiguió que el otro obedeciera. Cuando el tractor estuvo empapado de gasolina, buscó un fósforo en la cocinilla de los obreros, introdujo en un bidón un pedazo de madera, le prendió fuego y le ofreció la antorcha al yubani.

—¡Tírala!

Kano obedeció sin comprender del todo, lanzó la antorcha y dio un grito de terror y salió corriendo cuando el tractor comenzó a arder instantáneamente.

Una densa columna de humo se elevó al cielo, y a los pocos instantes sobrevino una explosión que estremeció la máquina de punta a punta.

—Eso lo habrán oído en el campamento... —Buscó con la mirada al indio, que se había refugiado en el extremo opuesto del claro—. ¡Ven aquí! —le pidió—. ¡Destruye los otros...!

El indio se aproximó paso a paso, con recelo infinito, hasta convencerse de que ningún mal cabía esperar del montón de chatarra humeante. Tomó una nueva lata de gasolina y se encaminó decidido al segundo tractor.

Aprendida la lección, cumplió su tarea con rapidez y eficacia. Quizá, mentalmente, se veía ya como el más grande de los héroes yubani; aquel que derrotó por sí solo a los monstruos de metal de los blancos, capaces de derribar un árbol de una embestida. «Kano el grande»; «Kano el guerrero»; «Kano el incendiario».

—¡Apresúrate...! Con tanto humo, en diez minutos tendremos aquí a todo el ejército...

Fijó la vista en el extremo de la carretera.

A lo lejos hizo su aparición una nube de polvo.

Buscó un saco, echó en él lo que quedaba de la caja de cerveza y se encaminó sin prisas a la espesura. El indio continuaba su tarea. La quinta bestia de hierro saltó por los aires, y palmoteó loco de alegría. Luego corrió de nuevo en busca de la otra lata de esencia. En la carretera, un camión había tomado forma, y podían distinguirse a los hombres que agitaban sus armas en la parte alta.

Sonaron los primeros disparos, demasiado imprecisos, que se confundieron con el repicar furioso de la bocina, y el chisporroteo de las llamas que habían prendido en los troncos vecinos.

—¡Deja ése...! —gritó—. Déjalo, que te van a matar...

Pero Kano parecía atacado por la fiebre de la destrucción, y comenzó a regar gasolina a la última de sus víctimas.

El rugido del motor cobraba intensidad, y se podían escuchar ya los airados gritos de los hombres. Las balas se convirtieron en lluvia en torno al yubani, que de pronto tiró al aire la lata y corrió tras él.

Se perdieron de vista en la espesura.

—¡Gran guerrero...! Gran guerrero... —le felicitó—. Acabaste tú solo con los monstruos de hierro...

A sus espaldas quedaron voces airadas y disparos inútiles.

«En esos momentos fue cuando, en las más escondidas simas de su alma, en lo más lejano de su existencia miserable, escuchó un sonido: no era más que una palabra, una sílaba. Su voz la había proferido instintivamente, como un soplo. Era la palabra con que comienzan y terminan todas las invocaciones a Brahma: el sagrado ¡Om!, perfección a realización plena. Y en el preciso instante en que dicha sílaba gritó en los oídos de Siddhartha, se esclareció de golpe...»

Cerró el libro y permaneció recostado en el árbol, con el sedal en la mano izquierda, indiferente ante el hecho de que un pez picara o no.

Paseó la mirada por la ancha y quieta laguna. Para Herman Hesse, o para su héroe —Siddhartha—, una palabra de resonancias mágicas, «Om», aclaraba la mente confusa por años, y marcaba el camino cierto tras toda una vida de errores.

—Om... —lo repitió una y otra vez—: «Om...» ¡Om...! ¿Om...?

Procuró agravar el tono de su voz; hacer salir la palabra de lo más profundo de su pecho o lo más recóndito de su cerebro; concentrarse en ella y descubrir las ocultas razones por las que se había convertido en voz sagrada para millones de seres humanos...: Om... Om...

No despertaba eco alguno en su mente ni en su corazón. No aclaraba sus dudas ni le mostraba el camino a seguir.

«Tal vez no la pronuncie debidamente —se dijo—. O tal vez no esté espiritualmente preparado para comprender su significación.»

Y necesitaba más que nadie un «Om»; una luz que aclarase sus ideas; que le mostrara el camino.

Estaba allí, a la orilla de su laguna, pescando y leyendo día tras día como si nada hubiera ocurrido, intentando aislarse de los acontecimientos; autoconvencerse de que podía seguir viviendo en paz, pese a las cabezas reducidas y los bulldozers destruidos.

Se esforzaba por cerrar los ojos a la realidad, pero esa realidad se le aparecía a cada instante: el progreso le perseguía hasta el mismísimo confín del mundo, y las máquinas abrirían un camino hasta su escondite, aunque éste fuera el corazón de la tierra.

Resultaba inútil huir. La Humanidad corría tras él, ansiosa por incorporarlo a su masa, celosa, quizá, de su individualismo y su libertad. En el siglo de las multitudes, nadie tenía derecho a aislarse, aunque ese aislamiento significase renunciar a todo.

«Debo hacer algo —se dijo—. Dejar de huir y enfrentarme a ellos. De lo contrario, una mañana pasarán sus tractores por encima de mi cama... ¡Oh! Mierda... ¿Es que no es bastante grande el mundo para todos...?»

¿Quiénes eran?

No podía distinguirlos aún, pero una gran curiara había hecho su aparición allá, al final de la laguna, y se encaminaba directamente a la cabaña.

Aguzó la vista. Era el punto por el que solía llegar el padre Carlos, pero la embarcación traía motor, se aproximaba con rapidez, y eran tres los hombres a bordo.

Se puso en pie lentamente; recogió el sedal, y se encaminó a la cabaña dispuesto a tomar su rifle y escapar al monte a la menor señal de peligro.

No confiaba en la gente de la carretera; tratarían de vengar la destrucción de los bulldozers.

Se tranquilizó cuando el hombre de proa agitó la mano con un gesto familiar, y sólo entonces reconoció la fuerte complexión del misionero. Cuando estuvieron más cerca, distinguió al timonel: Inti Ávila. Por más que se esforzó, no pudo recordar al que venía con ellos; un hombre joven de tez muy blanca, que se cubría con un enorme sombrero de cazador africano.

Inti detuvo el motor a diez metros de la orilla y se dejó deslizar con pericia hacia el embarcadero.

—¡Buenos días...! —saludaron—. ¿Somos bien recibidos...?

—Por supuesto, padre... Por supuesto...

Los ayudó a saltar a tierra. El cura fue el primero y se volvió para presentar al desconocido:

—Tomás Sierralta, del *Diario del Pacífico,* de Santa Cruz...

—Encantado... ¡Hola, Inti...!

—Me alegra verle...

Se encaminaron a la cabaña.

—Espero que no te moleste que los haya traído... —señaló el cura—. Creo que es importante...

—¡Oh! No me molesta... En absoluto...

Se sentaron en el porche. Inti se dejó caer en

el chinchorro, y el cura y el periodista se acomodaron en el banco de madera que corría a lo largo de la cabaña.

Entró en ella y regresó con una jarra de agua
y dos vasos:

—Tendrán que arreglarse.

—No te preocupes... ¿Cómo te encuentras...?

—Bien...

—Supimos tu aventura con los de la carretera...

—¿Qué aventura...?

—¡Vamos...! No disimules... Le pegaste fuego a cinco tractores...

—Fue Kano... Un yubani.

—¿Esperas que lo crea...?

—Naturalmente... No toqué esas máquinas...
—Hizo una pausa—. Quien me acuse de hacerlo,
miente...

—Pues en Santa Cruz hay un lío de todos los
demonios con eso... Y con las cabezas reducidas... Han aparecido fotografiadas en todos los
periódicos del mundo... Ha sido la noticia del
mes...

—Lo supongo...

—Fue de muy mal gusto...

—Peor fue presenciarlo... Me quitó las ganas
de comer por cuatro días...

—¿Estaba presente cuando las redujeron...?
—se interesó vivamente Tomás Sierralta—. ¿Lo
vio todo...?

—Muy desagradable... Pero curioso...

—¿Sabe que es el único blanco vivo que haya
visto nunca la ceremonia de las «tzanzas»...?

—Lo imagino... Hacía años que estaba olvidada...

—¿Podría explicarla con detalles...?

—Luego, Tomás... Luego... —intervino el

cura—. Ahora hay otras cosas que necesito saber... ¿Estabas presente cuando asesinaron a los garimpeiros...?

—No... Por lo que dijeron, no fue un asesinato. Recibieron a tiros a los yubani...

—El que se salvó... Un tal Cristo García, asegura que les tendieron una emboscada...

—No es cierto... Iban a obligarles a marcharse del Territorio. Ellos comenzaron a disparar primero...

—Sea como sea... Los yubani están acusados de asesinato, y tú, de destruir propiedades de la «Southern»...

—Los de la «Southern» no tienen testigos, ni pruebas contra mí, y podría incluso demandarlos por difamación... En cuanto a los yubani... Según el Tratado estaban en su derecho...

—Ese Tratado ya no tiene validez... —señaló el periodista.

—Los yubani no han sido informados de que ese Tratado fue denunciado por el Gobierno... Mientras una comisión oficial no venga a comunicarlo, la nación yubani está en su derecho de matar a todo el que pise sus tierras... Incluidos nosotros y todos los obreros, ingenieros y soldados de la carretera... ¿Podría tomar nota de eso y publicarlo en su periódico...?

Tomás Sierralta buscó en sus bolsillos un lápiz y un bloc y comenzó a escribir. Sin alzar la cabeza, comentó:

—Es un punto de vista muy interesante, y que nadie ha señalado hasta el presente... Legalmente, el Tratado aún está en vigencia.

—Ya es hora de que alguien lo recuerde... Según la ley, matar blancos aquí no es delito, si los mata un yubani... Ni quemar máquinas. Por eso evité intervenir en el incendio. ¿Por qué cometer yo un delito, cuando para otros no lo era...?

—Los de la carretera alegarán que ésa es una ley absurda y trasnochada...

—Puede que sí... Pero cuando se implantó, el Gobierno pareció muy feliz con ella... Se evitaban el quebradero de cabeza que significaban las correrías de los yubani por los territorios vecinos... No podían controlar sus razzias y su fuerza, y les ofrecieron ese acuerdo en unos tiempos en que perjudicaba a los yubani. Los yubani eran los dueños de estas selvas; desde aquí hasta las faldas de la sierra, y sin embargo, se avinieron al Tratado, y jamás lo quebrantaron... Pero ahora, sin previo aviso, el Gobierno lo rompe... ¿Quiénes son los auténticos culpables?

—¡Muy interesante...! Muy interesante... A más de uno le va a hervir la cabeza... El presidente no tiene atribuciones para romper un Tratado de ese tipo, sin el consentimiento del Congreso... Y en cuanto a la comunicación oficial... —rió por lo bajo—. ¡Me imagino a una comisión del Ministerio del Interior, adentrándose pomposamente por estas selvas en busca de la nación yubani...! —señaló un maletín que había quedado en la curiara—. ¿Me permite que le tome unas fotos...?

—No... —trató de disculparse—. Lo siento, pero no quiero convertirme en noticia... Solamente busco que me dejen en paz...

—¡Pero...! —el periodista parecía realmente desconcertado—. Un reportaje sin fotos no vale lo mismo... Es necesario que le vean; que sepan cómo es el hombre que se opone al Progreso; el aliado de los yubani...

—Perdone... —le interrumpió con una sonrisa—. Pero yo, ni soy aliado de los yubani, ni me opongo al Progreso... Por mí, el «Progreso» puede llegar tan lejos como quiera. Lo único que pido es que me olvide...

—¿Y los yubani...? ¿Podría hacer alguna foto de los yubani...? Sería el primer periodista en conseguirlo...

Dudó. El cura intervino en favor de Sierralta:

—Un poco de publicidad al caso no le hará ningún mal... Yo le acompañaría al poblado, pero creo que tú estás en mejores relaciones.

Asintió con la cabeza, aunque no convencido:

—Mañana iré a preguntarlo... No puedo decidir por mi cuenta... Están muy inquietos y nos arriesgamos a... —hizo un significativo gesto de cortarse el cuello... Luego se volvió a Inti Ávila—. ¿También quiere ir...?

—¡Desde luego...! No he hecho este viaje por verle la cara...

—Me había hecho ilusiones... —rió—. ¿Cómo va su libro?

—Bien... Paula está recogiendo datos para la Universidad de Liverpool... Uno de sus catedráticos, Edwin Brooks, realiza un estudio sobre la carretera transamazónica y la invasión de los madereros, y las compañías mineras... Queremos enviarle un informe completo sobre nuestro país... Según Brooks, la tribu de los xavantes fue crucificada y asesinada el año pasado por hacendados que querían robarles sus tierras. También estuvo con los Vilas Boas, buscando a los kreenkores para llevarlos a la reserva del Xingú, pero no los encontró...

—Los kreenkores son como los yubani... Saben que una reserva significa el fin, por anchas que sean las tierras del Xingú, y buena la voluntad de los hermanos Vilas Boas... ¿Cuántos son los Vilas Boas...?

—Dos...: Claudio y Orlando...

—Dos hombres no bastan para detener el mal que se va a causar a esos indios... Ni dos mil ni dos millones... Mientras la Humanidad no admita que quienes destruyen a los indios la están destruyendo también a ella, nadie salvará a las tribus amazónicas...

—Tal vez ocurra el milagro —se atrevió a señalar el cura—. Existe una auténtica preocupación por los indios y por la conservación... Raro es el día que los periódicos no publican cables que tratan del problema. Y las grandes revistas, los canales de Televisión, los documentales cinematográficos... En todos se advierte un nuevo interés... Quizás el mundo no esté totalmente ciego. Quizá pronto las voces de alarma tengan un eco y alguien se decida a defender estas selvas y estas gentes...

—Será demasiado tarde, padre... —intervino Inti Ávila—. Demasiado tarde, como siempre... Debemos recordar el ejemplo de Norteamérica... Cuando la opinión pública americana reaccionó empujada por Muir, Mather, Pinchot y Teodoro Roosevelt, ya el mal estaba hecho... El resultado fue la Gran Crisis de 1929. —Hizo una pausa—. La bancarrota llegó a causa de los problemas agrarios. Por cada quiebra industrial, comercial o bancaria, había cien quiebras agrarias... Las tierras habían sido saqueadas sin misericordia, y como dice Udall: «La Naturaleza presentó sus cuentas, hundiendo en la miseria a millones de seres...» Nos pasará lo mismo... Abusaremos de la tierra, hasta que la tierra se canse y nos mande al infierno...

—No viviremos para verlo...

—No estoy seguro... Lo que ocurrió a los Estados Unidos en ochenta años, puede ocurrir aquí en diez, porque hoy se destruye mucho más aprisa... Para abrir esos doce kilómetros de carretera en la selva, a principios de siglo hubieran necesitado cientos de hombres. Ahora lo han hecho entre un puñado de técnicos y seis tractores. Lo mismo ocurre con todo. En los últimos veinte años, el tanto por ciento de aumento en la producción de la industria mundial ha sido de más del 200 %, mientras en el conjunto de los cuarenta años anteriores, tan sólo fue del 5 %. Eso quiere decir que agotamos los recursos a una velocidad devastadora. En lo que va de siglo hemos gastado más energía que en los 2.000 años precedentes, y los científicos calculan que esos gastos aumentan en proporción geométrica. Nuestro consumo se multiplica por dos cada quince años. Si yo muero de viejo, para entonces nuestra sociedad producirá treinta y dos veces más de lo que produce hoy. Se necesitarán tantas energías y tantas materias primas, que estas selvas y todos los árboles o minerales que contienen habrán sido devorados antes de que nos demos cuenta... ¿Diez años...? ¿Quince...? ¿Tal vez veinte...? Nadie lo sabe, pero tengan por seguro que alguno de nosotros podrá decir...: «En mis tiempos, cuando en la selva habia árboles...»

Sierralta rió de la ocurrencia:

—¿Y qué puede haber en la selva, sino árboles...?

—¡Mierda! —respondió Inti muy serio—. Mierda, mi querido amigo... Las selvas se compondrán de toneladas y toneladas de basura hedionda por donde los padres llevarán a pasear a sus niños. Lo que no sean calles, o casas, o fábricas, serán inmensos basureros, y allí tendrán que refugiarse las últimas bestias y los últimos hombres libres de la Tierra.

—Demasiado tétrico... —protestó el cura.

—Usted sabe que es cierto, padre. Usted ha visto a las familias paseando los domingos cerca de los vertederos porque no tienen otro lugar donde recibir un poco de sol una vez a la semana...

El misionero fue a decir algo, pero se arrepintió. Luego, con una especie de arranque impensado, masculló sin alzar el tono de su voz:

—Dios no permitirá que lleguemos a esos extremos...

—Dios está permitiendo muchas más cosas de las que hubiéramos permitido cualquiera de nosotros, padre...

A media mañana alcanzó el poblado yubani.

Las mujeres trajinaban en las chozas, los niños recitaban sus lecciones bajo el árbol y los ancianos tomaban el sol sobre anchos tarugos desbastados, pero no distinguió guerreros por parte alguna.

José Correcaminos salió a su encuentro.

—¡Bien venido…! —saludó—. Kano contó la aventura de las máquinas, y la tribu te lo agradecerá.

—¿Dónde están los guerreros…?

—Cazando… Fueron a buscar dantas al suroeste… No hay movimiento en la carretera… Sólo una máquina funcionaba, pero se la llevaron… Todo está tranquilo.

Tomaron asiento en un árbol caído; un anciano pasó y se inclinó respetuoso; unas mujeres trajeron chicha y agua fresca; los muchachos les observaban con admiración.

—Eres un héroe para los yubani… Héroe y amigo…

—El mérito fue de Kano… Él prendió fuego a las máquinas… Yo no hice nada…

—Hiciste… Yo sé que hiciste… —sonrió. Dos muchachas, las más lindas de la tribu, pasaron contoneando sus culos desnudos, irguiendo sus senos al aire y riendo con aire de complicidad. Llenaron sus cántaros de agua, dejando bien a la vista sus prietas y duras nalgas, y regresaron lentamente sin dejar de cuchichear. Al pasar, dedicaron una larga mirada al extranjero.

—Los yubani desearían que tomaras una nueva esposa de su tribu... —señaló José Correcaminos.

Negó:

—No quiero nueva esposa... —Hizo una pausa y observó cómo se alejaban las muchachas. Luego añadió—: Es otra la razón de mi visita... Hay dos blancos en mi cabaña... Vinieron con el padre Carlos... Son gente buena, amiga de los yubani, y quieren ayudar.

—Los yubani no necesitan ayuda de los blancos... —se justificó—. Tú eres diferente... Un blanco diferente...

—Ellos pueden hacer más que yo... Uno es periodista... ¿Sabes lo que es eso...?

El indio se esforzó en recordar. Cerró los ojos, frunció el ceño cómicamente, como si estuviera rebuscando algo en su memoria, pero al fin, negó con un gesto:

—No —admitió—. Creo que no había periodistas en las Misiones... ¿Es como un médico...?

—No. Son gente que escribe... Libros, periódicos, revistas...

—Recuerdo los libros y las revistas... Los curas siempre los miraban, pero nunca entendí nada. Había dibujos... Muy bien hechos...

—Periodistas son los que hacen esas cosas... Tienen mucha fuerza en este país... La gente escucha lo que dicen, y acepta su opinión, como vosotros aceptáis, a veces, la de los ancianos y curacas... Incluso el presidente los escucha...

—Parece importante eso...

—Creo que lo es... Ese periodista quiere venir aquí, hablar con vosotros, oír vuestras quejas, y contárselo luego a la gente. Él cree que el Gobierno no tiene derecho a construir la carretera, y quiere decírselo a todos... Incluso al Presidente...

—Tendrá problemas...

Sonrió:

—Sí. Probablemente... Pero no le importan. El destino de los periodistas es tener problemas...

José Correcaminos meditó. Jugueteó con una ramita y la partió en dos, una y otra vez, hasta reducirla a diminutas astillas. Al fin, se encogió de hombros.

—No me importa que venga si no está enfermo... Tú sabes: catarro, gripe, sarampión... Pero no puedo decidir solo... Tendrá que esperar que regresen los guerreros, se reúna el consejo y dé su opinión... Yo puedo decir que es bueno que venga, pero no tengo autoridad...

—Lo sé... ¿Cuándo vuelven los guerreros...?

Se encogió de hombros:

—Dos días... Tres días... Muchos días... Las dantas y los verlados no tienen fecha... Deben cazarlos, y curtir las pieles y comenzar a secar la carne...

—¿Me avisarás...?

—Te avisaré...

Se puso en pie, pero el indio le retuvo por el brazo. Había una cierta preocupación en su rostro.

—Hay algo que quiero preguntarte... —dijo—. Algo que me inquieta desde ayer... —parecía que le costara trabajo decidirse a hablar—. ¿Conoces la huayahuasca...?

—¿Huayahuasca...? No —admitió—. Jamás oí hablar de ella... ¿Qué es...?

—Una medicina... Xudura la fabrica con plantas y hongos que busca monte adentro... Sólo él conoce su secreto en nuestra tribu...

—¿Qué cura...?

—Nada... Es una medicina que no cura, pero permite a los guerreros muy jóvenes, casi niños, viajar muy lejos con la mente, llegar donde no se puede llegar por tierra, ni por agua; ver las lagunas en que se ha reunido la caza, o penetrar en el campamento de los enemigos y escuchar sus conversaciones... Nuestros antepasados usaban huayahuasca para espiar las intenciones de sus enemigos, y por ello jamas perdieron guerra alguna...

—Entiendo... Una droga... Un alucinógeno...

—¿Qué?

—Nada... Continúa...

—No pareces creerme... —comentó el indio.

—Tú has vivido con los blancos, José... Sabes que hay cosas de brujos en las que no se puede creer... Su medicina no vale frente a la medicina de los misioneros... Y ellos jamás tuvieron huayahuasca...

—Hay muchas cosas para las que la medicina de los blancos no vale en estas tierras —le señaló el indio—. Cuando esos blancos quisieron comenzar la guerra y de nuevo tuvimos enemigos, Xudura recordó la vieja fórmula de la huayahuasca, del mismo modo que recordó la fórmula de reducir cabezas... Ya hace días que Ulla, hijo de Kano, tomó la medicina... En un principio, creíamos que moriría, tantos fueron sus gritos, pero ya está en calma, y su espíritu viaja cada mañana al campamento de los blancos, y escucha las conversaciones de nuestros enemigos...

—¿En qué idioma las escucha...?

—En todos... La mente de los que beben huayahuasca se vuelve tan aguda, tan despierta y penetrante, que capta los pensamientos del enemigo, no sus palabras...

—¿Y...?

—Ayer Ulla escuchó cosas en el campamento... Flotaban aires de venganza contra los yubani... Deseos de destrucción y muerte y sonreían porque esa venganza está próxima. Las máquinas aniquilarán a los yubani, y éstos ya nunca causarán problemas... Una máquina verde llegará a destruirnos; y sabrá encontrarnos dondequiera que nos escondamos... —Su voz denotaba preocupación—. Hablaban de la máquina, pero no estaba allí... ¿Cómo es esa máquina...? ¿Cuándo vendrá y cómo nos encontrará? Vigilamos todos los caminos de la selva... —Hizo una pausa—. Sabíamos que el padre Carlos había llegado con dos blancos... Lo sabíamos desde que abandonaron el San Pedro, pero también sabemos que no son ésos los hombres de la máquina... No es verde su curiara... ¿Cuál es la máquina verde...?

—¿Cómo puedes creer esas cosas...? ¡Son fantasías...! Fantasías de alucinado... Permites que Xudura drogue a un pobre muchacho, y quieres aceptar todas sus pesadillas...

El indio se puso en pie y se encaminó a la más alejada de las chozas.

—¡Ven!—pidió.

Le siguió en silencio. La cabaña, pequeña y oscura, estaba ocupada únicamente por un chinchorro en el que dormía un muchachito enflaquecido y demacrado. Una anciana lo vigilaba sentada en el suelo.

En una esquina ardía una especie de pebetero, y un olor denso y áspero inundaba la estancia y se agarraba a la garganta.

José agitó el hombro del durmiente, que abrió unos ojos despavoridos. Miró al hombre blanco y murmuró en un inglés perfecto, sin acento:

—Piá se lamenta en su tumba de la isla... Vio a la mujer que deseabas, y se vistió como ella, y se lavó como ella, pero aun así, no la quisiste hasta después de muerta... ¿Por qué? ¿Por qué siempre tarde...?

Cerró los ojos nuevamente y se recostó fatigado como si se hubieran agotado sus fuerzas.

—¿Cómo sabe eso...?

José Correcaminos hizo un gesto de impotencia:

—Es la huayahuasca que habla por él, porque él jamás habló más que nuestra lengua.

—¡No es posible...!

Se apoyó en uno de los troncos que sostenían la choza y contempló al durmiente. Más que sus palabras, era su tono el que le había impresionado. Tuvo la impresión de que era Piá la que hablaba: era la misma voz con la que Piá únicamente aprendió a decir «bananas».

Agitó la cabeza intentando desechar sus pensamientos. Se volvió a José Correcaminos.

—¡Despiértalo! Quiero oír lo que dijo del campamento...

El indio agitó nuevamente al muchacho.

—¡Vuelve, Ulla...! ¡Vuelve! —pidió—. Regresa de donde están nuestros enemigos... Di qué daño piensan hacernos...

Abrió de nuevo los ojos y los fijó en el techo de paja, contemplando un punto inmóvil.

—Viene ya la máquina que trae la muerte —dijo—. Verde para que nadie la distinga en la selva... Llegarán antes que los guerreros, y únicamente matará mujeres y niños... Yo estaré entre los muertos... Y aquellos que no corran a esconderse en lo más profundo del bosque...

—¿Quién lo dijo...?

—Un hombre sentado ante una mesa en la que está toda la tierra de los yubani, y por la que hace correr su dedo, buscando a nuestro pueblo...

Cerró nuevamente los ojos, y su sueño pareció tan profundo, que José Correcaminos abandonó la cabaña convencido de que no volvería a despertarlo:

—¿Qué piensas ahora? —inquirió.

—¡Estupideces...! Alucinaciones...

—Estoy de acuerdo, padre... Es lo que dije... Pero le juro que cuando habló del hombre sentado ante una mesa, se me apareció el ingeniero Planchart intentando descubrir el campamento yubani...

—¿Y cómo va a encontrarlo...? Tan sólo puede hacer conjeturas, y éste es un territorio inmenso...

—Tienen un levantamiento fotográfico aéreo de la región —intervino Inti Ávila—. Yo trabajé con las fotos que se hicieron del piedemonte andino. Si la ampliación era buena, con ayuda de una lupa se podrían distinguir hasta las rocas de los ríos...

Guardaron silencio. Acababan de cenar, y se encontraban reunidos en torno a la tosca mesa, saboreando un café fuerte y espeso que Inti había preparado según fórmula secreta.

—Aun así, no puedo creerlo... —comentó el cura—. ¿Cómo explicar que un muchacho que duerme en una cabaña yubani pueda ver lo que hace el ingeniero Planchart en su campamento...?

—¿Y cómo explicar que ese mismo muchacho hable inglés?

—¡Oh! Vamos... ¿Te dejaste drogar tú también...? ¿Qué opina de esto, Sierralta...?

—¡Fascinante...! Me muero de curiosidad por ver a ese muchacho... Puede ser el reportaje de mi vida...

—¡Mierda...! Usted no piensa más que en la noticia, Tomás... Está deformado por la profesión... Si le digo que acabo de ver un burro volando, lo único que se le ocurre es salir a hacerle una foto...

—No es la primera vez que oigo hablar de huayahuasca. Muchos autores han escrito sobre ella, y gente tan seria como los Misioneros Pasionistas de la Alta Amazonia peruana, se admiraron de sus efectos...

—¡Bah...!

—¡Vamos, padre...! Puede que tenga rivalidad con los Pasionistas, pero no debe dudar de su buena fe... Lleva catorce años en estas tierras... Los suficientes para saber que hay muchas cosas que aún no logramos explicar... Usted mismo me contaba que para extraer un sututus anidado bajo la piel, necesitaba rajar la carne y realizar toda una operación de cirugía menor... Sin embargo, los brujos huanga hacen salir los sututus silbando...

—¡No es lo mismo...! —protestó el cura, molesto—. No podemos comparar un truco de medicina primitiva con algo que entra en el terreno de la parapsicología... Si la huayahuasca tuviera esos efectos, todos los espías del mundo la tomarían para enterarse de lo que planea el enemigo...

—¡Oh, padre...! —se lamentó Inti Ávila—. Poner tanta fe en Dios debió de agotar su cupo de credulidad... ¿Por qué no admitir —aunque parezca absurdo— que ese muchacho tiene poderes desconocidos y presiente que se va a causar un daño a su pueblo?

—¡Está bien...! Está bien —aceptó el cura, alzando los brazos y agitando su pipa—. Admitámoslo... ¿A qué vamos a jugar ahora...?

—Averiguar qué es y por dónde va a venir la máquina verde...

—Es un avión... Lo comprendí en cuanto dijo que matará a los que no corran a esconderse en el bosque...

—¡Eso es absurdo...! —protestó Sierralta—. La Fuerza Aérea no se prestaría nunca a una acción semejante... Conozco al ministro del Aire... ¡Antes se deja cortar la cabeza que movilizar un avión para una acción represiva...! ¡No! Absolutamente descartado...

—¿Y un avión particular...? Los fazendeiros brasileños los han empleado para ametrallar y bombardear tribus que molestaban... —señaló—. No es nuevo en el Amazonas.

—Sí, en «este» Amazonas —recalcó Sierralta—. Esto no es Brasil... Ni nuestra gente, sus fazendeiros, ni nuestras selvas, su inmensidad incontrolable... Aquí un avión no podría atacar un poblado indígena y ocultarse luego... —reflexionó—. La frontera está demasiado lejos... No existe un avión privado que pueda hacer el viaje sin repostar...

—¿Está seguro...?

—Completamente —recalcó el periodista—. Una avioneta no tiene autonomía de vuelo como para hacer el viaje de ida y vuelta desde la frontera... Necesitaría aterrizar y llenar sus tanques para volver... Y por aquí no hay más aeropuerto que Santa Marta...

—Bien... —admitió Inti Ávila—. Descartemos el avión. ¿Qué otra cosa puede ser...?

—Una lancha... Pero parece poco probable...
Llegar en una lancha significa exponerse a ataques desde la orilla... Y buscar a los yubani por todos estos ríos e igarapés es como buscar una aguja en un pajar...

—Yo sigo pensando que se trata de un avión...

—Pues yo sigo pensando que es una estupidez —insistió el misionero—. Nos volvemos locos haciendo conjeturas basadas en el sueño de un muchachito drogado... No me parece serio, francamente...

—De acuerdo, padre, de acuerdo —admitió—. No es serio... Pero... ¿Qué va a ocurrir ahora...? ¿Cree que la «Southern» se cruzará de brazos?

—Tal vez... —señaló Inti Ávila—. Probablemente los bulldozers estaban asegurados, y el perjuicio se limite a un pequeño retraso en las obras... Traerán nuevas máquinas, reforzarán la vigilancia y reanudarán los trabajos con más ímpetu.

—¿Y los obreros...? Les aterrorizó la visión de las cabezas reducidas...

—Cuestión de dinero... Aumentarán los jornales y encontrarán nueva gente dispuesta a trabajar...

—Hace cinco años, en Perú, los aguarunas aniquilaron a todos los que construían una carretera cerca de Iquitos... Y los aguarunas nunca fueron tan temibles como los yubani... Tal vez los obreros se lo piensen si se les recuerda...

—Tal vez —admitió Inti Ávila—. Pero en mi opinión, ésta es una guerra que no ganarán los yubani —si la ganan— sino, más bien, Sierralta y aquellos que sepan despertar la opinión pública y exponer lo injusto de la situación... Hace unos meses, unos campesinos colombianos asesinaron a sangre fría a una veintena de indios, incluidos mujeres y niños... El juez los puso en libertad porque declararon simplemente que «no sabían que fuera delito matar indios...». Sin embargo, la intervención de los periodistas trajo como resultado un escándalo mundial, un nuevo juicio, y una condena... Ahora, al menos en Colombia, se sabe que matar indios está castigado...

—No creo en la opinión pública... —negó convencido—. Es flor de un día y escándalo de un momento. La gente tiene demasiadas preocupaciones, e inmediatamente se ocupa de otra cosa... Cuando la carretera brasileña amenazó con aniquilar a la tribu de los pacaas novos, entre Cuibá y Porto Velho, en Matto Grosso, la Prensa se ocupó del asunto y pareció que el mundo se volcaba contra Brasil. El Gobierno estuvo a punto de suspender las obras. Sin embargo, de los treinta mil pacaas novos que había en 1950, no quedaban en 1968 más que trescientos... Lo mismo ocurrió con el «Servicio de Protección del Indio...». Se demostró hasta la saciedad que sus dirigentes eran los asesinos de las tribus brasileñas... El asunto alcanzó las más altas esferas, tuvieron que disolver el «SPI», e incluso encarcelar a muchos de sus miembros, pero la nueva «Fundación Nacional del Indio» no parece mejor... Las mismas gentes del «SPI» están ahora en el «FUNAI» con la diferencia de que procuran obrar calladamente... Y los periodistas se cansaron de hablar de ello...

—Los periodistas no nos cansamos... —rectificó Sierralta—. Son los lectores los que se cansan... Vivimos en un mundo cambiante, con una sociedad que cada día exige cosas nuevas. Las noticias, como los ídolos, nacen y mueren de la noche a la mañana... «Flor de un día», como usted dice... Pero nos exigen que sea así... El noventa

275

y cinco por ciento de nuestros lectores son gente sin formación, criterio propio, ni convicciones sobre casi nada de este mundo... Su cultura se basa en lo que leen cada semana en revistas ilustradas, escritas casi siempre por gente tan poco preparada como ellos... No leen libros: leen resúmenes de libros; no profundizan en ningún problema; se conforman con la opinión que les ofrezca un reporterillo cualquiera, o una desertora de la cocina, metida a redactora... El ingeniero sabe de números; el médico, de enfermedades, y el abogado, de Derecho... El resto no es más que un barniz bajo el que no existe absolutamente nada... Y lo peor es que les gusta cambiar constantemente el color de ese barniz: odiar a Jacqueline Kennedy tanto como la amaron; compadecer a Marilyn Monroe tanto como la insultaron; despreciar a un cantante tanto como lo enaltecieron... Si la Prensa es sensacionalista y vulgar, la culpa la tiene una sociedad histérica y cruel...

—¿Y pretendes que confíe a esa Prensa y a esa sociedad el destino de los yubani y de estas selvas...? Voy a llevarle a ver a los yubani como pidió... Voy a ayudarle en todo cuanto quiere saber sobre este punto, pero no espero que logre nada positivo... Ningún hombre blanco —individual o colectivamente— salvará nunca a los indios... Tendrán que hacerlo ellos mismos.

—No estoy de acuerdo —intervino Inti Ávila—. No fueron los sioux, ni los crow, ni siquiera Daniel Boone o David Crockett quienes salvaron la Naturaleza... Fueron las protestas de Toreau, y los escritos de Muir, y de Audubón. Poco a poco, formaron una conciencia de opinión que desembocó en la creación de la «Asociación Forestal Norteamericana»... Y fue el propio Teodoro Roosevelt el que creó el ambiente para que se fundara el «Club Boone y Crockett» de defensa de los animales salvajes.,. Y luego vino la «Sociedad de la Selva», y el «Club Sierra», y tantos otros que comenzaron a rescatar lo que aún podía rescatarse, de manos de los desaprensivos... «La Conservación empieza por la Educación...», y mientras no comprendamos la verdad de ese lema, y enseñemos a la Humanidad que tiene en sus manos el destino del mundo, nada lograremos... —Hizo una pausa y golpeó con el índice la basta superficie de la tosca mesa de madera—. El problema con que nos enfrentamos se convertirá en los próximos años en el problema básico de nuestra especie... Los Gobiernos tendrán que intervenir seriamente y tomar severas medidas. Si no lo hacen, vendrán Organismos Supranacionales que les obligarán, porque lo que estará en juego será el porvenir del planeta Tierra... Nuestra misión no es enfrentar dardos envenenados contra balas y bulldozers en una batalla local, sino enfrentar la acción contra la indiferencia; la verdad contra el olvido; el futuro contra el presente...

—Puede que ésa sea tu misión como naturalista... —admitió—. Pero no es, en absoluto, la mía... Lo que me preocupa es defender el lugar en que vivo, la tierra que amo y los indios que me ofrecieron su amistad... Y eso no puede esperar... La opinión pública despierta muy despacio y yo quisiera detener esa carretera... Impedir que avance un metro más...

Llegó con el amanecer.

Primero fue un zumbido lejano, de mosquito que pugnara por colarse bajo la sábana. Luego, un rugir inconfundible que subió de intensidad a medida que se aproximaba, y, al fin, un estrépito olvidado, que revolucionó a las loras, espantó a las garzas, hizo gritar de miedo a los monos y levantó a los cuatro —de un salto— de sus chinchorros.

Corrieron a la orilla de la laguna, y lo vieron alejarse hacia el sureste; verde, rápido, metálico...

Minutos después llegaron las explosiones; apagadas, lejanas, metálicas.

Y, por último, el tabletear de las ametralladoras del cincuenta: sordas, densas, metálicas...

—¡Los hijos de la gran puta...! ¿Qué avión era?

—Una «Piper-Azteca»... Recién pintada y sin matrícula...

—¿No dijo que no podía llegar...?

—Y no puede... Tiene que repostar en alguna parte...

—¡Mierda...! Vamos allá...

Bordearon la laguna y echaron a correr por el sendero. Un guerrero yubani, casi un niño, les salió al paso, armado de su cerbatana, pero se le advertía desconcertado por las explosiones, indeciso y tembloroso. Dudó unos instantes y optó por correr junto a ellos. A los pocos instantes se había adelantado, perdiéndose de vista.

Se detuvieron en la orilla del pantano, espantados por el espectáculo. Varias cabañas ardían, y una docena de cuerpos desnudos aparecían aquí y allá rotos y sangrantes. Llenaban el aire los lamentos de los heridos, pero no vieron movimiento en el poblado. Los sobrevivientes habían escapado a lo más profundo del bosque.

—¡Oh, Dios! ¡Dios...! —sollozó el cura—. ¡No es posible...!

—¡Claro que es posible, padre...! —señaló hacia una cabaña—. Él lo dijo...

La pequeña choza donde Ulla dormía no era más que un montón de cenizas humeantes. El cadáver de la vieja aparecía a unos metros; el del muchacho descansaba bajo los escombros.

El padre Carlos se inclinó sobre una niña a la que una explosión había arrancado el brazo izquierdo y se desangraba lentamente, sin un gemido.

—¡Dame tu camisa, Inti...! —ordenó—. ¡Rápido!

La desgarró a jirones y confeccionó toscas vendas con las que contener la hemorragia.

—Necesito desinfectantes... Alcohol, whisky, lo que haya...

—En mi macuto hay una botella de whisky y algunas medicinas... —señaló Inti Ávila—. Iré a buscarlo...

—Iré yo... Conozco mejor el camino...

—Por favor... Traiga mi máquina fotográfica... —rogó Sierralta.

Emprendió la carrera de regreso. Nunca le pareció tan larga la distancia. Se desgarró los brazos y el rostro con las zarzas, y los pies le sangraban cuando llegó a la cabaña, pero no prestó atención a sus heridas ni descansó siquiera. Metió en un saco cuanto encontró que pudiera ser útil, se lo echó al hombro y regresó sin aflojar la marcha, con el corazón saltándole en el pecho, los pulmones reventando y las piernas insensibles.

Hicieron milagros con lo poco que tenían. El padre Carlos se mostró un enfermero hábil, e Inti Ávila y Sierralta le ayudaban. Los indígenas habían comenzado a regresar tímidamente, pero se limitaron a acuclillarse en el suelo y contemplar la tarea de los blancos.

José Correcaminos fue el único que reaccionó a la vista de la destrucción y la muerte. Permaneció en pie, contemplando la choza y el cadáver de la vieja.

—Ulla lo veía todo... —murmuró—. Sus ojos y su mente viajaban más allá de las montañas y los mares, y sus oídos comprendían los idiomas. La máquina era verde, como él dijo, y trajo la destrucción y la muerte... No habrá nunca otro como Ulla...

—¿Hacia dónde fue el avión?

Señaló el noroeste.

—Volvió de donde vino... De la carretera.

—No puede ser... En la carretera no hay pista de aterriza... —se interrumpió y corrió hacia Sierralta, que fotografiaba cuanto veía—. ¡Dígame...! —rogó excitado—. ¿En la carretera puede aterrizar una avioneta...?

—Probablemente... ¿Qué anchura hay entre los árboles...?

—Unos cincuenta metros...

—Entonces está claro... Allí repostó

—Y quizá, también, cargó municiones... Si regresó y cargó de nuevo, puede volver en cualquier momento... —Se volvió a José, que le había seguido—. Ordena a tu gente que vuelva al bosque —pidió—. Y que se lleven también a los heridos... Aquí no están seguros...

Quince, entre viejos, mujeres y niños habían muerto. Trece más les seguirían pronto, entre ellos la niñita del brazo mutilado. Los restantes se quejaron al ser removidos de sus chozas, y las mujeres al abandonar sus hogares, pero José Correcaminos se mostró inflexible, y Xudura, el brujo, le auxilió en su empeño.

Se amontonaron en un claro protegido por altas ceibas, y allí permanecieron inmóviles, acuclillados y silenciosos, con el oído atento al menor rumor que trajera el viento.

Eran como un rebaño de animales asustados, que no habían logrado captar aún la magnitud de su tragedia.

De pronto un muchacho gritó.

José Correcaminos le hizo callar y prestó atención:

—¡Ya vuelve! —confirmó al momento—. Del mismo sitio...

Tardaron en percibir lo que resultaba claro para los indígenas. Llegó veloz y rugiente, y dejó caer su carga sobre las cabañas vacías.

—Bombas de mano... —señaló.

El avión pasó y repasó una y otra vez, y cuando se cansó de tener como blanco el poblado solitario, lanzó sus granadas sobre la selva circundante, buscando a los fugitivos.

No consiguieron más que destripar a unos cuantos monos, porque las bombas estallaban en lo alto, al rebotar contra las ramas de los árboles.

Luego el aparato se alejó hacia donde había venido, y la calma volvió a la selva con la caída de la tarde.

Anochecía cuando comenzaron a llegar los guerreros. La distancia a la que debieron percibir las explosiones debió ser realmente inaudita, porque habían corrido durante todo el día, y únicamente los más fuertes alcanzaron el poblado antes de oscurecer.

A la luz de los rescoldos de lo que habían sido sus hogares, contemplaron en silencio el espectáculo.

Un guerrero avanzó muy despacio, con los ojos fijos en su cabaña, se detuvo ante los cadáveres de sus hijos de apenas cinco y siete años, y se lanzó a tierra, a revolcarse en las brasas humeantes. No soltó ni un lamento, aun cuando su cuerpo se convirtió pronto en una inmensa ampolla, y no miró a nadie —ni a sus hijos— cuando dio media vuelta y se perdió en la negrura de la selva.

Fue noche de llantos y de miedos. Noche que los blancos recordarían mientras vivieran, más impresionados por el silencio amenazante de los guerreros que aprestaban sus armas, que por los lamentos de las mujeres o el gemir de los heridos.

Era una noche de venganza en la selva, tan antigua como la aparición del hombre sobre el planeta, cuando la vida se limitaba a una eterna lucha entre tribus rivales, inacabable disputa por la propiedad de la tierra o las mujeres.

Los yubani conocían de antiguo noches semejantes. A través de su larga historia de tribu nómada y libre, antes de asentarse definitivamente entre el San Pedro y el Yubani, se habían enfrentado sucesivamente a los bocanegras, parantintís, xavantes, aguarunas, huangas, yumas y muratos, en un vagar que les había llevado a los cuatro puntos cardinales del inmenso Amazonas, aliados a veces con los aucas, otras con los cintaslargas, y casi siempre solos.

También habían luchado con los blancos; con los cazadores de esclavos de las caucherías de finales de siglo, raza de aventureros sin escrúpulos que aniquiló docenas de otras tribus, pero se estrelló contra la fiereza de los yubani.

Y ahora, cuando ya casi no quedaban huangas, ni yumas, ni xavantes, ni bocanegras, muratos, aguarunas o parantintís, allí estaban nuevamente los blancos como únicos enemigos; los más temibles, los más crueles y traidores; los que habían ido liquidando una por una a todas las tribus que se pusieron en su camino.

Era noche de venganza. Pero no una de tantas noches de venganza en la historia de los yubani, sino la última; la definitiva; aquella para la que habían venido preparándose desde el comienzo de los siglos, porque si resultaban vencidos, no tendrían otra oportunidad y desaparecerían para siempre de la selva, la historia del gran río y la faz de la Tierra.

Inti Ávila se apartó de la cabecera de la niña que agonizaba, dejó que el misionero continuara atendiéndola y se sentó en el suelo, junto a Sierralta, con la espalda contra un tronco y los pies rozando la hoguera.

El viejo Xudura revolvía silencioso una vasija en la que bullía un líquido marrón oscuro, espeso y maloliente.

—¿Curare?

—Creo que sí... Pero no debe ser curare de caza, sino el otro: el de guerra; el que fulmina a un hombre con sólo rozarle.

—¿Qué piensa de todo esto...?

—No lo sé... —se encogió de hombros—. Como periodista, creo que se me ha concedido la oportunidad de ser testigo de algo excepcional... —contempló las llamas unos instantes, y se volvió a mirarle—. Y no me refiero a la matanza, ni a los preparativos que hacen... Sino a lo que realmente significa...: el fin de una época en la Historia de los hombres; la última guerra entre el pasado y el futuro; el estertor agónico de un mundo que se va...

—¿Cree que no hay remedio...?

—No. Él tiene razón... Si la Humanidad camina hacia su autodestrucción, no seré yo quien pueda detenerla...

—Pero en Norteamérica se consiguieron resultados... Se puso freno a los abusos, la masacre y la destrucción.

—Demasiado tarde. Ya no quedaban indios: el paisaje no tenía recuperación, y los animales habían desaparecido... En cierta ocasión leí que a principios del siglo pasado había en los Estados Unidos cinco mil millones de palomas migratorias... En 1893, murió en el zoológico de Cincinnati el último ejemplar de la especie... Si eso es cierto; si se pueden aniquilar cinco mil millolles de aves en menos de un siglo, ¿cómo podemos mantener esperanzas?

Guardaron silencio cuando le vieron llegar. Suponían la noticia que traía.

—¿Ha muerto?

—Sí.

—¿Y el padre Carlos...?

Se quedó rezando... Acaba de bautizarla...

—¡Si eso le sirve de consuelo...!

—Intentaré dormir un rato..., van a ser días muy duros.

Hizo un ademán de alejarse, pero Sierralta lo detuvo por el brazo...

—¿Qué ocurrirá...? —Esperó inútilmente la respuesta, y señaló con la cabeza hacia los guerreros—. ¿Irá con ellos...?

—¿Qué otra cosa puedo hacer…?

—…Quedarse al margen… No es su país; no son su gente…

—Se equivoca… Éste es mi país, y ésta, mi gente. Más de lo que lo fueron nunca Norteamérica y los norteamericanos…

—Le matarán… Y usted vino buscando paz… No huyó para esto del Vietnam…

—Quizá sí… —Se acuclilló frente a él. Su voz sonaba diferente, y su rostro, marcado por las cambiantes sombras de la hoguera, parecía también distinto, más duro, más hermético—. Y puede contarlo en su periódico… —añadió—. Los yubani no están solos…

—Un hombre no puede hacer nada por esta gente…

—Dos.

Se volvieron a mirarle. Inti Ávila sonrió con timidez como disculpándose. Luego, añadió con parsimonia:

—Seremos dos, si lo permite… Conozco estas selvas y sé cómo desenvolverme en ellas. No seré una carga…

—¡Es estúpido…! Yo no tengo nada que perder, y éstos son mis amigos… Pero usted tiene una esposa, y una carrera… Su obligación es escribir libros, no embarcarse en una contienda armada…

—Me cansé de escribir libros… No basta contarle a la gente qué hermosa es la Amazonia y pedirle que la respete… Hay que obligarles a respetarla.

—¿Y su esposa…?

—Espero que lo entienda… Y si no lo entiende, no es la mujer que yo imaginaba…

—¡No sea loco, Ávila…! —intervino Sierralta—. La violencia nunca es el camino... Piénselo, porque se arrepentirá toda la vida... La gente de la carretera es poderosa. Los grupos que tienen detrás, son, hoy por hoy, los más fuertes del mundo... No podrá con ellos, se lo aseguro... No conseguirá nada...

—Hay que intentarlo...

—¡Es inútil...! ¿Es que no lo entienden...? —protestó el periodista—. No se trata de la carretera, o del cobre, o de las grandes empresas multinacionales... Se trata del Progreso... ¿Lo oyen...? El «PROGRESO...», y eso es algo a lo que nadie puede enfrentarse...

—¿Hasta cuándo el «mito del Progreso» va a continuar siendo el tabú con que asustar a los simples...? —dijo—. A los que se oponen al progreso se les acusa de retrógrados, pero estamos llegando a un punto en que se es más retrógrado dejándose arrastrar sin lucha por la avalancha de ese progreso... ¡Yo me opongo al Progreso! Con todas mis fuerzas...

—¡No lo dice en serio...!

—Completamente.

—¡Y yo le apoyo...! —recalcó Inti Ávila—. ¡Nos está comiendo vivos la maldita tecnología...! —señaló al grupo de cadáveres amontonados junto a la orilla del pantano, aguardando sepultura—. ¡Ése es el Progreso...! ¡Ancianos, mujeres y niños asesinados!

—No acabarán con ello haciéndose matar en estas selvas...

—No, desde luego... ¿Pero conoce otro modo mejor de protestar? —Se puso en pie nuevamente—. Me voy a dormir...

Se alejó hacia el extremo del poblado, y se tumbó en la hierba, cara al cielo. Cerró los ojos y se durmió al instante.

Sierralta y el padre Carlos emprendieron el regreso a la Misión; los muertos se enterraron cuando el sol estaba alto; el curare comenzó a endurecerse a media tarde, y con el amanecer, los guerreros iniciaron el camino de la venganza.

En la mañana del tercer día, llegaron al campamento. Lo observaron desde la espesura.

Había crecido increíblemente, y era ya mitad poblado, mitad fortaleza, con ametralladoras emplazadas en toscas casamatas, apuntando directamente al nacimiento de la selva, a doscientos metros de distancia.

Los centinelas no despegaban los ojos de la maleza, atentos a la menor señal de peligro y los soldados no abandonaban un instante sus armas.

Flotaba en el aire una quieta sensación de espanto, y pudieron advertir que los obreros —por lo común parlanchines y bullangueros— se agrupaban en los galpones sin paredes, cuchicheando nerviosos, estudiando de reojo a los soldados.

—Nos están esperando...

Inti Ávila afirmó en silencio. José Correcaminos se agitó inquieto y señaló las casamatas:

—Muchas armas... —comentó.

—Ametralladoras del cincuenta... Si damos un paso fuera de estos árboles, nos fríen...

Un grupo surgió de la carpa grande. Reconocieron al ingeniero Planchart y al capitán Salas. Tres más vestían ropas de ciudad, y se les advertía extraños al campamento; probablemente extranjeros. Otros dos lucían monos con infinidad de bolsillos, y gafas oscuras con rebordes de oro.

—Parecen pilotos... Quizá la avioneta aún anda por aquí... —se volvió a Kano—. Di a tus guerreros que la busquen.

Kano charloteó en su lengua, y al instante seis yubanis desaparecieron silenciosamente en la maleza.

En el campamento, los pilotos se encaminaron a una choza, los tres hombres se alejaron hacia el río, y Planchart entró nuevamente en su tienda, mientras el capitán se adelantaba a inspeccionar las ametralladoras.

Abandonaron el puesto de observación y se agruparon en un pequeño claro. Los yubani —medio centenar de guerreros desnudos— se acuclillaron en círculo y observaron en silencio a Kano y José Correcaminos, que parecían haberse erigido en líderes mientras durara la contienda.

—Bien... —comentó—. ¿Qué vamos a hacer ahora?

—Atacar... —se limitó a responder Kano con convicción.

—¿Cuándo...?

—Al amanecer... —replicó el indio.

—Eso es lo que esperan... —señaló—. Que ataquemos al amanecer, como vienen haciendo los yubani desde que el mundo es mundo... Pero si lo hacemos, ni uno de tus guerreros alcanzará la mitad de ese claro... Y tus cerbatanas no llegan hasta allí... ¿O sí llegan?

—No llegan —admitió José Correcaminos—. Demasiado lejos...

—En ese caso, no debemos atacar de día y de frente, sino de noche y por la espalda...

—Los yubani no atacan de noche... —protestó José Correcaminos—. Tú lo sabes...

—Sí. Lo sé... Y también lo saben los soldados, y todo el que haya vivido una semana en estas selvas... Los yubani temen a los «Taré» de la noche y de las aguas profundas... Nadie espera un ataque de noche, ni a través de los ríos... Por eso... esta vez los yubani atacarán de noche y llegando por el río... ¿Lo has entendido?

José Correcaminos tardó en contestar. Se diría que le costaba trabajo asimilar la nueva estrategia. Por último, sacudió la cabeza negativamente:

—Yo puedo entenderlo, me eduqué entre los blancos y conozco su forma de pensar... Lo entiendo, y me parece astuto. Pero los guerreros no querrán... Los «Taré» de la noche y de las aguas son demasiado poderosos... El guerrero que muere en un ataque nocturno, jamás encuentra descanso por los siglos de los siglos... No aceptarán.

—Tienen que aceptar... Inti y yo entraremos en el campamento esta noche, bajando por el río, y necesitamos a los diez guerreros más valientes de la tribu... ¿No hay diez valientes entre los tuyos...?

—Hay muchos más de diez valientes... Todos los yubanis son valientes y no le temen a la muerte... Pero lo que pides está más allá de la muerte... Nadie puede desafiar a los espíritus... —Hizo una pausa—. De todas formas, lo consultaré...

Se volvió a su gente y comenzó a hablar en yubani, lentamente, agitando a menudo las manos para señalar el campamento y el río, tocando una y otra vez la cerbatana de Kano y las calabazas secas que contenían el curare.

Estudiaron los rostros de los guerreros, pero les resultó imposible adivinar lo que pasaba por sus mentes. Permanecían inmóviles y atentos y se diría que durante el tiempo que duró el discurso de José Correcaminos no movieron un músculo del cuerpo.

Se hizo un largo silencio. De pronto, como puestos de acuerdo, todos se volvieron de espaldas e inclinaron profundamente la cabeza, clavando la frente en el pecho y cerrando los ojos. José Correcaminos alzó la mirada hacia los blancos.

—Meditan a solas su respuesta... La libertad de los yubani exige que cada cual tome su decisión sin tener en cuenta lo que puedan pensar los otros...

Aguardaron. El tiempo se alargó, y por entre la maleza llegó, lejana, una voz de mando en castellano.

Fue Kano el primero que, sin moverse, alzó el brazo armado de la cerbatana, pero continuó completamente inmóvil y con los ojos cerrados.

Comenzaron a elevarse los brazos... Dos... Tres... Cinco..., pero sus dueños seguían sin moverse.

Cuando fueron quince los brazos en alto, José Correcaminos se volvió a los blancos:

—¿Son suficientes? —inquirió.

—Basta con ellos...

José dijo algo en yubani, los brazos bajaron de nuevo y los indios recobraron su primitiva posición, agrupados en cuclillas.

Aguardaron la llegada de los exploradores. Habían localizado la avioneta camuflada junto a la carretera, a unos tres kilómetros de distancia.

Echaron a andar silenciosamente por entre lo más intrincado de la espesura, deslizándose como sombras, sin mover una hoja, tan sigilosos, que se podría asegurar que nadie había atravesado jamás aquellos bosques.

El guerrero que descubrió la avioneta servía de guía. Se abría camino con la seguridad de quien hubiera recorrido cien veces el mismo camino pese a que no existía detalle alguno que diferenciase aquel pedazo de selva de cualquier otro.

Se detuvo de pronto, apartó unas anchas hojas de caucho y señaló al otro lado de la carretera.

No había nada.

Por más que esforzó la vista, no distinguió más que el verde enmarañado de la jungla, pero el guerrero insistió.

Nada.

Fue José Correcaminos quien le obligó a fijarse en las marcas de las ruedas en el fango. Siguió las huellas con la vista y descubrió un gran matorral en el que podía entreverse el extremo de la cola.

—¿Le prendemos fuego...? —propuso Inti.

Negó con la cabeza.

Un vehículo se aproximaba a gran velocidad. El ruido de su motor resultaba claramente perceptible, y a los pocos instantes apareció al extremo de la fangosa pista.

Se agazaparon en la espesura. Los yubani aprestaron sus cerbatanas, pero alzó el brazo, imperativo.

—¡No hagan nada!

José repitió la orden casi en el instante en que el vehículo, un jeep cerrado, se detenía frente a ellos, junto al aparato.

Descendió el capitán Salas, armado de una corta metralleta con la que apuntó directamente a la espesura. Le siguieron los dos pilotos, y Planchart se mantuvo al volante, sin apagar el motor.

Los aviadores se encaminaron al matorral, y a toda prisa comenzaron a apartar el camuflaje, dejando al descubierto el verde fuselaje metálico. Trabajaban como aquejados de un súbito nerviosismo, que contrastaba con su calma del campamento.

También el capitán parecía inquieto, y Planchart gritaba algo, sin atreverse a poner el pie en tierra, dirigiendo preocupadas miradas al borde de la selva.

—Se diría que tienen prisa...

—Y miedo...

—¿Conoces a esos pilotos?

Inti Ávila agitó la cabeza:

—Al más bajo lo he visto alguna vez en Santa Marta...

El aparato ya aparecía libre, y habían saltado dentro. El motor tosió por dos veces, soltó un rosario de explosiones que aterrorizaron a los indígenas, y comenzó a rodar muy lentamente, alejándose en dirección opuesta al campamento.

El capitán subió al jeep, y Planchart metió la marcha, giró en redondo y regresó por donde habían venido.

A los pocos instantes, todo estaba otra vez en calma y en silencio.

Salieron a la abierta y solitaria carretera.

—Algo ocurre... No es simplemente miedo a los yubani...

Reanudaron la marcha, selva adentro.

Se detuvieron a unos cinco kilómetros, río arriba, a orillas del solitario San Pedro. A una orden de Kano, los guerreros se desplegaron por las cercanías, y regresaron cargados con gigantescos troncos de madera de balsa, tan livianos, que un hombre podía llevar sin esfuerzo un árbol que le doblara en envergadura.

Caía la tarde cuando, con ayuda de bejucos y lianas, tuvieron lista una fuerte almadía capaz para veinte personas. La lanzaron al agua, y desde ella, y teniendo a José Correcaminos como intérprete, ultimaron sus instrucciones. Los guerreros exigieron que las repitieran por tres veces, sin comprender qué extraña clase de guerra era aquélla, que se salía de todas las normas que habían practicado los yubani desde el comienzo de su historia.

Insistió una vez más:

—No vamos a matar a nadie. Las muertes no solucionan el problema, y en ese campamento hay obreros inocentes. Pero si logramos llevarnos los rehenes, podremos negociar el cese de la carretera...

—Los guerreros quieren venganza...

—Con una masacre nunca lograremos la paz —indicó—. Echarán al ejército sobre nosotros y acabarán con el último yubani de la tierra... Deben decidirse: O eligen la venganza y la aniquilación, o seguir existiendo como tribu...

Fue una larga discusión, y al final las opiniones continuaban divididas. Kano se avenía a la solución de los rehenes, pese a que su hijo, Ulla, había muerto durante el bombardeo. El padre de los dos niños asesinados, el guerrero que se revolcó en las brasas la primera noche y que presentaba aún el cuerpo cubierto de ampollas y llagas supurantes, encabezaba el grupo de los que exigían venganza. Súbitamente, el viejo Xudura, que no había abierto la boca en todo el día, alzó los brazos pidiendo silencio, dijo algo ininteligible para los blancos y señaló imperativamente al bosque.

Kano y el guerrero se pusieron en pie de un salto, y se perdieron de vista en la espesura.

—¿Qué diablos pasa ahora...?

—El que regrese con una surucurú, demostrará que los espíritus están de su parte, y tiene razón. Si Kano vuelve primero, se hará a tu manera. Si es Ecla el que llega antes... —José Correcaminos se encogió de hombros—, en ese caso, habrá masacre...

—Pero ya es casi de noche... ¿Cómo van a cazar una surucurú con las manos y casi a oscuras...?

—Ellos saben buscarlas...

Negó convencido:

—No regresarán con vida...

—Si no regresan, no habrá ataque... Significará que los espíritus están contra esa lucha...

—¡Oh diablos...! ¡Podías haberlo dicho antes...!

Se apartó al extremo más lejano de la balsa, y contempló cómo las primeras sombras se apoderaban de la quieta superficie del San Pedro.

Inti Ávila le siguió, se acuclilló a su lado y jugueteó con el agua, que se escapaba entre sus dedos.

—¿Qué vamos a hacer si Kano no vuelve...?

—No lo sé... Tiemblo al pensar que la vida de los que están en ese campamento dependa de la habilidad de un par de salvajes en cazar una serpiente casi a oscuras... ¿Y sabes cómo son las surucurús...? Más rápidas que la propia vista... Un gesto en falso, y te mandan al otro barrio en un instante... ¡Dios!

—La posibilidad de la masacre ya existía... Si no estuviéramos aquí, ni siquiera se plantearía la discusión. Atacarían al amanecer, de frente y a cuerpo limpio, y ahí terminaría la historia de los yubani...

—Pero... ¿Y si Ecla vence y decide atacar de noche por el río? ¿Imaginas la carnicería?

—No habremos hecho más que cambiar la raza de los muertos... Masacre de indios si atacan de día... Masacre de blancos, si lo hacen de noche... ¿O es que la vida de los yubani vale menos...?

—No, desde luego... No es eso...

—Tal vez no regrese ninguno... O tal vez se vuelvan sin haber conseguido la serpiente...

—Eso no haría más que retrasar el problema... La carretera sigue ahí. Y ahí está el ejército, y Planchart... Tenemos que detenerlos ahora, o no lo conseguiremos nunca... Con rehenes atraeríamos la atención y ganaríamos tiempo...

—Empiezo a creer que no basta ganar tiempo... —negó Inti en tono pesimista—. Desde aquí veo las cosas mucho más difíciles... ¡Oh, diablos! Tenemos fe en lo que hacemos, pero no somos más que una banda de desharrapados, solos contra el mundo...

El cielo se había teñido de un rojo furioso, y el río tenía ahora una tonalidad cobriza brillante. Las últimas garzas de la tarde volaban en busca de sus nidos, y tan sólo una nube rebelde continuaba mostrándose increíblemente blanca en el centro de aquel derroche de colores.

Se acuclilló junto a Inti Ávila, y señaló con la cabeza hacia los árboles y el río:

—Quizá, si les trajéramos a ver esto... —dijo—. Si les mostráramos una puesta de sol en la selva, los paseáramos por los riachuelos a la sombra de los cedros, les obligáramos a escuchar el canto de los bombarderos y las llamadas de amor de las pavas...

Inti negó convencido:

—No entienden...

Señaló suavemente el río:

—¿Puede alguien no entender esto...?

—Ellos...

Sonó un grito. Fue un aullido desgarrador, de dolor y muerte; de miedo y agonía.

Venía del bosque, y todos prestaron atención. con los ojos fijos en la espesura.

Pasaron los minutos. La luz desapareció y la noche llegó asida a la cola de la última garza que se perdió de vista entre los árboles.

No había crepúsculo en la selva; día y noche, noche y día, se sucedían bruscamente, casi sin transición, y tuvieron que esforzarse por distinguir la figura que había surgido entre las lianas y avanzaba hacia el grupo reunido en la orilla del río.

—¡Kano!

Alzó el brazo para mostrar la surucurú, pero sus fuerzas le abandonaron y cayó de bruces.

De las sombras nació Ecla a sus espaldas, saltó por encima del cadáver, avanzó hasta donde se encontraba Xudura y José Correcaminos, mostró la serpiente y exclamó en yubani:

—¡Será venganza...!

—¿Cuándo? —quiso saber Xudura.

—Mañana... ¡Al amanecer!

Era absurdo dejarse matar de aquella forma, y lo sabía. Apenas pusiera el pie lejos de la protección de la espesura, las ametralladoras comenzarían a escupir muerte, y sería de los primeros en caer. No tenía ya la agilidad de antaño, ni la capacidad de los yubani de pegarse al suelo, saltar o camuflarse. En cuanto a Inti... También estaba dispuesto a acabar estúpidamente cuando aún le esperaba toda una vida, y una hermosa mujer que le quería...

No permitiría que se mezclara en aquella locura. Era, quizás, un fin lógico para un tipo como él, renegado de su mundo y de su raza, pero no para un muchacho brillante, que podía hacer algo más por la Naturaleza y la selva que dejarse acribillar por un soldado analfabeto.

Trató de convencerle mil veces durante la noche, pero la respuesta fue siempre la misma: «Voy contigo.»

—¿Adónde, imbécil...? ¿No ves que van a matarnos...?

—¿Por qué lo haces tú...?

—Defiendo mi tierra, mi casa, mis amigos...

—Yo defiendo cosas que quizá no entiendas... No podrán decir que luchaban con unos cuantos salvajes y un blanco desertor... Luchaban también contra la parte del mundo a quién yo quiero representar mañana… La que se rebela contra el abuso de la fuerza; la bestialidad, y la ambición… Cuando alguien lea que mataron a un naturalista, tendrá que detenerse a meditar por qué lo mataron, y lo que eso significa… Lograré más de ese modo que escribiendo cien libros…

—No lograrás nada… Y aunque lo logres… ¿De qué va a servirte…?

Pero no hubo forma de convencerle, y ahora lo distinguía allí, en las sombras, acurrucado contra un árbol, fingiendo que dormía, pensando en cuanto iba a perder con la llegada de la aurora, sin soltar la escopeta de caza que apretaba contra su pecho como si creyera que con abrazarla iba a conseguir que disparara más lejos y con más eficacia.

¡Y los otros!

Tan orgullosos de sus cerbatanas y su curare; cegados por su sed de venganza; incapaces de comprender que la única forma que tenían de perder aquella guerra era atacando de frente.

Protegidos por la espesura, sus cerbatanas y su curare habrían causado estragos entre los obreros y los soldados, y sin embargo, allí estaban, acurrucados bajo las diminutas chozas que se habían construido para defenderse de los «Taré» de la noche; decididos a lanzarse a la muerte en cuanto hiciera su aparición el «Intié» del día.

Empezaba a creer que Planchart era más astuto de lo que parecía en un principio. Tal vez el ataque aéreo no fue tan sólo una represalia por la quema de bulldozers; tal vez lo calculó para obligar a los yubani a salir de su selva y sus pantanos.

Planchart sabía que la mejor forma de acabar con los «salvajes» era dar la batalla en terreno abierto, y en un punto en que, en el peor de los casos, tuviera cubierta la retirada: a orillas del ancho San Pedro.

—¡Qué sorpresa te hubieras llevado, hijo de perra, si Kano regresa vivo y te ataco de noche...! Te hubiera metido las ametralladoras en el culo...

Ametralladoras del cincuenta... ¡Dios de los cielos!

Aún recordaba su seco estampido, parecido a un corto trueno que se reflejase a la vez en mil montañas. Muchas veces había disparado con ellas contra la espesura, y siempre le impresionaba ver saltar por los aires ramas, hojas y piedras, como si una mano gigantesca pasara un inmenso machete a ras del suelo. Nada quedaba con vida al otro extremo del punto de mira, y ahora..., ¡cómo cambian las cosas!, era él quien estaba al otro extremo.

«Esto debe ser lo que llaman, ''Cooperación Militar Norteamericana''... Ametralladoras que se han cansado de matar vietnamitas, entregadas a los Gobiernos de Latinoamérica para matar indios.

»Me gustaría saber qué diría Bolívar... ¿O quizá no luchó por una vida mejor para los indios...?

»Probablemente no, porque desde que murió, mucho habían progresado los criollos, pero los indios no habían avanzado un paso en más de un siglo.»

¿Qué diferencia había entre los yubani, que se oponían al paso de la carretera y los que se opusieron a la llegada de los conquistadores? Ambos luchaban por lo mismo: independencia y libertad.

Entre sus enemigos sí había diferencia. Los españoles vinieron en nombre de Dios buscando oro y armados de espadas y arcabuces. Los de ahora, venían en nombre del Progreso, buscando cobre y armados de aviones y ametralladoras.

Habían transcurrido cuatrocientos cincuenta años desde que Francisco de Orellana pasó por aquellas tierras, pero la guerra continuaba siendo la misma.

Sintió que los yubani comenzaban a moverse. Como si un reloj interno los despertara al unísono, salieron de sus minúsculos refugios y tomaron sus armas para desaparecer en la espesura.

José Correcaminos se acuclilló a su lado.

—Pronto amanecerá —dijo.

—¡Vamos allá...!

Se puso en pie y avanzó hasta el bulto acurrucado que era Inti Ávila. Se detuvo ante él, alzó el rifle y le descargó en la cabeza un culatazo corto y seco. La escopeta resbaló del pecho del muchacho, que cayó como un fardo al pie del árbol.

—Demasiado joven para morir... —dijo.

—Demasiado joven... —admitió José Correcaminos.

Echaron a andar, abriéndose camino por entre la espesura y la oscuridad, desgarrándose las manos con espinos y ramas; tropezando con raíces y troncos; mascullando maldiciones por lo bajo.

Media hora después llegaron al claro y le sorprendió advertir que no había luz en el campamento. Ni un ruido, ni una sombra que se moviera, ni un cigarrillo mal escondido.

Trató de imaginarlos, y casi pudo verlos agazapados tras las ametralladoras y los fusiles, protegidos por cajones y máquinas, tensos y aterrorizados; listos a apretar el gatillo.

—Deben de tener más miedo que nosotros...

No obtuvo respuesta. José Correcaminos, «el Mensajero de Dios», ya no estaba a su lado. Había desaparecido como tragado por la selva, y se sintió más solo que nunca.

Buscó a su alrededor, pero no encontró más que oscuridad. Sintió ganas de salir corriendo y no detenerse hasta su cabaña, pero hizo un esfuerzo, comprobó una vez más que su arma estaba cargada, y se recostó contra un árbol a esperar la primera claridad que quería nacer ya por el oriente.

Un minuto... Dos... Tres... Y sintió frío.

—Debe ser miedo.

Orinó, y tuvo la impresión de que el rumor de las hojas al mojarse despertaban al mundo.

Cuando acabó, ya era de día.

Ya distinguía los contornos de las cosas; el diámetro de los árboles; la silueta de las hojas grandes; la extensión del claro; las formas de las construcciones del campamento. Algo se movió ante él, a su derecha. Pudo distinguir un culo desnudo y unas piernas que se agitaban reptando pegadas al suelo. Unos metros más allá avanzaba otro culo... y un tercero... Los yubani, fieles a la tradición, iniciaban su ataque con la primera claridad.

Miró hacia el campamento. Ni una luz, ni un movimiento...

—¡Esos hijos de puta saben lo que hacen...!

Se lanzó al suelo, abandonó la protección de la maleza y comenzó a arrastrarse en pos de los yubani.

Un metro, y dos, y diez... «¿A qué esperan...? Quieren estar seguros de tenernos a todos; de freírnos bien fritos; que no escape ni uno, para acabar de una vez con el problema...»

Un metro más, y dos, y veinte...

—¡Disparad ya, hijos de perra! Disparad de una vez, por el amor de Dios.

Alzó la cabeza. El claro aparecía sembrado de yubanis. El más audaz estaba ya a quince metros de las ametralladoras, y pudo advertir cómo elevaba lentamente su cerbatana, dispuesto a disparar contra la primera sombra que se moviera.

¿Se habrán dormido...? ¡Dios santo...! ¿Habrás hecho el milagro de que se duerman esos imbéciles...?

Aguzó la vista hasta que los ojos le dolieron.

José Correcaminos se volvió y le miró como queriendo preguntar algo. Avanzó hasta ponerse a su lado:

—¿Qué ocurre? —preguntó.

—Se esconden bien...

—¡Sucios...!

Continuaron arrastrándose penosamente. Ecla alcanzó la casamata de una ametralladora, y comenzó a alzarse del suelo, con su ancho machete en la mano derecha y la cerbatana en la izquierda. De un ágil salto salvó el muro de sacos y cayó sobre los servidores de la ametralladora. Al instante volvió a surgir, desconcertado. Gritó algo, y comenzó a descargar machetazos furiosos contra los sacos, que se despanzurraron dejando escapar una tierra rojiza.

—¿Qué pasa ahora?

—No hay nadie... —tradujo José Correcaminos—. Los blancos han huido...

—¡Dios sea loado...!

Se puso en pie sacudiéndose el polvo y sintiéndose en ridículo. Tuvo la impresión de que a los guerreros les ocurría otro tanto, tras reptar estúpidamente hacia un enemigo inexistente.

Tomaron posesión, en silencio, del campamento. No había un alma; ni tan siquiera un perro o un mísero gato abandonado, pero la despensa estaba llena, las chozas preparadas para dormir, y la gran carpa de Planchart rebosante de papeles.

—¿Qué diablos habrá pasado...?

—Tuvieron miedo a los yubani...

No quiso negarlo, pero le costaba trabajo creerlo. Husmeó por los rincones, y al penetrar en la cocina sintió hambre. Encendió fuego y comenzó a prepararse un pantagruélico desayuno de huevos fritos, jamón, arroz, judías negras, plátanos, galletas, bizcochos, café, leche, azúcar, mermelada, mantequilla...

Estaba concluyéndolo cuando apareció Inti Ávila. Aún venía mareado, y con la mano izquierda se apretaba un pañuelo húmedo contra la frente:

—¡Eres un cerdo...! —exclamó—. Jamás volveré a confiar en ti...

—Harás bien... ¿Quieres desayunar...?

Se sentó con un quejido:

—¿Qué pasó? ¿Dónde está todo el mundo...?

Se encogió de hombros:

—Misterio... Algo les hizo salir huyendo... ¿Recuerdas la escena del avión...? Me dio la impresión de que andaban nerviosos... Huían, pero no sé de qué...

—¿De nosotros...?

—¡No seas iluso...! ¿Huevos fritos?

—Sí, por favor... ¿De quién entonces...?

—Ni la menor idea... —De pronto se detuvo con la sartén en alto, como si un pensamiento le hubiera fulminado—. ¡No! —negó con firmeza—. ¡No es posible...! No puede ser.

—¡Por Dios santo...! —suplicó Inti—. ¿Qué estás pensando?

Le miró fijamente:

—Contagio... —señaló con un amplio ademán a su alrededor—. Son capaces de contagiar todo esto con la gripe, el sarampión o la tuberculosis...

—¡No, por Dios!

—¿No? En Brasil acostumbran hacerlo... Tú

mismo lo dijiste. Cuando quieren acabar con una tribu les regalan ropas que han pertenecido a enfermos...

Con la sartén en la mano contempló por el ventanuco a los indios, que habían saqueado las cabañas echándose encima cuanto trapajo encontraban.

—¡Míralos...! No habrían aceptado esas ropas, porque son desconfiados. Pero ahora son su botín de guerra.

Abandonó la cocina y comenzó a llamar a grandes voces a los yubani. Cuando José Correcaminos llegó a su lado, pidió que abandonaran las ropas y los objetos que habían tomado

—Será bueno que vayan a bañarse al río... —concluyó—. Buscaré jabón y les enseñaré cómo se usa.

Fue un curioso espectáculo el de cincuenta guerreros desnudos enjabonándose la espalda mutuamente con el agua a medio muslo, a orillas del San Pedro. Algunos protestaban ruidosamente cuando la espuma les entraba en los ojos, y otros escupían asqueados tras morder la blanca pastilla de jabón. Luego comenzaron a reírse unos de otros ante su extraño aspecto, y acabaron chapoteando y salpicándose como una cuadrilla de chiquillos traviesos.

Fue sus risas y su escándalo lo que impidió oír el rumor que se aproximaba, y ya no tenían tiempo de huir cuando la avioneta cruzó sobre sus cabezas, rugiendo a no más de cien metros de altura.

Gritaron asustados, pero era blanca, reluciente, con letras bajo el ala y rostros amigos que agitaban la mano tras la ventanilla.

Dio la vuelta y sobrevoló nuevamente, en son de paz. Los rostros se distinguieron con claridad.

—Es el padre Carlos... —señaló Inti—. El otro es Sierralta...

El avión aterrizó en la improvisada pista de la carretera, y se aproximó rodando suavemente.

Cuando la hélice se detuvo con una especie de cansado suspiro, Sierralta y el cura saltaron a tierra. Dos hombres más, y el piloto, quedaron a bordo, observando de reojo a los yubani, listos a reemprender el vuelo a la menor señal de peligro.

—¿No ha ocurrido nada...? —fue lo primero que se apresuró a preguntar Sierralta.

—En absoluto... Ayer había aquí más de cien personas, pero se las ha tragado la tierra... ¿Dónde están?

—Rumbo a Santa Marta... Y de allí a Santa Cruz... Los trabajos se suspenden de momento...

—¿Y ese milagro...?

—Es una larga historia... Más vale que busquemos dónde protegernos; este sol achicharra...

José Correcaminos se unió al grupo, saludando a los recién llegados. Tomaron asiento en torno a la gran mesa de la cocina, e Inti Ávila comenzó a preparar el desayuno del padre Carlos y el periodista.

—Temíamos no llegar a tiempo —señaló el cura—, tuvimos que forzar el motor para alcanzar la Misión, y desde allí, Tomás habló por radio con su periódico, que envió un helicóptero a recogernos... Ayer, el *Diario del Pacífico* publicó la historia de la masacre del poblado...

—¿Ayer...?

—A primera hora... —aclaró Sierralta—, y a media mañana, el vicepresidente de la «Southern» para la zona, venía a verme. Es el que está en la avioneta. El otro es su abogado...

—¿Qué busca...?

—Parar el escándalo. Asegura no saber nada de la avioneta.

—Es falso. Ayer la vimos marchar y Planchart y Salas despidieron a los pilotos... Parecían nerviosos...

El periodista soltó un prolongado silbido de admiración. Agitó la cabeza:

—¡Vaya! —exclamó—. Las cosas se ponen buenas... El vicepresidente quiere que intervengamos cerca de los yubani para encontrar una solución al problema... Cuando supo que el campamento estaba a punto de ser atacado, ordenó por radio que se desalojara para impedir un confrontamiento armado.

—¿A qué hora se dio esa orden?

—Poco después de las tres... —señaló el cura.

—La avioneta se fue sobre las cuatro... —Hizo una pausa, pensativo—. No acabo de comprender ese interés por evitar el escándalo... Si esperan la madrugada, nos fríen a tiros y acaban con el problema de una vez por todas...

—La cosa no es tan sencilla... Desde que la «ITT» derribó a Allende, las noticias sensacionales asustan a los grandes trusts...

—Ya era hora de que algo los asustara...

—Con el fin de la guerra del Vietnam, la atención de la Prensa tiene otros puntos a los que volverse, y uno de los que está causando furor es esa excesiva potencia de las empresas multinacionales norteamericanas. Algunas son más poderosas que muchos países, y tienen infinitamente más dinero... Ningún organismo internacional las controla, y en sus ansias de riqueza están extralimitándose en sus abusos.

—Todo eso es viejo...

—Pero se ve bajo una nueva luz... *América*, el órgano oficial de los jesuitas de Norteamérica, acaba de sugerir que las grandes corporaciones multinacionales, «que obtienen ganancias ilimitadas a costa de las necesidades humanas de los países pobres», deberían ser supervisadas por un organismo mundial... Y cuando los jesuitas dicen algo, mucha gente escucha... Y no son ellos solos; el problema empieza a plantearse desde el punto de vista de las Cámaras, y un grupo de senadores quiere presentar el asunto a discusión... No es el mejor momento para que la «Southern» se vea mezclada en un caso de asesinato múltiple en las selvas amazónicas...

—¿Y qué es lo que pretenden...?

—Llegar a alguna clase de acuerdo...

—¿Cómo? Ya se publicaron las fotos de la masacre... Ya se habló de la avioneta... ¿De dónde quieren que haya salido? ¿Quién la envió?

—Insinúan que tal vez fuera una venganza personal del garimpeiro que se salvó del ataque...

—¿Y quién va a creerlo...? Ese garimpeiro no tiene dónde caerse muerto...

—Pueden arreglar el asunto con el garimpeiro... Acabará confesando que otros mineros le prestaron dinero con el fin de asustar a los yubani e invadir su territorio... No es cuestión más que de poner dólares sobre una mesa...

—¡Es posible...! Pero... ¿Y nosotros...? ¿Y los yubani? Hemos visto la avioneta... Y hay mujeres, y niños, y ancianos muertos. ¿Cómo van a arreglar eso?

—Es lo que vienen a discutir... Están dispuestos a pagar los daños...

—Los muertos no tienen precio...

—Ellos creen que todo tiene un precio... —Se volvió a José Correcaminos—. ¿Querrán los tuyos escucharle?

—No lo sé... No he comprendido muy bien...

¿Por qué primero envían el avión y ahora quieren pagar los muertos?

—Es un asunto complicado... —intervino el cura—. Incluso a mí me cuesta trabajo entenderlo... Lo que importa es saber si tu pueblo quiere la paz y llegar a un acuerdo o prefiere continuar la guerra...

—No lo sabemos... Es lo que debemos tratar...

El indio se puso en pie:

—Consultaré con los guerreros.

Se encaminó a la puerta, pero lo detuvo una voz:

—¡José...!

—¿Sí...?

—Si eligen la guerra, nos aniquilarán. A todos... Recuerda que me enviaste a Santa Cruz, cuando yo no veía solución... Ahora estamos más cerca... Vale la pena discutir...

—Lo sé... Pero mi pueblo es libre... Tiene que decidir.

Salió.

—Algunas veces la libertad tiene sus inconvenientes —masculló. Luego se volvió a Sierralta—: ¿Hasta dónde están dispuestos a ceder?

—No tengo idea... El hecho de que hayan visto a Planchart hablando con los pilotos, facilita las cosas... Ramón Cáceres puede sacarle partido a eso.

—¿Qué tiene que ver Cáceres con esto? —preguntó Inti Ávila.

—Bastante... Ayer, en la edición de la tarde, su periódico atacó a la «Southern» acusándola de asesinato y amenazando con llevarla a los tribunales, y llevar también al Gobierno por romper el Tratado. Tachaba de títeres, vendidos a los intereses de la compañía, al ministro de Transporte, al candidato oficial, Carrión, y al propio presidente. No me extrañaría que faltando tan poco para las elecciones, Cáceres convirtiese este asunto en su mejor arma... O mucho me equivoco, o se plantará aquí hoy mismo con toda su corte de periodistas, fotógrafos y cameramans de cine y Televisión...

—¿Aquí?

—Aquí... Tiene muchos partidarios, y a estas alturas ya sabe dónde estamos... Si descubre que pueden implicar directamente a la «Southern» en la matanza, los convertirá en un trampolín hacia el sillón presidencial...

—¡Caramba! —exclamó Inti Ávila—. De pronto nos hemos vuelto importantes...

—Puedes jurarlo... Y si Cáceres sube al poder, la «Southern» tendrá que hacer sus maletas e irse del país... Ha prometido nacionalizar las minas, los transportes, el petróleo y los teléfonos... —Hizo una pausa y sonrió burlón—. No lo hará, porque todo lo suyo es demagogia, pero la «Southern» será su víctima; la que pague por todos.

—No le tienes mucha simpatía...

—No, desde luego... Es hipócrita y ambicioso, y odio ambas cosas. Tal vez Carrión no sea tan inteligente, pero al menos sabremos a qué atenernos... Seguirá los pasos de Jaén.

—¿Crees que la «Southern» le tiene miedo a Cáceres...?

—No lo sé... Pero no les gusta correr riesgos... Los norteamericanos siempre han sido amigos de la estabilidad, si esa estabilidad les favorece. En este caso, el continuismo que Carrión representa, es una garantía. Cáceres no está a la izquierda, pero está sellando pactos con las izquierdas, y cuando las izquierdas pasan la factura por los votos prestados, en esas facturas están incluidas las empresas americanas...

—La situación parece prometedora...

—Ahora depende de los yubani...

Cuando reapareció José Correcaminos, las miradas trataron de calar más allá de su impenetrabilidad de indio.

—¿Qué han dicho?

—Si hay carreteras, no hay trato...

Sierralta se encaminó a la salida:

—Bien... La cosa es dura, pero veremos... Voy a traerlo... —Se volvió a José Correcaminos—. ¿Me garantizas que no va a pasar nada...?

El yubani alzó la mano con gesto solemne.

El periodista se alejó hacia el avión. Inti Ávila sirvió café nuevamente.

—¿Qué piensas de esto...? —preguntó, mientras devolvía la cafetera a la gran cocina de hierro.

—Confuso... Extraño y confuso... Conozco a mis paisanos... Sus ejecutivos no se mueven fácilmente, y no vuelan a la selva, a meterse entre una banda de guerreros armados... ¿Crees en el miedo al escándalo...?

—Tú sabes mejor que yo que, en tu país, la opinión pública tiene mucho peso... Tus compatriotas arrastran una especie de remordimiento nacional por lo que sus abuelos hicieron a los indios de las praderas... No les gustará que los acusen de continuar matando indios más allá de sus fronteras. Se acabó la guerra del Vietnam... ¿Contra qué va a protestar ahora toda esa —minoría ruidosa— que ha convertido el pasear pancartas en una especie de deporte nacional...?

—¿Qué importa la razón...? —intervino el cura—. Quieren llegar a un arreglo... ¿No es lo que buscamos?

—Sí. Pero me apena que el arreglo no llegue

por una auténtica comprensión del problema, sino por sucia politiquería...

—¡Oh! ¡No seas iluso! —exclamó el cura—. Desde el principio sabías que nadie iba a escucharnos... Bajo cualquier otra circunstancia, a estas alturas apenas quedarían yubanis... Hubieran acabado con vosotros esta madrugada...

—¿Y no le parece absurdo...? Le debo la vida a los políticos... ¡Yo! Que odio la política...

—Confórmate, hijo... Peor es deberles la muerte...

Entró Sierralta. Le seguía Mr. Stevens, un hombre alto y elegante, con acento bostoniano, y Santiago Gubern, borroso y cejijunto, que no apartaba los ojos de las pinturas que cubrían el cuerpo de José Correcaminos.

Se acomodaron en torno a la estrecha y tosca mesa.

Tras los saludos de rigor, fue Mr. Stevens el que se lanzó directamente al grano.

—Bien... —comenzó—. Sierralta acaba de plantearme la nueva situación... Tal vez ustedes no me crean, pero lo cierto es que nunca tuve noticias de la existencia de esa avioneta.

—Resulta difícil admitir que el vicepresidente para la zona de una compañía como la «Southern Mining», ignore algo semejante...

Le miró fijamente. Se encogió de hombros.

—Crea lo que quiera —señaló—. ¿Cuáles son sus condiciones?

—Las de siempre... Que no se abra esa carretera...

—Eso es imposible... Necesitamos la carretera para extraer el cobre de la Sierra de los Loros...

—Constrúyala por el piedemonte andino...

—Ésa es una decisión que tiene que tomar el Ministerio de Transportes...

—No perdamos tiempo, Mr. Stevens... —le interrumpió—. Todos sabemos que, en definitiva, el Ministerio hará lo que ustedes decidan... Si le dan dinero para construirla por la sierra, la abrirán por allí...

—No gastaremos ochocientos millones... —Hizo una pausa—. Pero podemos garantizar que la carretera no se utilizará más que para extraer mineral. No permitiremos que ningún colono se establezca en territorio yubani. Continuará perteneciendo a la tribu...

—Ni siquiera la «Southern» puede garantizar algo así, y usted lo sabe... Si el Gobierno abre una carretera, la carretera pertenece al país.

—Bien... —Mr. Stevens pareció intentar armarse de paciencia...—. ¿Cómo podemos llegar a un acuerdo si no están dispuestos a transigir en algo...?

—Transigir en algo significa, en este caso, transigir en todo... —le hizo notar—. Son ustedes los que han planteado el problema. Quieren sacar el cobre de la selva, y los yubani están de acuerdo. Pero no pasando por su territorio... Busquen otra forma...

—¡Pero son ellos los que más tienen que perder...! Si insisten en un enfrentamiento armado, serán aniquilados, y lo saben... ¡Pongan algo de su parte, por favor...!

—Si se abre la carretera nos aniquilarán lentamente... —señaló José Correcaminos—. Y eso es lo que mi pueblo no quiere... Los madereros y los garimpeiros han asesinado recientemente a los xavantes, y tribus que antaño fueron poderosas, ya son menos que los huangas o los yumas... —Siguió con el dedo una raja que recorría la mesa de parte a parte y no miró a los blancos cuando continuó su discurso, pero su voz denotaba decisión—. Esa carretera significa una sentencia de muerte para nosotros, y preferimos morir luchando.

Mr. Stevens escuchó en silencio, observando atentamente al indio, que hablaba como si estuviese dirigiéndose a la mesa. Permaneció luego pensativo, y rebuscó en su chaqueta hasta encontrar un paquete de cigarrillos. Tomó uno y ofreció a los demás, que aceptaron en silencio. Gubern, el abogado, se apresuró a buscar su encendedor y ofrecer fuego a su jefe.

—Comprendo su problema —señaló Stevens, tras expulsar una bocanada de humo—. Lo comprendo y me gustaría solucionarlo... —Juntó las manos en actitud implorante—. Pero comprenda nuestra posición... La industria mundial necesita cobre.. El cobre no abunda, y pronto o tarde, hoy o mañana, la Sierra de los Loros tiene que explotarse... ¡Eso es irreversible...! Aunque nosotros renunciáramos, llegarían los suecos, los japoneses, u otra compañía norteamericana... —Abrió los brazos en un amplio ademán—. ¡No pueden soñar con enfrentarse al mundo eternamente...!

—No queremos guardar ese cobre... —replicó José—. Ni siquiera sabemos para qué sirve... Ningún yubani ha visto jamás el cobre... Es como el hierro, les digo, pero no se pueden hacer cuchillos, porque es blando... «¡Que se lo lleven! —responde mi gente—. No lo queremos y, además, no está en nuestras tierras... Pero que no destruyan la selva ni traigan enfermedades.»

—Podemos pasarnos la vida discutiendo lo mismo... —señaló el bostoniano—. No es culpa nuestra si ustedes se enferman, ni tampoco lo es si los garimpeiros quieren los diamantes de sus ríos... No deseamos causar daño, pero están en el camino...

»Cuando un tren va a cien millas por hora y un caballo se atraviesa en su vía, lo lógico es que el caballo se aparte, no que el tren dé un rodeo... Nosotros somos el Progreso... Un tren que nadie puede detener ya... ¡No es mi culpa...! Es que el mundo marcha así...

—Entonces maten al caballo... —señaló José Correcaminos—. Si el caballo está donde siempre le correspondió, y donde únicamente puede vivir, mátenlo.

Stevens se volvió a los otros como queriendo ponerlos por testigos de tanta terquedad:

—¿Qué puedo hacer ante eso...? Usted, padre..., dígame... Y usted, Sierralta, que es periodista y representa a la opinión pública... ¿No es como pretender discutir con las piedras...?

Se hizo un silencio. Se diría que todos comprendían que se hallaban en un callejón sin salida.

—¡El tren...!

Se volvieron a mirarle. Aparecía pensativo, contemplando un punto perdido en la pared vecina. Había hablado como para sí, pero de pronto volvió a la realidad y los observó. Había una extraña luz en su mirada.

—¡El tren...! —repitió—. ¿No lo comprenden...? —Aguardó, pero no obtuvo respuesta—. ¡El tren...! ¡Ésa es la solución...!

—¿El tren...? —inquirió Stevens—. ¡Es ridículo...!

—¿Por qué?

—Los trenes pertenecen al pasado... La carretera es más práctica...

—Sí —admitió—. Los trenes pertenecen al pasado, pero tal vez pronto la Humanidad tenga que retornar al pasado... Y es lo que debemos hacer ahora... Dar un paso atrás en el progreso..., volver al equilibrio que existió hasta hace unos años, cuando los trenes armonizaban con el paisaje, sin destrozarlo como lo destrozan las autopistas... —Los miró uno por uno, como si quisiera encontrar eco a su descubrimiento, pero aún no lo habían captado. Se inclinó hacia delante—. ¡Piénsenlo! —rogó—. ¿Qué es lo que la compañía quiere...?: sacar el mineral... ¿Qué es lo que los yubani quieren...?: que eso no signifique la destrucción de su mundo... Un tren no destruye... Un tren abre un túnel en la selva, y pasa de largo sin detenerse. Un tren, sin paradas en territorio yubani, cruzaría desde la orilla izquierda del San Pedro hasta la Sierra de los Loros y se llevaría el cobre, sin traer enfermedades, colonos, garimpeiros o madereros...

Se hizo un largo silencio. Cada cual trató de sopesar los pros y los contras. El cura fue el primero en hablar.

—Es una solución tan simple, que asusta por lo estúpida...

—No es tan estúpida... —señaló Inti Ávila—. La mayoría de los científicos que han estudiado las posibilidades de supervivencia de la especie humana, están de acuerdo en que el ferrocarril recobrará el papel primordial que tuvo en un tiempo... Goldsmith, Allaby, Davoll, Allen... Para todos está claro que habrá que prescindir de los vehículos privados, que congestionan las carreteras, y volver al transporte colectivo en ferrocarril, más práctico, cómodo y barato. —Se volvió a Mr. Stevens—. La energía necesaria para transportar ese mineral por carretera sería seis veces mayor que sacándolo por tren... Y construir una carretera cuesta tres veces más que tender una vía férrea... Su compañía saldría beneficiada...

El otro meditó sobre la proposición que acababa de recibir. Todos le observaban. Miró al indio.

—¿Qué dirían los yubani...?

—Tendría que consultarlos —señaló José—. Pero puedo hacerles comprender que es, quizá, la única salida.

Se volvió ahora al abogado:

—¿Qué opina...?

Gubern se encogió de hombros:

—Para nosotros, parece una solución. Será el Gobierno quien ponga dificultades... Una carretera significa abrir el territorio al progreso, y a todo el que quiera establecerse aquí... La carretera es una obra pública destinada a beneficiar al país... Una vía de tren es una obra dedicada a la extracción del cobre... —carraspeó, aclarándose la garganta, se pasó el dorso de la mano por la boca y concluyó—: Una situación ciertamente delicada de cara a la opinión pública...

—Nunca llegaría al punto crítico en que está ahora —aclaró Sierralta.

—No, desde luego —aceptó el abogado—. Pero debemos tenerla en cuenta.

—Nadie podría protestar si la vía la tiende la «Southern» sin depender del Ministerio...

—No podemos hacernos cargo de una obra de esa envergadura sin ayuda estatal... —protestó Stevens—. Al fin y al cabo, el Gobierno lleva un porcentaje en la explotación de cobre...

—Bueno... —replicó—. Ése es un asunto que deberían ustedes discutir con las autoridades... Vino buscando una solución al problema, y se la estamos ofreciendo... La «Southern» obtiene su cobre y soslaya el escándalo... Los yubani continúan con su territorio... Los bosques se salvan... Es cuestión de buena voluntad por parte de todos... Los yubani tendrán que soportar unos meses la incomodidad de los obreros tendiendo vías en esta parte de sus tierras... La selva cederá unos cuantos árboles para las traviesas, y la «Southern» y el Gobierno tendrán que admitir que únicamente les importa el cobre...

—La «Southern» siempre admitió eso... —señaló el americano—. Nunca hemos pretendido ser más que una compañía minera... Por eso la solución no depende de nosotros... Desde el momento en que puede servirnos, merece que la tengamos en cuenta... La pregunta es: ¿Sirve a los fines del Gobierno...?

—Usted acaba de admitir que el cobre es, también, un fin del Gobierno...

—Pero no debe olvidar que el país se encuentra en período de elecciones... Ignoro hasta qué punto la carretera perseguía fines políticos, y el convertirla en ferrocarril se volverá un arma de dos filos. —Aplastó su cigarrillo contra la mesa y encendió otro casi inmediatamente. Jugueteó con el paquete—. Ya madereros, garimpeiros e incluso unos pocos colonos, habían hecho planes para explotar estas tierras en cuanto la carretera estuviera lista... No se sentirán felices cuando averigüen que se la van a escamotear en las narices...

—Ésos son problemas que no nos atañen... —respondió—. El Gobierno y ustedes se metieron en esto, y deben resolverlo... Ofrezcan otras tierras, o trabajo en las minas, o pongan en explotación los valles andinos... Hay mucho que hacer en este país...

Se escuchó, lejano, un rumor de motores.

317

Sierralta apartó la sucia cortina a sus espaldas y oteó el horizonte:

—Ahí viene Cáceres... —señaló—. Son dos aviones... Traerá toda su corte informativa...

—¿Qué van a decirle? —quiso saber Stevens.

—Depende de usted... Si realmente cree que puede existir una solución, podemos olvidar que vimos la avioneta, dónde estuvo escondida, y dónde pueden distinguirse las marcas de sus neumáticos...

El bostoniano sonrió levemente:

—Eso suena a chantaje...

Sonrió a su vez:

—Probablemente...

Mr. Stevens se puso en pie y se encaminó a la salida. Le siguieron, y desde el umbral contemplaron las evoluciones de los grandes bimotores que maniobraban para tomar tierra.

—Intentaré comunicarme por Radio con Santa Cruz —indicó el americano—. Si logro hablar con el ministro de Transportes, tal vez aclaremos algo respecto a·ese tren... —Agitó la cabeza—. Les dejo disfrutando del *show* que va a montarles Cáceres...

Ramón Cáceres supo sacar partido a la ocasión. Hizo plantar las cámaras de Televisión y cine frente al bosque, se rodeó de los guerreros de la tribu yubani, colocó a José Correcaminos a su izquierda, le pasó el brazo por encima del hombro con gesto protector, y mirando fijamente los objetivos con la soltura de un locutor experimentado, comenzó:

—Les hablo hoy desde el último rincón de nuestra Amazonia, adonde he querido llegar para hacer patente al pueblo yubani mi interés por sus problemas y mi repulsa por las persecuciones y asesinatos de que está siendo objeto. También denuncio desde aquí esta obra iniciada por el capitalismo imperialista, sin más razón ni objeto que enriquecerse a costa de nuestros recursos naturales, aunque para ello tenga que destruir nuestra selva y nuestros hombres... —Hizo una pausa, bien medida, y continuó—: Estamos llegando al límite de tanto abuso y tanta arbitrariedad, y el pueblo no soportará por más tiempo a quienes lo venden a intereses extranjeros y particulares... Los yubani son parte de nuestro pueblo, y yo garantizo que los protegeré, como protegeré en su día a cada uno de ustedes... —nueva pausa dramática—. Aquí, entre estos árboles milenarios, y junto a estas gentes que son la auténtica raíz de nuestra raza, quiero denunciar no sólo la política criminal del Gobierno, sino también el camino por el que conduce la vida nacional... ¡Basta ya de imitar modelos ajenos a nuestra forma de ser...! ¡Basta de querer parecernos a quienes no han sabido más que acumular riquezas, aunque para ello tuvieran que renunciar a lo más sagrado de su condición de seres humanos...! Vamos tras las huellas de un modelo cultural que no conduce más que a la criminalidad, al vandalismo, el engaño y la toxicomanía... La lucha por aumentar nuestro nivel de vida no debe limitarse a producir y ganar más, sino a aprovechar mejor lo que tenemos y aprender a vivir en armonía con nuestros semejantes y con la tierra que nos sostiene... Una repartición más equitativa de la riqueza, y más amor y entendimiento... ¡Ése es mi programa...! Respetaré a la Naturaleza y a los hombres, y perseguiré a los que se atrevan a tocar esa Naturaleza y a esos hombres...

—¡Bravo...!, si creyera en lo que dice... —susurró Inti Ávila.

—¿Por qué no puede creerlo...? Parece sincero.

—Es Ramón Cáceres, no lo olvides... Si mañana la «Southern» le ofrece respaldar su campaña a costa de abrir la carretera, la abrirá, no te quepa duda... Únicamente le interesa una cosa: el poder.

—Bueno... Aprovechemos que los yubani y la selva son ahora sus aliados.

—Sonríe, que ahí viene...

La alocución y las fotografías terminaron y el candidato de la oposición se aproximó sonriente y con aires de triunfo. Estrechó efusivamente todas las manos que se le tendieron, y algunas más que él se preocupó de tomar sin ser requerido. Periodistas, fotógrafos y cameramans le seguían fielmente, porque pertenecían a su séquito por nómina.

—¿Qué le ha parecido...? —quiso saber.

—¿El discurso...? Muy interesante... Pero no comprendí muy bien esa denuncia a los caminos que sigue la vida nacional... —comentó Inti Ávila—. Seguimos los caminos que sigue todo el mundo.

—Y ése es nuestro error... —replicó—. Marchar por donde van todos; pretender que la única meta es el «superdesarrollo» y la industrialización llevada a sus últimos extremos... Ya está claro que esos valores van directamente al fracaso. Durante un millón de años el hombre fue cazador o agricultor, y aprendió a convivir con la Naturaleza, con Dios y, a menudo, con los demás seres humanos. Tan sólo en los últimos ciento cincuenta años, el hombre se ha convertido en industrial y en ese 0,015 % de su historia, destrozó toda su labor anterior... —Hizo una pausa—. Pero está claro que la sociedad industrial no tiene futuro... Al ritmo de crecimiento exponencial que llevamos, con un gasto de aumento indefinido y unos recursos infinitos, antes de treinta años no existirán materias primas ccn que alimentar a la «civilización del desecho»... Tendremos que volver a los valores eternos; a la tierra y sus productos; a la industria casi artesanal de objetos que perduren; de automóviles que no haya que cambiar cada dos años; de neveras que funcionen indefinidamente y puedan repararse sin problemas... Regresaremos, también, a un planeamiento demográfico como el de estos indios, que jamás permiten que la tribu aumente tanto que ponga en peligro el bienestar común...

Han aprendido a subsistir en estos bosques, alimentándose de ellos, y haciéndolos perdurar para las generaciones posteriores... Debemos lograr otro tanto en el ámbito nacional, y llegará un día en que el resto del mundo nos imite... Mi campaña electoral tendrá de ahora en adelante un solo slogan: «Naturaleza y hombre», y les debo en parte ese hallazgo... Me hicieron ver que, en el fondo de todos los humanos, subsisten raíces que el progreso y la industrialización no han podido arrancar.

—Pero eso no es ya un plan político, sino casi una filosofía de la vida... —agitó la cabeza—. ¿Pretende echar las bases de una nueva civilización...?

—¿Por qué no...? —Cáceres sonrió irónico—. Ustedes son los primeros en empuñar las armas en defensa de otro concepto de la libertad y los derechos de hombres y tierra... —Se golpeó el pecho con el índice—. ¿Por qué no puedo ser yo el primero en convertir esa ideología en una plataforma política...?

—Porque no creo que sirva para conseguir votos —dejó caer sus palabras suavemente—. Y al fin y al cabo, a usted lo que le interesa es obtener esos votos... ¿O no...?

—Sí, desde luego... Pero no necesita ser tan mordaz... —indicó Cáceres—. Una cosa no está reñida con la otra... —Los tomó uno por cada brazo y comenzó a empujarles ante él, encaminándose a la orilla del río—. Una de las primeras lecciones que debe aprender un hombre —y sobre todo un político —es que la historia se repite... —Los observó un instante, y continuó su paseo sin dejar de llevarles con él—. Por eso, cada vez que me encuentro frente a una nueva situación, me pregunto si existió antes, y miro hacia atrás en busca de precedentes... Y en este caso los hay... —Se detuvo junto al agua, y contempló el río que corría mansamente—. ¡Ya lo creo que los hay...! Cuando en 1912, Teodoro Roosevelt quiso volver a la política, todos sus enemigos tuvieron que erigirse de pronto en campeones de la causa de la conservación, porque durante su Gobierno, Teddy había sido el gran defensor de la Naturaleza. Los norteamericanos se habían dado cuenta del destrozo que se estaba causando a su país, y sabían que Roosevelt fue el primer presidente que se atrevió a enfrentarse a los que perjudicaban el futuro de la nación en beneficio propio... —Se recostó en un árbol y observó una garza que parecía resbalar sobre el agua volando a ras de la superficie—. ¡Bello animal...! —comentó—. Fue la campaña presidencial más interesante que se recuerda en los Estados Unidos... Los bosques, los ríos, las praderas y los animales salvajes, se volvieron importantes... Para los políticos eran una forma de ganar votos... Para el pueblo, el símbolo de su madurez como ciudadanos y su encumbramiento como nación. Desde el día que aprendieron a respetar a la Naturaleza, comenzaron a considerarse verdaderamente —civilizados—... —Agitó la mano en un vago ademán indefinido—. También el día que aprendamos a respetar nuestro paisaje, nuestros indios y nuestros animales, nos habremos convertido en ciudadanos adultos y en nación merecedora de ese nombre... —Sonrió levemente—. ¿Qué tiene de malo pretender ser el Teodoro Roosevelt de mi país...?

—Nada... —admitió—. Excepto que no ganó las elecciones de 1912...

—¡Una magnífica respuesta, desde luego...! —Cáceres señaló con la cabeza hacia la avioneta de Mr. Stevens—. Fueron hombres como ése los que le impidieron volver al poder... Significaba un peligro demasiado grande para los que buscan enriquecerse... —les señaló con el dedo, acusadoramente—. Pero tengan esto muy presente: Si Roosevelt hubiera ganado aquellas elecciones y puesto en práctica sus planes de protección a la Naturaleza, probablemente no hubieran ocurrido los desastres ecológicos de los años siguientes, y no se habría llegado nunca a la gran depresión del 29...

—Ésa es una aseveración arriesgada —comentó Inti Ávila—. Estoy de acuerdo en que el fracaso de la agricultura fue la raíz de la depresión, pero no sé si Roosevelt hubiera podido conjurar el peligro... —Se volvió a él—. ¿Tú qué opinas...? Es tu país...

—No creo que sea el momento de enfrascarse en disertaciones históricas. No estamos sentados en un café de la plaza de Armas, sino a orillas del San Pedro, intentando decidir qué es lo que va a ocurrir con los yubani y estas selvas... —Se volvió a Cáceres y lo observó fijamente—. ¿A qué ha venido? Si lo que busca es impacto publicitario, lo ha conseguido haciéndose fotografiar junto a esos indios... ¿Qué va a hacer ahora por ellos...?

—Veo que le gusta ir directamente al grano... —Se rascó la cabeza pensativo—. Yo no puedo, hoy por hoy, más que utilizarlos para denunciar la política gubernamental que seguirá mi rival, Carrión... —Se interrumpió un instante y cambió el tono de su voz—. Pero no soy hombre que olvide los favores... Si este asunto de los yubani y la matanza de que han sido objeto, puede favorecer mi candidatura y mi planteamiento político futuro, devolveré el favor garantizando a los yubani que mi Gobierno confirmará el Tratado por el que han estado protegidos estos años. No se abrirá la carretera, y si ya está abierta, se cerrará nuevamente... Disfrutarán de sus selvas sin que nadie les moleste, y usted, Ávila, obtendrá facilidades para estudiar la región amazónica y escribir sobre ella cuanto guste. —Les observó fijamente, aguardó unos instantes como si esperase algo de ellos, y añadió—: ¿Creen que lo ocurrido puede favorecerme de algún modo...?

Fingió no haber entendido:

—¿Como, por ejemplo...?

—¡Vamos, vamos...! —protestó Cáceres—. No se haga el inocente. Usted sabe a lo que me refiero... Esta historia es muy confusa... Ha habido muertes, y bombardeos y un intento de asalto por parte de los yubani. ¿Hasta qué punto se encuentra implicada la «Southern»...? ¿Por qué está aquí Mr. Stevens...? ¿Dónde ha ido a parar la misteriosa avioneta verde...?

—¿Cómo espera que lo sepamos...?

—¿Quién si no...? —Extendió las manos en ademán suplicante—. ¡Seamos razonables...! —rogó—. Tenemos el mismo objetivo: impedir que continúe la depredación de nuestro suelo, el abuso de nuestro pueblo y la destrucción de nuestras tribus... Ya han visto lo que pueden obtener del actual Gobierno y sus amigos... Nunca escucharán, y continuarán con su política de venderlo todo por un puñado de dólares... Yo les prometo que si me ayudan a denunciar esta criminal maniobra...

Se interrumpió. Mr. Stevens había saltado de su avioneta y venía hacia ellos. Le seguía de cerca su fiel Gubern.

Ramón Cáceres lo señaló con gesto amargo:

—¡Ahí lo tienen! —dijo—. Trae cara de comprador... Va a hacerles una buena propuesta, lo sé... Una propuesta real, concreta, mucho más precisa que la mía. Y él también lo sabe... Está seguro de sí mismo, porque tiene en la mano dos cosas de las que yo carezco... El dinero de su compañía y el poder de sus aliados... —Les miró; su voz sonó extrañamente dura, aunque quería parecer irónica, casi humorística—. Si van a venderle algo..., ¡cóbrenle caro! Estas selvas, estos indios y su libertad valen mucho... No los malbaraten...

Stevens y Gubern habían llegado. El americano sonrió a Cáceres.

—¡Buenos días, Cáceres...! Me alegro de verle...

—¡Buenos días, Stevens...! Siento no poder decir lo mismo... ¿Se dio bien la caza...?

Se limitó a mirarle de soslayo, burlonamente, y se volvió a los otros:

—He hablado con Santa Cruz... En principio, están de acuerdo en estudiar esa solución al problema... —Observó ahora fijamente a Cáceres y añadió, recalcando las palabras—: El garimpeiro que pagó ese ataque ya ha confesado... Fue una simple venganza...

—Muy oportuno el garimpeiro... —comentó Cáceres, mordaz—. Muy oportuno, también, su arrepentimiento... Sospecho que pronto entrará a formar parte de la nómina de la «Southern Mining Company»... —Se volvió a ellos, y alzó el dedo en señal de despedida—: Señores... Les dejo discutiendo de negocios...

Se alejó hacia su séquito de periodistas y camarógrafos. Stevens lo observó y agitó la cabeza con pesar:

—Un tipo extraño, este Cáceres... —señaló—. Un hombre de valía, pero con demasiada prisa por llegar a la cumbre... Y la cumbre tiene su camino... No hay atajos...

—Por suerte para ustedes... —replicó Inti—. Con Cáceres en la presidencia, la «Southern»... tendría que buscarse otros aires...

—Amigo mío... —comentó el bostoniano—. Para la «Southern», este país no es más que una banderita en el mapa... Un dos por ciento de su volumen de operaciones... Cuando Cáceres amenaza, en Nueva York no se ríen, porque ni siquiera se enteran... Y le aseguro una cosa...: En menos de veinticuatro horas, podríamos comprarle. A él, y a todo su equipo. No lo hacemos porque no vale la pena... Sus posibilidades de triunfo son nulas... —Los estudió con detenimiento—. Por eso les recomiendo que se olviden de lo que haya podido prometerles... Jamás llegará al poder... Si tuviera una sola oportunidad, nosotros lo sabríamos... Allende nos sorprendió en Chile, pero no estamos dispuestos a consentir que ocurra nuevamente...

—¿A qué viene entonces tanto interés por solucionar este asunto...? ¿Si no temen a Cáceres, qué puede importarles un puñado de salvajes desnudos?

Stevens tardó en responder. Observó cómo, a lo lejos, Cáceres hablaba con el padre Carlos y Tomás Sierralta. Recorrió con la vista el grupo de periodistas que se servían refrescos de la cantina del campamento, y se detuvo por último en el grupo de guerreros que aparecían junto a la maleza, tímidos y desconcertados.

Los señaló con la mano:

—¡Fíjense en ellos! —pidió—. Desnudos e indefensos, son peligrosos por eso mismo... Pueden causar más daño que un ejército, porque en la mente de muchos están más cerca de parecer animales que seres humanos... Y en mi país, ustedes lo saben, hay más gente dispuesta a defender a los animales que a los hombres... Un centenar de yubanis pueden conmover al público mucho más que diez mil obreros clamando por un trato justo... —Buscó en sus bolsillos, no encontró cigarrillos y extendió la mano con la seguridad de que Gubern le ofrecería de inmediato un paquete. Lo tomó sin mirar, encendió de la lumbre que el otro le daba, y se acomodó en la hierba, bajo una platanera—. Tal vez pueda parecerles cínico —dijo—, pero les aseguro que únicamente pretendo ser sincero... Me interesa resolver este problema rápida y silenciosamente, porque ha estallado en mi zona, y puede afectar mi futuro en la compañía. Además, me gusta... Escapa a la rutina...

—No es un juego...

—No, desde luego... No he querido decir eso... —indicó cuanto le rodeaba: la selva y el río—. Pero admitirá que no es normal tratar de negocios en un ambiente como éste, y con una tribu de cortadores de cabezas aguardando la respuesta en la antesala... Siéntese —rogó—. Y discutamos el asunto con calma...

—No creo que haya mucho que discutir... ¿Aceptan o no aceptan la solución del tren...?

—De eso se trata... —golpeó el suelo a su lado y acabaron por tomar asiento—. He estado pensando en ese asunto, y mientras lo discutía con Santa Cruz, empecé a darme cuenta de su auténtico significado... —Lo observó con atención—. ¿Qué quiso decir con eso de que el tren es un paso hacia atrás en el pasado; un volver al equilibrio entre hombre y paisaje...?

—Únicamente lo que dije... Pronto la Humanidad tendrá que buscar nuevos caminos que no estarán ni en la tecnología, ni en los viajes interplanetarios... Frente a la crisis ecológica y de recursos que se avecina, sólo quedan cuatro soluciones... —alzó la mano con el dedo índice levantado—. Una: Encogerse de hombros y conformarse con la desaparición de la especie, porque será a las generaciones futuras a quien les tocará desaparecer, y no a nosotros... —abrió ahora el dedo medio—. Dos: Negarse a admitir las pruebas, escondiendo la cabeza como el avestruz, que no quiere ver su propia destrucción... Tres: Confiar en los científicos y en que encontrarán una solución que ellos mismos se han declarado incapaces de hallar, porque el mundo se les está desmoronando entre las manos y se sienten impotentes para evitarlo... —mostró ahora su palma abierta escondiendo el pulgar—. Cuatro: Admitir que hemos ido demasiado lejos y tenemos que poner freno a nuestro desarrollo incontrolado... —Hizo una pausa—. Y cuando la sensatez se imponga, y en su lucha por la supervivencia, la especie humana clame por una vuelta al mundo de nuestros padres —donde hombres, máquinas y Naturaleza aún convivían en perfecta armonía—, quizás el tren se convierta en una especie de símbolo de la posibilidad de conjugar Humanidad, tierra y progreso...

—Es una fantasía...

—Tal vez... Tómelo entonces como fantasía... Pero si se detiene a pensar en ello, verá que siempre existe un punto de perfección más allá del cual se va hacia la decadencia y el fin...: la vida de los hombres; la historia de las naciones; el desarrollo de las culturas... Se llega a la cima, y cuando se ha alcanzado el clímax, nos precipitamos hacia el derrumbe... —Se quitó los lentes y se frotó los ojos con gesto de cansancio—. La Historia demuestra cuántas veces hemos caído, y la técnica nos avisa que de una nueva caída no podremos recuperarnos, porque estamos llegando al fin de nuestros recursos... —Buscó calmosamente un pañuelo y comenzó a limpiar con parsimonia los lentes—. Yo confío en que pronto o tarde la Humanidad advierta lo que se está jugando, e intente, aunque sea por una sola vez, dar marcha atrás, y volver —no al punto de partida—, sino a ese punto de su clímax en que aún le era posible seguir en línea recta.

—¿Y cuándo, según usted, se alcanzó ese clímax...?

—¡No lo sé! —admitió—. Pero me consta que si hoy somos tres mil seiscientos millones de habitantes, y más de la mitad pasan hambre, cuando, dentro de un siglo sean quince mil millones, tendrán que comerse los unos a los otros, porque la oferta total de tierras cultivables no podrá nunca multiplicarse por cuatro. —Agitó la cabeza, pesimista—. No puede ni multiplicarse por dos, en el mejor de los casos... Serán los expertos los que tengan que buscar el punto de equilibrio en la demanda ecológica... Deberemos adaptarnos entonces a una sociedad estable, en la que los nacimientos jamás superen a las defunciones; donde nuestro consumo y nuestros desechos no sobrepasen los recursos que se nos ofrecen, o la capacidad de la tierra de absorber desperdicios... —Sonrió tímidamente—. Quizás —un poco infantilmente— creo que ese momento de clímax estuvo en aquel tiempo en que aún se podía pintar un tren de colorines, abriéndose paso entre las flores de un prado donde pastaban vacas... O quizás en el día en que acabó la Segunda Guerra Mundial; o cuando el hombre puso el pie en la Luna. O dentro de cinco años... El caso es encontrarlo, y aferrarse a él...

—Es una extraña teoría... —admitió Stevens—. Extraña y curiosa...

—Absurda... —señaló Gubern—. La Humanidad nunca ha dado un paso atrás, y no lo dará ahora...

—Usted sabe poco de Historia —replicó Inti Ávila—. La Humanidad se ha pasado el tiempo dando pasos atrás... Roma era un paso atrás con respecto a Grecia... Los bárbaros, un paso atrás con respecto a Roma... El fascismo, un paso atrás con respecto a la civilización... Negativos todos ellos, por desgracia, pero quizá sea posible dar, al fin, un paso atrás en busca de lo positivo...

Stevens lanzó su cigarrillo al río y observó cómo se lo llevaba la corriente. Cuando lo perdió de vista se volvió a ellos.

—¡Bien...! —admitió—. Intentemos dar ese paso atrás y volver a los tiempos en que un tren de colorines abríase camino por un campo de flores y vacas... —Sonrió levemente, quizá riéndose de sí mismo—. Yo no soy ningún estúpido, y puedo comprender hasta qué punto tiene razón... En las grandes compañías podemos ser ambiciosos, pero no ciegos, y el problema del agotamiento de los recursos de la Tierra preocupa hace años a nuestros técnicos... Me ofrecen el medio de conjugar nuestros intereses con los suyos; los del presente y los del futuro de nuestros hijos, y no voy a descartar semejante oportunidad... Iré a Santa Cruz, hablaré con el presidente y con el ministro de Transportes, y luego iré a Nueva York, a consultar con mis superiores... Haré lo humanamente posible por impulsarles a aceptar la fórmula del ferrocarril... —Se puso en pie y les tendió la mano—. Alguien, algún día, en alguna parte, tiene que dar alguna vez el primer paso... —dijo—. ¿Por qué no nosotros ahora...?

Le despertaron las loras de siempre, discutiendo en el árbol de siempre.

Contempló el cielo y el bosque a través del enrejado de cañas, y a intervalos pudo distinguir dos mariposas que se perseguían. Le bastó una ojeada para saber que no le interesaban. Nadie daría por ellas más de veinte pesos.

Salió de la cabaña. Un sol brillante comenzaba a trepar por las copas de los árboles allá a lo lejos, al otro lado de la ancha laguna, quieta y luminosa. Una garza cruzó volando bajo, casi rozando el agua con las puntas de sus alas, y un pececillo saltó sobre la superficie, tal vez persiguiendo a una mosca; tal vez perseguido por otro pez mayor.

Aspiró profundo. El olor a bosque, a tierra húmeda, a hojas putrefactas, a flores de perfume demasiado denso, le caló muy hondo.

Era el olor de la selva en la mañana.

Subió al cayuco y, sin prisas, remó mansamente sorteando nenúfares y cañaverales.

A mitad del pantano se detuvo. Alzó el canalete, y el gotear del agua que escurría era cuanto podía escucharse en la quieta mañana. La embarcación perdió su impulso y se detuvo.

El mundo estaba en calma y en silencio.

En completo silencio.

Se recostó en el cayuco, apoyó la nuca en la borda y dejó que el sol de la mañana curtiera su piel.

Llegó, silenciosa, una libélula, que detuvo su vuelo y buscó descanso en el pie desnudo.

—Buen lugar elegiste —susurró.

Remó despacio, por los caños inmóviles, a la sombra de los caobos y las ceibas, entre lianas y enredaderas.

Remó sin esfuerzo por las anchas lagunas, buscando paso entre los manglares, espantando bandadas de garzas rojas y garzones blancos.

Remó apurado en las horas de la tarde, por las chorreras y rápidos de los afluentes del San Pedro, saltando de roca en roca o sobre cantos rodados...

Cenó en las playas de arena, donde descubrió anchas huellas de tortuga que le llevaron a nidos de huevos frescos, con los que se preparó pantagruélicas tortillas...

Durmió colgando su chinchorro entre dos troncos de palmera, protegido por el remendado mosquitero, sin más techo que un cielo sin una nube, sin más paredes que el bosque a un lado y el río a otro.

Soñó con selvas sin calor ni mosquitos, sin humedad ni murciélagos-vampiros, sin anacondas, serpientes o caimanes...

Desayunó más huevos de tortuga, y yuca, y plátanos asados, y se bañó en el agua negra, limpia y rápida del río, que tonificó su cuerpo y le dio ánimos...

Descansó en el calor de los mediodías, junto a los senderos de dantas, cerca de familias de chiguires que jugaban inquietos en las orillas, listos a saltar al agua si por tierra llegaba el jaguar; listos a correr monte adentro, si por el río se acercaba el caimán.

Anochecía cuando penetró en el intrincado dédalo de canales invadidos por ejércitos de nenúfares y enredaderas de apariencia compacta, pero que se abrían suavemente ante el impulso del canalete...

Las últimas garzas buscaron acomodo en las más altas copas del manglar, y una familia de monos capuchinos se acurrucó en las horquillas de un gigantesco cedro, dispuesta a pasar otra noche de espanto...

La sinfonía nocturna comenzó a afinar sus instrumentos, concluido ya el concierto diario de la selva. Las ranas soltaron sus primeros eructos con el trasero en remojo y la cabeza en seco, mientras un lejano pájaro-bombardero madrugaba su silbido buscando compañía para pasar la noche.

Continuó remando sin prisas. Los canales comenzaron a ensancharse, y las copas de los robles y parature dejaron de rozarse de orilla a orilla.

En las ramas de las sarrapías aullaban, lúgubres, los araguatos, y de tanto en tanto se percibía el ulular indescriptible de la araña-mona.

Advirtió el aletear de las primeras rapaces nocturnas: del rápido murciélago, detector de insectos, a la parsimoniosa lechuza gris, cazadora de serpientes y ratones...

Amaneció otro día...

Y un tercero...

Y muchos más...

Se aproximó a la orilla, rebuscó en el fango y sacó un gusano gordo y blanco que ensartó sin pena en el anzuelo. Lanzó el sedal al agua, ató el extremo a una rama y regresó a la penumbra de la cabaña.

Un pez saltó en el agua.

Con su segundo salto comprendió que intentaba zafarse del anzuelo, y haló despacio.

Era un hermoso bagre de diez kilos, que presentó pelea largo rato.

Cuando al fin se dejó arrastrar mansamente por entre los nenúfares, se introdujo en la laguna y, de un solo manotazo, rápido y certero, lo enganchó por las agallas y lo lanzó a tierra.

Lo observó mientras coleaba al pie del árbol.

«Demasiado grande», pensó.

Se volvió hacia la orilla lejana, donde nacía la trocha que serpenteaba hasta el poblado yubani.

No había niños recitando su lección bajo la ceiba.

No había muchachas riendo mientras llenaban sus cántaros.

No había guerreros discutiendo de caza y guerra en la cabaña grande.

No había más que silencio y un lamento lejano.

Avanzó, impresionado, dejó el bagre a la sombra y observó a su alrededor:

—¿Dónde está José Correcaminos...?

Un anciano de ojos llorosos, que fumaba inmutable, le señaló una choza apartada.

Llegó hasta ella. Era pequeña, ocupada tan sólo por un chinchorro en el que dormía un rapaz esquelético. En un rincón ardía un pebetero del que manaba un perfume denso que se agarraba a la garganta.

José Correcaminos, «el mensajero de Dios», aparecía acuclillado junto a Xudura, sin apartar los ojos del yacente.

—¿Qué ocurre...?

El indio alzó la cabeza:

—La huayahuasca le mostró nuestro futuro.

—¿Qué dijo...?

José agitó el chinchorro. El muchacho abrió unos ojos inyectados en sangre y los paseó sin ver por el techo de cañas.

—¿Qué has visto en tu viaje al futuro, Sum...? Repite lo que has visto...

Sum le miró; de su boca escapaba una baba blanca y pastosa que se deslizaba suavemente hasta el suelo. Se diría que le costaba un gran esfuerzo respirar; jadeó, cansado, volteó los ojos hasta dejarlos completamente en blanco, permaneció así un instante, y luego contempló fijamente al recién llegado.

—Ya el mal está dentro —dijo en su idioma—. Los yubani lo llevan en su pecho... Los pájaros del mal revoloteaban sobre el campamento de los blancos... Y los yubani desaparecerán sin guerra, calladamente, de la faz de la Tierra... —Tosió secamente, y se estremeció, convulso. Hizo un último esfuerzo—. Los yubani se irán... —añadió—. Se irán los yubani, y nadie defenderá estas selvas. Y se llevarán los árboles, y se irán las garzas, y se irán los monos y las loras... —tosió nuevamente— y las flores...

Cerró los ojos y se quedó dormido.

Sintió que un dique olvidado se le rompía muy dentro, y lloró en silencio por cada árbol de la selva, cada garza, cada mono, cada lora...

...Y cada flor.

F I N